MI CORAZÓN TRIUNFARÁ

MIRJANA SOLDO

MI CORAZÓN TRIUNFARÁ

Título original: My Heart Will Triumph

Co-autores: Sean Bloomfield y Miljenko «Miki» Musa

Traducción: Helena Faccia Serrano

Catholic Shop, LLC (CatholicShop.com)

317 Riveredge Blvd, Suite 208

Cocoa, FL 32922 USA

www.MiCorazonTriunfara.com

info@catholicshop.com / 1-800-565-9176

Fotografía de la portada: Foto DANI

Diseño de cubierta: Damon Za

Primera edición: May 2017

ISBN: 978-0-9978906-3-1

Para Papá y Mamá.

Quiero dar las gracias especialmente a Miki Musa y a Sean Bloomfield.
Gracias a su amor, paciencia y ayuda este libro ha llegado a tus manos.

INTRODUCCIÓN

ME LLAMO MIRJANA. He tenido visiones de la Virgen María durante más de treinta y cinco años. No puedo decirlo de una manera más directa.

Entiendo que tal vez sea difícil imaginar que algo así pueda suceder actualmente. Incluso para algunos creyentes los milagros son cosa del pasado. Pero dudo de que nadie estuviera más asombrado que yo cuando todo empezó. Ni siquiera sabía que esas cosas *podían* pasar, especialmente en Medjugorje, un pequeño pueblo de la antigua Yugoslavia.

Tienen que saber que médicos y científicos de todo el mundo me han estudiado y todos concuerdan en una cosa: soy absolutamente normal. Incluso lo tengo por escrito.

Por lo tanto, antes de que cuestionen mi estado mental, con una sonrisa simplemente pregunto: ¿*tienen* ustedes un documento oficial en el que se valida su cordura?

No escribo esto para convencerles de que me crean. Soy sólo una mensajera y deseo compartir mi historia con la esperanza de que sirva de consuelo en un mundo en el que la paz brilla cada vez más por su ausencia.

Decir que mi vida cambió la tarde del 24 de junio de 1981 apenas transmite la gravedad de lo que ocurrió.

Hasta ese día yo vivía bajo la dura garra del comunismo y soportaba las dificultades que ello conllevaba. Pero lo peor empezó después de que cinco niños y yo experimentamos algo extraordinario.

Lo que vimos cambió radicalmente nuestras vidas, las de nuestras familias y las de millones de personas en el mundo, mas provocó también la ira del régimen yugoslavo. Temiendo que mi testimonio fuera una amenaza para su gobierno, los comunistas me declararon *enemigo del estado* con tan sólo dieciséis años.

Quizá sus miedos estaban justificados, porque yo había conocido a Alguien más grande que el gobierno comunista de hecho, mucho más grande que nada que hubiera en la tierra.

Había conocido el amor de Dios.

Nosotros seis los primeros días de las apariciones. De izquierda a derecha: Ivan, Marija, yo, Ivanka, Vicka y Jakov.

CAPÍTULO I

«Te doy gracias, Padre, Señor del cielo y de la tierra, porque has escondido estas cosas a los sabios y entendidos, y se las has revelado a los pequeños».

(Mateo 11, 25)

AL PRINCIPIO, DE entre los seis, yo era la intrusa porque, a diferencia de los demás, había crecido en Sarajevo. Con sus calles ruidosas y sus altos edificios, en mi ciudad todo contrastaba con los campos, las sucias carreteras y las casas de piedra de Medjugorje. Pero las diferencias culturales de estos dos lugares eran mayores que las diferencias físicas.

Medjugorje estaba habitada en su mayoría por croatas, un pueblo orgulloso que había soportado innumerables adversidades a lo largo de la historia. Ya fuera enfrentándose a los conquistadores turcos o a los opresores comunistas, los habitantes de Medjugorje siempre se mantuvieron fieles a su fe católica. A pesar de lo cual, en 1981 tenían que ser discretos sobre sus creencias para no atraer la mirada escudriñadora del gobierno.

La población de Sarajevo, por el contrario, era una colorida mezcla de toda la gente que vivía en el resto de Yugoslavia. Conocida como «la Jerusalén de Europa», las cuatrocientas mil personas que vivían en Sarajevo incluían musulmanes bosnios (aproximadamente el 45%), cristianos ortodoxos serbios (30%), nosotros, católicos croatas (8%), e incluso algunas pequeñas comunidades de judíos. Sin embargo, la ideología dominante en esos días era el comunismo ateo.

La diversidad histórica de Sarajevo era muy evidente en su arquitectura. Parecía como si piezas de diferentes rompecabezas hubieran sido juntadas para construir una ciudad. En la periferia, los techos de tejas rojas de las casas tradicionales bosnias resplandecían al lado de los grises edificios monolíticos de cemento construidos por los comunistas. En cambio, cerca de la *Baščaršija*, la encantadora «Ciudad Vieja» de Sarajevo, corazón de la ciudad, elaboradas mezquitas y ciudadelas otomanas competían con los extravagantes resto del Imperio austrohúngaro.

Muchos de mis amigos de infancia pertenecían a religiones diversas y tenían distintas procedencias. De hecho, de todos los amigos que tenía en Sarajevo, sólo unos pocos eran católicos. Prevalecían los musulmanes y los ortodoxos, y el perfil de la ciudad estaba dominado por los minaretes de las mezquitas y las agujas de las iglesias bizantinas. Tenía amigos de ambos credos y nunca nos preocuparon nuestras diferencias. A veces incluso celebraba los días de fiesta de mis amigos y ellos celebraban los míos. Aprendí a respetar a la gente de otros credos mucho antes de que la Virgen María nos dijera que era justo hacerlo.

A pesar de que en sus casas no había agua corriente y de que estaba la mayor parte del tiempo trabajando bajo un sol abrasador, según iba creciendo pasaba más veranos en Medjugorje, donde vivían mis tíos y mis primos. Mis padres me autorizaban, cada año, a estar con ellos. Medjugorje era mi segunda casa.

Mi tío Šimun y mi tía Slava me trataban como si fuera una hija más. Nunca me sentí una invitada en su casa. Sus dos hijas mayores, Milena y Vesna, eran más unas hermanas que unas primas para mí. Dormía en su habitación y charlábamos cada noche hasta que su hermano pequeño, Vlado, nos decía que nos calláramos o hasta que nuestras risitas despertaban a su hermana pequeña, Jelena.

Rodeada por montañas cubiertas de maleza, la parroquia de Medjugorje estaba formada por cinco pequeños pueblos. Fundada el 15 de mayo de 1892, la parroquia estaba dedicada a Santiago, el santo patrón de los peregrinos, una elección que, noventa años más tarde, se demostraría profética. La primera iglesia de Santiago fue construida inadvertidamente en terreno inestable, por lo que tuvo que erigirse una nueva, cuya construcción finalizó en 1969. Al principio nadie entendía por qué los sacerdotes quisieron construir una iglesia tan grande, pero tras los sucesos de 1981 a menudo se queda demasiado pequeña.

Mis tíos vivían en Bijakovići, un pueblo cerca de la falda de una colina llamada Podbrdo. Como todo el mundo en Medjugorje, sobrevivían a base de cultivar tabaco, uva y otras cosechas. Aunque las casas tradicionales de Herzegovina tenían normalmente paredes de piedra y tejados de color naranja, Šimun y Slava vivían en una casa más moderna construida con ladrillos y estuco.

Ninguna de las personas que conocía en Sarajevo comprendía mi amor por Medjugorje, ni siquiera mis padres. En mi casa tenía todas las comodidades de la vida de ciudad, que mis padres me proporcionaban trabajando duramente. En comparación, la vida en Medjugorje era mucho más difícil. Todos tenían que cultivar sus propios alimentos, el agua estaba racionada y el trabajo proporcionaba lo justo para sobrevivir. Era precisamente esta sencillez la que me llevaba allí todos los veranos.

Durante mis primeros nueve años de vida en Sarajevo, mis padres me trataron como a una princesa. Mi padre, en especial, me adoraba. Si mi madre me pedía que lavara la ropa o fregara los platos, él lo hacía por mí. A veces incluso me llevaban el desayuno a la cama y siempre cocinaban lo que me gustaba porque yo era muy delgada y querían que comiera más. Para animarme, si comía todo lo que tenía en el plato me aplaudían. Sin embargo, esto causó más de una situación embarazosa. Cuando tenía unos siete años visité a unos parientes. La familia había preparado una comida especial para el suegro de mi tía. No sabiendo que la comida era toda para él, me lo comí todo. Ahí estaba yo, sentada, orgullosa, esperando el aplauso, pero todos me miraban sorprendidos. Por suerte, el suegro de mi tía se rio.

Para una comedora quisquillosa como era yo, la comida de Medjugorje era distinta a la que estaba acostumbrada. Pero mi madre siempre me avisaba antes de ir para que no me quejara: «Si me entero de que te has negado a comer algo», me decía, «vuelves a casa de inmediato».

A pesar de las diferencias, adoraba Medjugorje. Mientras mi familia, en verano, se iba de vacaciones a la costa del mar Adriático, yo iba a un pueblo agrícola perdido en las altas tierras de Herzegovina.

Medjugorje no me era totalmente ajeno. Desde que puedo recordar, mi familia y yo íbamos de vez en cuando para visitar a nuestros familiares. Me acuerdo de ser muy pequeña y jugar con mis primos y sus amigos. Atravesábamos corriendo los campos abiertos y jugábamos al escondite en los viñedos. Durante estas visitas, conocí en el campo una libertad que no tenía en la ciudad.

Había un niño pequeño que era especialmente amable conmigo. Se llamaba Marko. Era un año mayor que yo, tenía un espeso cabello negro y ojos del color del café turco. El tío de Marko por parte de su padre estaba casado con mi tía por parte de mi madre, por lo que en esos años nos vimos a menudo en casa de mi tía. A sus padres y a los míos les gustaba estar juntos, por lo que, cuando nos visitaban en Sarajevo, Marko venía con ellos. Mis recuerdos de él son tan antiguos como los que tengo de mí misma. Incluso recuerdo que cuando éramos muy pequeños dormíamos en la misma habitación.

Marko era distinto de los otros niños. Transmitía paz un estoicismo tranquilo y amable que yo admiraba y estaba siempre sonriendo. Yo atribuía su amabilidad a su gran fe en Dios, algo que sus padres le habían transmitido desde que era muy pequeño.

Cuando éramos adolescentes, el cariño de Marko se convirtió en una atracción romántica, pero era demasiado tímido para decírmelo. Todos veían claramente sus sentimientos. Siempre que iba a pasar el verano a Medjugorje, él venía también con la excusa de visitar a sus tíos. Mis primos solían tomarme el pelo por su causa.

Pero en Medjugorje no había muchas posibilidades para socializar. Cuando estaba allí trabajaba duro, como todo el mundo. La mayoría de los días mis primos y yo nos levantábamos antes de que amaneciera para recoger el tabaco en el campo; luego, colgábamos las hojas para que se secaran.

En mis primeras visitas mis tíos no me despertaron para ir a trabajar. Pensaban que necesitaba dormir porque no estaba acostumbrada a su estilo de vida. Pero yo creía que no era justo que me quedara durmiendo mientras mis primos trabajaban, por lo que empecé a despertarme sola para ir con ellos. Al principio todos se sorprendieron, pero pronto mi tío empezó a despertarme a las cuatro de la madrugada como al resto de la familia.

Solíamos tener algo de tiempo libre al acabar nuestro trabajo. Nos divertíamos con cosas sencillas como caminar por las afueras del pueblo o sentarnos en los muros de piedra para hablar. Los niños de Medjugorje siempre querían saber cosas de la vida en la ciudad y yo estaba deseando, por otra parte, que me contaran historias sobre la vida en el campo.

Una de mis mejores amigas era una niña alta, de pelo oscuro, llamada Ivanka. No vivía muy lejos, en Mostar, y solía pasar los fines de semana y el verano en Medjugorje con su abuela, por lo que era más del lugar que yo. Nos unió nuestra atracción hacia la vida de ciudad; a ella, en particular, le gustaba hablar de moda y, a veces, de su cariño por un muchacho del lugar llamado Rajko.

Al final del día estaba siempre agotada y mis manos estaban pegajosas de recoger tabaco, pero también me sentía feliz. De hecho, de lo único de lo que me avergonzaba cuando volvía al colegio en Sarajevo era de mis manos. Mis compañeros siempre volvían de las vacaciones de verano con bonitas manos morenas; las mías, en cambio, de recoger tabaco tenían un color entre amarillo y negro, por lo que las escondías debajo del pupitre.

Pero ese era el menor de los inconvenientes. Me sentía fenomenal cuando estaba en Medjugorje. Me sentia viva. Y deseaba que llegara el final del curso para poder volver.

En 1981, hacia el final de mi segundo año de instituto, empecé a sentirme rara. Era algo más que la simple emoción por mi próxima estancia en Medjugorje y, lo que era aún más extraño, se manifestaba con un deseo grandísimo de estar sola, rezando.

Me apartaba y rezaba en silencio, absteniéndome de mis rutinas de adolescente como pasear con mis amigos y charlar en un café. Mi madre empezó a estar seriamente preocupada porque mi comportamiento no era normal para una chica de dieciséis años.

En esa época yo frecuentaba unos de los mejores institutos de Sarajevo. Durante los recreos, mientras los otros estudiantes charlaban en los pasillos, empecé a ir a una vieja iglesia ortodoxa cerca del colegio. Muchos de mis compañeros católicos evitaban las iglesias ortodoxas, pero para mí ésta era un refugio de paz.

La iglesia estaba siempre vacía. Dentro hacía fresco y estaba oscuro, y olía a vino viejo y a incienso. Cada día encendía una vela y rezaba. Disfrutaba del silencio e intentaba comprender qué me estaba pasando.

Este extraño sentimiento se intensificaba cada día y cuando llegó el final de curso rezaba más que nunca en mi vida.

Cuando por fin emprendí mi viaje a Medjugorje, no me parecía ser *yo* la que estaba haciéndolo. Era como ver la vida de otra persona en una película.

¿Por qué me sentía tan rara?

Cuando mi padre me dejó en la estación para que cogiera el tren hasta Mostar, notó mi confusión. Lloró, como siempre hacía, pero esta vez también me rogó que cambiara de idea y no fuera.

Le abracé y le dije: «Estaré bien, papá. No te preocupes».

Al sentarme en el tren, una vaga expectativa empezó a crecer dentro de mí. ¿Qué expectativa? No lo sabía. Siempre tenía muchas ganas de ver a mis amigos y a mis familiares en Medjugorje, pero lo que sentía era diferente y más intenso, como si estuviera en el borde de algo desconocido a punto de tirarme de cabeza. Miré a través de la ventana mientras el tren cruzaba la extensión urbana de Sarajevo y proseguía a lo largo del río Neretva, una cinta zigzagueante de color turquesa que atraviesa los Alpes Dináricos. ¿Qué me estaba sucediendo? ¿Por qué sentía de repente la necesidad de rezar a todas horas?

Riscos cubiertos de neblina dieron paso a la extensión del Lago Jablaničko y tras una serie de túneles y puentes arqueados el tren llegó a la estación de Mostar, donde mi tío Šimun estaba esperándome.

A los pocos días de llegar a Medjugorje recibí la respuesta a todas mis preguntas de una manera que nunca me hubiera imaginado.

La mañana del 24 de junio de 1981 me levanté con una sonrisa en los labios. Ese día era la Festividad de San Juan Bautista, el profeta descrito en la Biblia como *«la voz que clama en el desierto para preparar el camino al Señor»*. Pero mi alegría tenía que ver más con el hecho de que ese día no íbamos a recoger tabaco que con San Juan. En Medjugorje los días sagrados eran días en los que no se trabajaba, lo que significaba que tenía mucho tiempo a disposición.

Era la oportunidad de ponerme al día con Ivanka. La casa de su familia estaba al lado de la de mi tío y cuando nos vimos decidimos ir a dar un paseo a las afueras de Bijakovići. Tomamos una carretera estrecha y nos detuvimos en una casa de la vecindad para preguntar a una niña del lugar, llamada Vicka, si se quería venir con nosotras. Estaba durmiendo la siesta, pero la madre nos prometió que le diría que habíamos pasado a verla.

En esa época nadie en Medjugorje cerraba la puerta de su casa y era normal entrar en una casa sin haber sido invitado. El pasatiempo más habitual en el pueblo era hablar y mientras proseguíamos nuestro camino, oíamos que nos preguntaban: «¿Dónde vais?» desde cada casa. Pero todo se volvió silencioso cuando dejamos atrás la última.

Paseamos por un camino sin asfaltar a la sombra de la colina de Podbrdo y hablamos acerca de la terrible tormenta que se había abatido recientemente sobre la zona. Las líneas telefónicas habían dejado de funcionar cuando un rayo hizo estallar la centralita telefónica principal. Hablamos también sobre cosas cotidianas lo que habíamos hecho en el colegio, quienes eran nuestros nuevos amigos, la última moda y otras cosas de las que suelen hablar las adolescentes.

Pero detrás de nuestra alegre conversación estaba latente un tema serio que ninguna de las dos quería afrontar: la madre de Ivanka, Jagoda, había muerto dos meses antes después de una larga enfermedad. Una mujer santa, que había abrazado su sufrimiento sin quejarse, incluso en los últimos momentos de su vida. Como era costumbre en Herzegovina, Ivanka iba vestida de luto desde el día del funeral de su madre, y seguiría vistiendo de negro durante un año entero.

Podía oír la tristeza en la voz de Ivanka mientras paseábamos, y el dolor seguía vivo en sus ojos. Deseaba que el aire fresco le trajera algo de alegría. Ciertamente, a medida que caminábamos y hablábamos Ivanka empezó a sonreír.

Cansadas de caminar, nos sentamos en un lugar sombreado a los pies de la colina. Eran las cinco o seis de la tarde. En medio de nuestra conversación, Ivanka de repente soltó: «¡Creo que veo a Nuestra Señora en la colina!».

Estaba mirando hacia Podbrdo, pero pensé que estaba bromeando por lo que no miré.

«¡Sí, seguro que es Nuestra Señora!», dije. «Ha venido a ver lo que estamos haciendo porque no tiene nada mejor que hacer».

Pero a medida que Ivanka seguía diciéndome lo que veía, mi enfado con ella crecía. Nuestros padres nos habían enseñado a respetar la fe y a no nombrar a Dios en vano, por lo que pensar que Ivanka estaba bromeando acerca de la Bienaventurada Virgen María me hacía sentir incómoda y atemorizada.

«Me voy», dije y emprendí el camino de vuelta a casa. Pero cuando llegué al pueblo un sentimiento fortísimo se apoderó de mi corazón. *Algo* me estaba diciendo que volviera, un sentimiento tan poderoso que me obligó a detenerme y a dar media vuelta.

Encontré a Ivanka en el mismo lugar, mirando la colina y moviéndose de aquí para allá. Nunca la había visto tan nerviosa y unos escalofríos recorrieron mi cuerpo cuando se volvió para mirarme. Su piel, normalmente morena, estaba pálida como la nieve y sus ojos estaban radiantes.

«¡Mira, *por favor*!», me imploró.

Me di la vuelta lentamente y miré hacia la colina. Cuando vi la figura, mi corazón dio un vuelco, temeroso y maravillado al mismo tiempo, mientras mi cerebro luchaba por procesar lo que estaba viendo.

Nadie había subido nunca a esa colina, pero lo que vi era inconfundible allí, entre las rocas y zarzas, había una mujer joven.

Fotografía de la clase en mi colegio de Sarajevo.
Soy la niña rubia en el centro de la fila.

CAPÍTULO II

«Vengo a estar entre vosotros porque deseo ser vuestra madre, vuestra intercesora».

(Del mensaje de Nuestra Señora del 18 de marzo de 2012)

¿ESTOY MUERTA O viva? Esto es lo que me preguntaba cuando miré por primera vez hacia la hermosa mujer en lo alto de la colina. Mi corazón estaba tan agitado que, apenas identificaba una emoción, otra ya la estaba reemplazando.

«*Pellízcate*», me decía. «¡Debes estar soñando!».

En esos primeros instantes frenéticos no me atreví a acercarme a la mujer. A una distancia de unos cien metros o más, era difícil distinguir su rostro, pero sí que podía ver que llevaba puesto un vestido azul grisáceo y que sostenía algo en sus brazos. Me di cuenta de que ese *algo* en sus brazos era un niño.

«*Una madre no habría subido* nunca *por esa colina con un niño en sus brazos*», pensé.

Estaba demasiado absorta mirando a la mujer para darme cuenta de lo que sucedía a mi alrededor, aunque recuerdo vagamente a otros niños junto a nosotras. Un niño llamado Ivan venía llevando unas manzanas y cuando vio lo que pasaba, las dejó caer y huyó. Y cuando Vicka llegó a reunirse con nosotras, su terror fue tan grande que lanzó las zapatillas y salió corriendo.

Ivanka y yo nos miramos cuando Vicka huyó. Sin decir una palabra, descendimos por el camino.

Irrumpí en la casa de mi tío gritando: «¡Creo que he visto a Nuestra Señora!». Mi abuela Jela, que estaba dentro sola, me miró asombrada. Me observó durante un momento.

«Dejemos que Nuestra Señora se quede donde está, en el Cielo. Coge el rosario, vete a tu habitación y reza a Dios».

Estaba demasiado excitada para explicarle a mi abuela que realmente *había* visto algo, así que hice lo que me había dicho que hiciera me fui a mi habitación y recé.

Al cabo de un rato dejé de temblar, pero esa noche no pude dormir. Cada vez que cerraba los ojos veía a la mujer de la colina. Estaba segura de que era Nuestra Señora, más por lo que había sentido que por lo que había visto. Pero, ¿no se suponía que la Virgen María estaba en el Cielo? Busqué en mi memoria algo que me ayudara a comprender aquello de lo que había sido testigo.

Hasta ese momento nunca me había imaginado que una persona pudiera ver a la *Gospa* el nombre croata para la Bienaventurada Virgen María en la tierra. Nunca había oído hablar de las «apariciones» y asumía que ésta era la primera vez que se le aparecía a *alguien*. En la Yugoslavia comunista los libros religiosos que llegaban eran de contrabando, por lo que nuestro conocimiento de los milagros estaba limitado a las medidas homilías de nuestros sacerdotes, que eran siempre conscientes de que los espías del gobierno acechaban en los bancos. Los sacerdotes sabían que cualquier cosa que se malinterpretara como un ataque al régimen podía mandarlos a la cárcel, o algo peor.

Aunque mi ciudad natal, Sarajevo, era un baluarte del comunismo, tuve una infancia relativamente tranquila. Mis padres, Jozo y Milena, eran originariamente de Bijakovići, pero fueron a vivir a Sarajevo después de casarse. Nací allí el 18 de marzo de 1965. Desde que me acuerdo, siempre fui diferente a los otros niños. De bebé y hasta los cuatro o cinco años, casi no tenía pelo y el que tenía era ralo y prácticamente blanco. Un día, cansada de esperar que mi pelo creciera, mi madre siguió el consejo de una vecina y me rapó la cabeza antes de que mi padre volviera del trabajo. Me dejó calva. Para las otras niñas yo tenía un aspecto extraño, por lo que llevaba una gorra y jugaba al futbol con los niños del vecindario. Era la portera del equipo. Finalmente, como mi madre esperaba, me creció un pelo más sano, por lo que pude volver al mundo de las niñas.

Solía jugar con una niña pequeña llamada Minka. Durante la llamada a la oración de los musulmanes, que se oía en toda la ciudad, Minka dejaba de jugar, se arrodillaba e inclinaba para rezar. Yo la miraba maravillada. Una vez hice exactamente lo que hacía ella. Mi madre me vio y me llamó inmediatamente. Me explicó que Minka y yo pertenecíamos a credos distintos. Sin embargo, nuestra amistad me enseñó a no fijarme en las diferencias que hay entre la gente.

Me gustaba jugar con mis amigos, pero prefería estar sola. En la tranquilidad de nuestro apartamento escribía poesías, pintaba y dibujaba. Era muy buena dibujando figuras de mujeres y niñas, y mis compañeros de clase me pedían a menudo que les hiciera dibujos. Uno de mis dibujos fue elegido para representar a mi escuela primaria en una competición internacional de arte en Japón. Me encantaba leer. Un libro en particular me conmovía: *El Principito* de Antoine de Saint-Exupéry, o *Mali Princ* en mi idioma croata. La historia del piloto al que su avión deja tirado y que conoce a un niño príncipe de otro mundo me hacía pensar que había algo más grande escondido detrás de lo que yo podía ver y me hacía plantearme la gran pregunta: ¿Cuál es el significado de la vida?

Como decía el Principito: «Sólo los niños saben lo que están buscando». El geógrafo, el farolero y el resto de caracteres del libro vivían, literalmente, cada uno en su pequeño mundo.

Me recordaban a los residentes de nuestro edificio de apartamentos: gente de distintas procedencias viviendo en pequeñas cajas de cemento amontonadas unas sobre otras, tan cerca las unas de las otras y, al mismo tiempo, tan lejanas.

No había muchos niños católicos en Sarajevo. Los pocos de nosotros que veníamos de familias practicantes teníamos que ir a catequesis, casi a escondidas, a la iglesia de San Antonio de Padua, en el histórico barrio de Bistrik. Con su exterior de color marrón fácilmente reconocible, la iglesia de alguna manera superaba las divisiones étnicas. También rezaban en ella ortodoxos y musulmanes, y los franciscanos que vivían en el monasterio anexo ayudaban a los pobres de todos los credos.

Mis clases de catequesis me enseñaron a temer a Dios más que a amarlo. Tenía la imagen de un gobernante severo que, desde el Cielo, controlaba para juzgarme y castigarme por cada error que hacía. Pero también desarrollé una gran devoción al santo al que estaba dedicada la iglesia, San Antonio, cuya compasión y amor me mostraban una versión distinta de Dios.

Uno de los padres de nuestra comunidad católica local nos acompañaba, a los cuatro o cinco niños que éramos, caminando hasta la iglesia. Antes de irme, mi madre me decía: «Si alguien os pregunta dónde vais, decidle que vais a tomar un helado o al parque o lo que sea».

Un día, cuando íbamos a catequesis, nos cruzamos con nuestra maestra de primaria. Como la mayoría de los maestros de Sarajevo, era miembro del Partido Comunista.

«¡Mirjana!», me dijo, deteniéndose.

Yo también me paré. «Ah, hola camarada maestra». Teníamos que dirigirnos a todos los maestros como camaradas; en nuestro idioma, *drug* para los hombres y *drugarica* para las mujeres.

«¿Adónde vas?», me preguntó. Me quedé helada.

«No tengo ni idea», le respondí y, dándome la vuelta rápidamente, me uní corriendo a los otros. Seguramente ella se quedó más confundida que sospechando algo raro.

Bajo el liderazgo de nuestro presidente Josip Broz Tito, el gobierno adoctrinaba a sus ciudadanos desde temprana edad controlando el sistema educativo. Nuestros libros escolares de historia ensalzaban las «heroicas» ideologías de Karl Marx, Friedrich Engels y Vladimir Lenin. Los maestros nos decían continuamente que Dios era una fábula y que la religión era, como dijo Marx una vez, «el opio de los pueblos». A menudo me sentía confundida porque no sabía qué creer.

El gobierno enrolaba automáticamente a los niños que empezaban el primer curso de la escuela primaria en el *Savez Pionira Jugoslavije*, o el *Sindicato de Pioneros de Yugoslavia*. Como nuevos *pioniri*, a los siete años de edad, recibíamos el uniforme oficial: un pañuelo rojo y una *Titovka* o «sombrero de Tito», blasonado con la estrella roja comunista. Con el juramento de pionero prometíamos amar la *República Federal Socialista de Yugoslavia* y prometíamos «difundir la hermandad, la unidad y los principios por los que había luchado nuestro camarada Tito».

El adoctrinamiento seguía a medida que pasamos de curso. Cada año, el 25 de mayo, Yugoslavia celebraba el cumpleaños del Presidente Tito como una celebración nacional conocida como el Día de la Juventud. Mientras encabezábamos el Día de la Juventud, nuestro plan de estudios glorificaba a Tito por traer el comunismo al país. Los maestros pedían a cada alumno que escribiera un poema o ensayo alabando al presidente y los medios de comunicación estatales difundían los mejores. Me gustaba participar en este concurso de escritura y algunos de mis textos fueron elegidos. Miles de personas participaban en estas concentraciones organizadas por el gobierno. Las ceremonias incluían eventos deportivos en honor de Tito y números de danza realizados por los *pioniri*. Las orquestas tocaban canciones partisanas rimbombantes como Uz Maršala Tito, cuya letra llamaba a Tito *el hijo heroico* y alardeaba que *ni siquiera el Infierno nos detendría* y que cualquiera que disintiera *sentiría nuestro puño*.

«La educación es un arma», dijo una vez Joseph Stalin, «cuyos efectos dependen de quien la tiene en sus manos y a quien está dirigida».

Vivir en una encrucijada cultural como Yugoslavia me dio una educación distinta y a veces complicada. El gobierno nos exigía que aprendiéramos tanto el alfabeto latino como el cirílico: el primero lo utilizaban los croatas, el segundo los serbios. Aprender a leer en dos alfabetos me enseñó la diferencia entre «Yugoslavia» y «Југославија», por ejemplo. También estudié inglés gracias a un plan de estudios del Reino Unido, que me dio un ligero acento británico cuando practicaba el idioma.

Pero más que ninguna otra cosa, me encantaba estar en casa con mi familia. Mi padre era de trato fácil y lleno de alegría. Mi madre era algo más estricta y más susceptible al estrés de la vida, pero trabajaba duro para proporcionarnos un hogar feliz y lleno de ternura. Cuando era pequeña estaba muy unida a mi padre.

A veces le preguntaba: «¿Para qué necesitamos a mamá?». Él sonreía. Los grandes ojos verdes de mi padre relucían enmarcados en su pelo negro y su ligera gordura complementaba su personalidad. Cuando mis primos venían de Herzegovina solía levantarse temprano para preguntarles qué querían desayunar.

Entonces salía a buscar los ingredientes y preparaba el desayuno, todo antes de irse a trabajar.

Aunque en ese tiempo no me percataba de ello, la vida en Sarajevo era difícil para mis padres. Mi padre trabajaba durante el día y se pasaba la mayor parte de las noches estudiando y yendo a clases para poder trabajar en el servicio de radiología. Mi madre trabajaba como cocinera en una gran empresa. Cada día salía de casa a las cinco de la mañana; por las tardes volvía agotada. No podían permitirse pagar una canguro para mí durante esos años, antes de que fuera al colegio. Por este motivo, cuando tenía cinco años me quedaba sola en casa, lo que les causaba mucha ansiedad. Varias veces a lo largo del día mi padre venía a casa para controlar, a través de la ventana sin dejarse ver por mí si yo estaba bien; luego volvía corriendo al trabajo.

Durante ocho años fui hija única, su «pequeña princesa». Hasta que el 16 de julio de 1973 llegó al mundo mi hermano, Miroslav.

Después del parto yo esperaba nerviosa a que volvieran del hospital. Incluso entonces, estaba más preocupada por mi padre que por nadie más. Me acuerdo perfectamente de lo que llevaba puesto ese día: su chaqueta deportiva marrón, unos pantalones grises perfectamente planchados y una camisa blanca, y también de cómo brillaban de amor sus ojos cuando miraba al recién nacido. Yo quería que el amor de mi padre fuera sólo para mí. Le llevé aparte y le dije: «Ámame sólo a mí y yo querré al bebé». Mi madre enfermó gravemente tras el nacimiento de mi hermano.

El médico le había dicho que tenía que descansar, pero ella empezó a trabajar en cuanto volvió a casa. Se le desarrolló una infección y tuvo fiebre altísima. No entendía lo que estaba sucediendo, pero notaba que mi padre estaba preocupado. No bromeaba conmigo como solía hacer. Dividía su tiempo entre estar cerca de mi madre, en cama, y cuidar de Miroslav, o Miro como le llamábamos.

Mi madre se recuperó, pero la experiencia de verla tan enferma me hizo prometerme a mí misma no dar por hecho que siempre la tendría. A partir de ese momento me aseguré de que ella siempre supiera lo mucho que la amaba.

Me ocupé de Miro y no pasó mucho tiempo hasta que desaparecieron mis recelos con respecto a él. Como tenía casi nueve años más que él, mi papel era más el de una segunda madre. Nuestros padres tenían que trabajar por lo que muy a menudo me ocupaba de él. Le cambiaba los pañales, le bañaba, le daba de comer.

Y cuando aprendió a caminar, le llevaba conmigo por Sarajevo. Mis amigos nos llamaban «Mirjana y el remolque» por el modo cómo le cogía de la mano y le arrastraba por la ciudad.

En 1976, cuando mi padre empezó a trabajar como técnico superior en un servicio de radiología, nos cambiamos de apartamento. Fuimos a vivir al último piso de un edificio de ocho plantas, cerca del centro de la ciudad. Con tan sólo dos estancias y un baño, nuestro nuevo hogar era algo pequeño para una familia de cuatro, pero nunca nos sentimos incómodos en él. Al entrar un pasillo lo dividía en dos. La cocina y el salón estaban en una parte. Comíamos en una mesa situada en el pequeño comedor unido a la cocina. Nuestro salón tenía dos divanes, dos sillones y la televisión. Durante el día nos reuníamos allí para hablar, ver la televisión y rezar juntos; por la noche, Mirko y yo usábamos el salón como nuestra habitación. Los divanes se abrían y se convertían en camas y guardábamos nuestra ropa en un gran armario situado en la pared. La habitación de mis padres y el baño estaban en la otra parte del pasillo.

Desde un punto tan elevado, sentía que podía ver todo el mundo desde las ventanas de nuestro apartamento.

Cuando la niebla bajaba desde las lejanas montañas y cubría Sarajevo, sólo eran visibles las puntas de las torres más altas, de los minaretes y de los campanarios, como señales en una calle de nubes. En las tardes despejadas, las luces de la ciudad en el valle parecían un cuenco de estrellas. A veces veía los aviones despegando del aeropuerto de Sarajevo y temblaba con la idea de ir en uno de ellos.

Nunca haría eso, pensaba.

Miro jugaba en el parque adyacente al edificio y yo disfrutaba paseando por el camino bordeado de árboles cerca del río *Miljacka*. Si nuestra familia necesitaba ir a algún lugar, había una parada de tranvía a poca distancia de nuestro bloque. A veces paseábamos juntos por las calles adoquinadas de Baščaršija, nos parábamos para dar de comer a las palomas cerca de la histórica fuente *Sebilj*, o para encender una vela en la Catedral del Sagrado Corazón.Una anciana mujer musulmana llamada Paasha vivía sola en el apartamento debajo del nuestro. No tenía familia que viviera cerca de ella por lo que mis padres la trataban como si fuera de nuestra familia. Si algo se rompía en su apartamento, mi padre lo arreglaba, y cuando la invitábamos a cenar, mi madre preparaba la comida según la ley islámica.

«La comida que más ama Dios», solía decir Paasha, «es la comida compartida con mucha gente».

Paasha se encariñó mucho conmigo y empezó a llamarme *Mala Plavuša* o «pequeña rubia». A veces, cuando estaba fuera en el parque, abría la ventana y gritaba: «¡Mi pequeña rubia! ¿Me irías a comprar pan?».

Aunque significaba tener que dejar a mis amigos, nunca decía que no. Comprarle cosas a Paasha me daba la oportunidad de hablar con ella. Aunque seguramente podría ir a comprar ella misma, pienso que disfrutaba de mi compañía y con la abuela Jela tan lejos, ella se convirtió en la sustituta de mi abuela. A Paasha le gustaba hablar de Dios y admiraba nuestras creencias católicas.

«Mantén tu fe», solía decirme. «Y cuando te cases, elige a alguien que comparta tu fe. Será lo mejor para tus hijos».

Yo me reía. «¿Hijos? ¿Matrimonio? ¡Aún queda mucho tiempo para ello!».

«Vale, pero un día, querida mía, dirás 'eso fue hace mucho tiempo'». Sin embargo, creyentes tan firmes como Paasha eran escasos en Sarajevo. Los comunistas habían tenido éxito secularizando la cultura local. Incluso el día de Navidad era un día laborable y los niños iban al colegio. El gobierno vigilaba especialmente a todo el que ese día se ausentaba del trabajo o del colegio.

Mi familia celebraba la Navidad del mejor modo posible en la privacidad de nuestro apartamento. Cuando se acercaba la Navidad, decorábamos un pequeño árbol de Navidad, rezábamos juntos y cantábamos villancicos. El día de Navidad íbamos a trabajar y al colegio como todos, pero después nos reuníamos para ir a misa y en casa compartíamos una gran cena. Al día siguiente, venían a visitarnos mi tío y su familia. A pesar de las difíciles circunstancias, teníamos una Navidad maravillosa. Cuando tenía doce años, mi padre encontró trabajo como formador de técnicos de radiología en Libia. Era difícil para él estar tan lejos de casa, pero el sueldo era más alto y él quería que tuviéramos una vida mejor. Cuando un día recibí un radiocasete de su parte, pensé que era rico, pero los aparatos electrónicos eran más baratos en Libia. Mi padre estuvo fuera dos años; durante este tiempo me responsabilicé aún más de Miro. Pero a medida que él crecía y se hacía más independiente me acusaba de ser irritante.

«No necesito una segunda madre», solía decir.

Yo solía limpiar la casa antes de que mi madre volviera del trabajo. Para que estuviera especialmente bonita, solía poner flores en un jarrón para ella. Normalmente le pedía a Miro que saliera y comprara las flores, pero obviamente, al ser chico, le daba vergüenza comprar algo que era de «chicas». Después de engatusarle durante un rato, bajaba enfadado a la floristería y volvía escondiéndose entre los edificios para que sus amigos no le vieran con el ramo. Le cogía el ramo en el umbral de la puerta, impidiéndole entrar hasta que mamá volvía a casa, porque si no, él desordenaba todo. A Miro esto nunca le gustó.

A pesar de nuestras pequeñas discusiones, nuestro hogar siempre estaba lleno de amor. Mis padres no solían hablarme de la fe, al menos no con palabras. Pero la vivían y, a través de su ejemplo, me enseñaron la importancia de la oración.

Practicábamos nuestra fe casi en secreto, aunque la mayoría de nuestros vecinos sabían que éramos católicos. Era imposible esconder nuestras creencias. Una niña llamada Gordana y su familia vivían cerca de nosotros. Eran serbios y ortodoxos de nacimiento, pero no eran practicantes. Como mucha gente en Sarajevo, los padres de Gordana no veían el valor que la fe podía tener. Pero Gordana observaba a nuestra familia cuando nos visitaba.

Veía que íbamos a misa, cómo rezábamos juntos y notaba que en nuestra casa había algo especial algo invisible a sus ojos, pero evidente para su corazón.

«¿Por qué nosotros no pertenecemos a nada?», le preguntó un día a su madre.

«¿Qué quieres decir?», dijo su madre.

«Sería tan bonito vivir como la familia de Mirjana. ¿Por qué no rezamos y vamos a la iglesia como hacen ellos?».

Al principio los padres de Gordana rechazaron la idea, pero ella insistió tanto que al final sus padres cedieron. Empezaron a ir a la iglesia ortodoxa cercana y a rezar juntos en familia.

Al crecer, yo no era excepcionalmente devota o piadosa, pero siempre tuve fe. Como otros católicos, sentía gran veneración hacia la Virgen María, pero tenía una relación más profunda con Jesús. Hablaba con Él a menudo. Con mi fe infantil, pensaba que Jesús era un hermano mayor al que podía confiar cualquier pequeña preocupación, desde las peleas del parque a los difíciles exámenes del colegio. También le planteaba preguntas sobre la vida, sobre todo una que tenía constantemente en mi cabeza. ¿Por qué la gente tenía que sufrir?

Desde muy temprana edad empecé a sentir una gran compasión por la gente que sufría. Si veía a un enfermo o a una persona necesitada, lloraba por ella. Me preguntaba constantemente por qué un Dios amoroso permitía que sufriera. Los adultos me decían que en lugar de preocuparme sobre cosas tristes debía divertirme y ser feliz como los otros niños. Pero, ¿cómo podía ser feliz cuando alguien estaba sufriendo?

Mi madre ya era consciente de mi sensibilidad cuando empecé a esconderme durante la primavera de 1981, y esto le preocupaba. Mi insistencia en pasar todo el verano en Medjugorje aumentaba su preocupación.

«¿Tienes algún libro de oraciones que pueda leer?», le pregunté una noche.

«¿Un libro de oraciones?», dijo. «¿Por qué?».

«No sé. Siento que debo rezar».

Dudó, pero entonces fue a su habitación y volvió con el libro de oraciones de su matrimonio.

«Esto es todo lo que tengo», dijo.

Los libros de oraciones eran raros en Yugoslavia. Los comunistas se oponían a la impresión e importación de material religioso. Sin embargo, para mantener la tradición permitían que cada pareja tuviera un libro de oraciones en su boda. Mis padres conservaban con cuidado el suyo.

Me retiré a un lugar aislado y lo leí atentamente. Sentí como si me hubiera regalado un tesoro inestimable. Con cada oración que recitaba mi corazón se henchía de alegría.

En la otra parte del apartamento mi madre estaba tumbada en la cama llena de ansiedad. Para ella, mi extraño comportamiento era una especie de presagio. Lloró toda la noche, convencida de que algo estaba a punto de sucederme.

Y tenía razón... algo me sucedió.

Cinco de nosotros en los primeros días de las apariciones. De izquierda a derecha: yo, Vicka, Ivanka, Jakov y Marija.

CAPÍTULO III

«Hijos míos, no tengáis miedo de abrirme vuestros corazones. Con amor materno os enseñaré lo que espero de cada uno de vosotros, lo que espero de mis apóstoles. Venid conmigo».

(Del mensaje de Nuestra Señora del 18 de marzo de 2011)

NO PUEDO DECIR que la mañana del 25 de junio de 1981 me desperté porque, dado mi estado mental, creo que no dormí nada la noche anterior. A pesar de todo, salí por la mañana temprano para recoger tabaco con mis primos como si fuera un día cualquiera en Medjugorje.

Vesna y Milena me recordaron los planes que teníamos de visitar a nuestra tía esa tarde, a lo que se añadía el hecho de que Marko también estaría allí. Asentí, pero sólo podía pensar en la mujer en la colina.

Mientras trabajaba en los campos no vi a ninguna de las otras, las que después serían conocidas, como yo, con el nombre de «videntes». Inmersa en la monotonía de recoger y ensartar el tabaco, repasaba en mi mente los acontecimientos de la tarde anterior. ¿Había visto realmente lo que pensaba que había visto?

A medida que se acercaba la hora de la visión del día anterior, un extraño sentimiento empezó a apoderarse de mí. Algo me llamaba a volver a la colina. Pronto fue tan fuerte que no pude ignorarlo.

«Tío Šimun», dije, «siento que tengo que volver a la colina. ¿Puedo?».

Mi tío me miró y reflexionó durante un instante.«Vale», dijo finalmente, «pero tu tía y yo iremos contigo. Queremos ver qué está pasando».

Nos fuimos inmediatamente. Cuando llegamos a la base de Podbrdo parecía que la mitad del pueblo estaba allí. Las noticias se difundían rápidamente en Bijakovići. Cuando vi a Ivanka, Vicka e Ivan entre la multitud, tres haces de luz blanca dirigieron nuestras miradas hacia la colina. Todos vimos, asombrados, la misma figura que el día anterior. Esta vez estaba algo más arriba en la colina.

Otros dos niños que no habían estado el día anterior Marija, dieciséis años, y Jakov de diez, uno de mis primos se unieron a nosotros y juntos subimos corriendo hacia la señora.

Los curiosos que estaban más abajo se quedaron desconcertados al vernos subir por la empinada cuesta a una velocidad imposible, avanzando sin esfuerzos entre rocas y espinos. Algunas personas intentaron seguirnos, pero no podían mantener el ritmo. Yo era una chica de ciudad y no era particularmente atlética, pero me sentía ligera. Era como si sencillamente me deslizara o como si algo me transportara al lugar donde estaba la mujer.

«Se tarda por lo menos doce minutos en subir allí arriba», dijo mi tío más tarde, «y, sin embargo, los niños subieron en dos minutos. Ver esto me aterrorizó».

La primera vez que pude ver a la mujer de cerca me di cuenta de que no era de este mundo. Inmediatamente, y sin pensar, caímos de rodillas. No estábamos seguros de qué decir o hacer, por lo que empezamos a rezar el Padre Nuestro, el Ave María y el Gloria. Ante nuestro asombro, la mujer rezó con nosotros, pero permaneció silenciosa durante el Ave María.

Una hermosa luminosidad azul envolvía a la mujer. Su piel tenía un brillo color de oliva y sus ojos me recordaban el azul traslúcido del mar Adriatico. Un velo blanco cubría la mayor parte de su pelo largo y negro, excepto por un rizo visible en su frente y algunos mechones que sobresalían del velo. Todo lo que veía me parecía sobrenatural, desde la celestial luz azul grisácea de su largo vestido a la asombrosa intensidad de su mirada. Su sola presencia transmitía un sentimiento de paz y amor materno, pero sentí también un gran miedo porque no entendía lo que estaba sucediendo.

«*Djeco moja, ne botje se*», dijo en perfecto croata. *Hijos mío, no tengáis miedo.* Con un tono melódico resonante que ningún humano podría repetir, su voz parecía música.

Ivanka encontró la fuerza para plantearle una pregunta, una que obviamente ardía dentro de ella. «¿Cómo está mi madre?», le preguntó.

Nuestra Señora miró a Ivanka con ternura. «*Está conmigo*».

Uno de los otros le preguntó a Nuestra Señora si volvería al día siguiente y ella asintió amablemente. En este primer encuentro se habló poco. Parecía que el propósito era que todos se sintieran cómodos para lo que se convertiría en un hecho regular.

Yo siempre había sido muy tímida. Cuando era niña y venían visitas a nuestra casa, solía esconderme en otra habitación y cerrar la puerta. Si mi madre me pedía que saliera, me quedaba lo más escondida posible y en silencio hasta que los invitados se iban. Es lo que me pasó en la primera aparición. Sencillamente, estaba sobrecogida. Mi único deseo era contemplar su belleza y disfrutar del enorme amor que sentía cuando la miraba.

Cuando el resto de habitantes del pueblo llegaron donde estábamos, ninguno podía ver lo que nosotros veíamos. Pero más tarde nos dijeron que la expresión de nuestros rostros les impresionó. Y aunque nosotros pudiéramos oír nuestras propias voces durante la aparición, ellos nos dijeron que nuestros labios se movían pero no emitían ningún sonido. Sólo podían oírnos cuando rezábamos o a veces cuando respondíamos a las preguntas.

Posteriormente, cuando oía a la gente describir la aparición, esto me incomodaba, como si unos extraños me hubieran estado mirando mientras dormía. Pero lo que la gente vio les convenció de que estaban siendo testigos de algo increíble. Ahí estaban seis niños, de los cuales sólo algunos eran amigos antes de ese día, arrodillados en las rocas afiladas y en los espinos, con los rostros iluminados y los ojos traspasados por algo que ellos no veían. Supe más tarde que los científicos calificaron nuestra experiencia como estar en *estado de éxtasis*. Yo lo llamo estar en el Cielo.

«¿Dejarás una señal para que la gente nos crea?», preguntó Vicka.

Nuestra Señora sencillamente sonrió, pero entonces Vicka me pidió que le dijera qué hora era. Parecía una petición extraña en ese momento y yo estaba demasiado cautivada para mirar mi reloj. Deseaba que el encuentro no tuviera fin, pero tenía que acabar.

«*Id en paz con el Señor*», dijo Nuestra Señora. Entonces, de repente, empezó a ascender, desvaneciéndose en el resplandor azul. Al mismo tiempo que sentía que volvía a este mundo, me acompañó un sentimiento de gran dolor y tristeza. Deseaba estar con la Virgen para siempre.

Me sequé las lágrimas y miré a los otros videntes. Ellos parecían estar también luchando con la vuelta a la «realidad». Ivanka estaba especialmente emocionada, con una buena razón ahora sabía que su madre estaba con la Virgen María.

Los espectadores dijeron que nuestra visión duró de diez a quince minutos, pero era imposible: parecía que hubiera sido mucho más tiempo. Miré mi reloj para controlar la hora y lo que vi me dejó perpleja. Los números y las manecillas de mi reloj se habían intercambiado. La señal de las dos estaba en el lugar de las diez, y así el resto. Y las manecillas estaban haciendo tictac hacia atrás. Me acordé de que Vicka me había pedido que le dijera la hora. Todo era muy extraño.

Los curiosos nos acribillaron con preguntas mientras bajábamos por la colina, pero estábamos demasiado aturdidos para dar respuestas detalladas. Juntos habíamos experimentado algo extraordinario un destello de lo divino y un encuentro con la Madre de Dios y, sin embargo, para cada uno de nosotros el encuentro había sido íntimo y personal.

El padre Slavko, un sacerdote que más tarde prestaría servicio en Medjugorje, una vez se sintió frustrado porque nunca conseguía que los seis estuviéramos de acuerdo en algo. «Si yo fuera Nuestra Señora», dijo, «nunca os hubiera elegido a vosotros. Sois tan diferentes y por esto es una prueba de que es verdad».

La mayoría de nosotros no hubiéramos pasado nunca el tiempo juntos si no hubiera sido por las apariciones. Cuando todo empezó, los observadores tal vez hubieran compartido mi primera impresión acerca de los otros. Ninguno de nosotros era particularmente piadoso comparado con otros niños del pueblo; cada uno tenía, además, sus propias debilidades y fortalezas. A pesar de todo esto, o *quizá por esto*, Nuestra Señora nos eligió y nos unió.

Con su pelo castaño y rizado y su perenne sonrisa, Vicka Ivankovic, de diecisiete años, era una chica alegre y vivaz. Era siempre la primera en tomar la iniciativa en el grupo. *Vicka* es su apodo. Su verdadero nombre, *Vida*, es la palabra croata para *visión*.

Yo nunca había estado con Ivan Dragićević, de dieciséis años, antes de las apariciones. Alto, de pelo oscuro, Ivan era tímido y tranquilo. El nombre Ivan es el equivalente croata de *Juan*, un nombre común en el Nuevo Testamento que significa «Dios es misericordioso».

Tampoco conocía a Marija Paulovic, de dieciséis años, una chica delgada con pelo castaño y corto. En croata, la letra *j* se pronuncia como una *y*, por lo que su nombre es la versión eslava de *María*. Del mismo modo, mi nombre se pronuncia como *meer-yana* y deriva de la forma original judía del nombre de María, *Miriam*.

El más joven, y sin duda el más pequeño de los miembros del grupo, era Jakov Colo, de diez años. Aunque Jakov era mi primo, nunca le había tratado mucho. Vivía solo con su madre, Jaka. Con su joven inocencia, Jakov, cuyo nombre era la versión croata de *Santiago*, siempre nos divertía y nos hacía reír.

Y, por supuesto, estaba mi querida amiga, Ivanka Ivankovic. Con quince años era la más joven de las cuatro chicas. Tendía a llegar tarde a todo y casi siempre era la última en aparecer cuando nos reuníamos.

Todos éramos muy diferentes, pero el extraordinario don de ver a Nuestra Señora nos unió. Nuestras interpretaciones de la experiencia eran y seguirán siendo tan distintas como nuestras personalidades, pero a través de los años siempre hemos estado de acuerdo en una cosa.

No hay palabras para describir la belleza de Nuestra Señora y el sentimiento que produce verla.

Los Padres Franciscanos de Herzegovina.

CAPÍTULO IV

«Os llamo para que seáis mis apóstoles de luz, para que difundáis el amor y la misericordia en el mundo. Hijos míos, vuestra vida es sólo un parpadeo comparada con la vida eterna».

(Del mensaje de Nuestra Señora del 2 de agosto de 2014)

«ESA CHICA RUBIA de Sarajevo es la que debe haber empezado esto».

En esos primeros días fui el objetivo principal de las sospechas del régimen y oía estas declaraciones a menudo. Algunos incluso me acusaron de traer drogas desde la ciudad, cuando, en realidad, todo lo que yo sabía sobre drogas tenía que ver con las medicinas que se usaban para las enfermedades.

Las acusaciones me herían, pero entendía por qué los escépticos me señalaban a mí. En un pueblo todo el mundo se conoce. Yo era la «extranjera». Incluso hablaba de manera diferente. La gente de Yugoslavia compartía un lenguaje común, pero el dialecto de raíces serbias con el que yo crecí en Sarajevo era muy diferente al vocabulario croata de Medjugorje.

Sin embargo, en conjunto, la gente del pueblo nos apoyaba y nos defendía. No pienso que podía ser de otro modo, porque asumo que todos sencillamente *sabían* que habíamos visto a Nuestra Señora. A mí me extrañó que la gente que estuvo cerca de nosotros durante la aparición no viera lo que vimos nosotros. Nunca hubiera mentido sobre algo tan sagrado, por lo que me parecía imposible que alguien dudara de mí. A pesar de todo, lo único que me importaba era volverla a ver. En esos días yo vivía más en el Cielo que en la tierra. No me importaba lo que dijeran mis padres, los sacerdotes, la policía vivía sólo para el momento en que, cada día, vería a la Virgen. No había nada más importante.

La tarde del 25 de junio Marko salió de su casa en Mostar con sus padres y sus dos hermanos para ir a la misma reunión familiar a la que iba a ir yo. Tenía grandes planes para esa noche: por fin me iba a pedir si quería ser su novia.

Cuando su coche pasaba por Čitluk, una de sus tías les vio desde un lado de la carretera y les hizo señas. Su padre paró el coche y su tía corrió hacia la ventanilla, muy agitada.

«¿Sabéis lo que ha pasado en Medjugorje?», preguntó.

«No», dijo la madre de Marko. «Cuéntanos».

«¡Pues que seis niños dicen que han visto a la Virgen!». Marko se inclinó hacia adelante. «¿Qué niños?».

Su tía los enumeró y cuando dijo mi nombre, Marko sintió un dolor repentino en su estómago.

Ya está, pensó. *Se acabó.*

Sabiendo que yo nunca mentiría, creyó inmediatamente en lo que había sucedido. Pero tuvo miedo de que mi experiencia, de alguna manera, me hubiera cambiado drásticamente. Estaba seguro de que sus sueños de un futuro conmigo habían pasado a ser, repentinamente, imposibles. Yo también estaba demasiado abrumada por la experiencia de la tarde anterior como para participar en la reunión familiar, por lo que Marko se quedó dudando.

Mi tío Šimun, mi tía Slava y mis primos habían pasado el suficiente tiempo conmigo en esos años para saber que estaba diciendo la verdad. Nunca me habían visto tan llena de emoción, de temor o rezando tanto. Mis primos y mi tía me hicieron muchas preguntas sobre Nuestra Señora y escucharon atentamente mientras yo la describía. Mi tío Šimun me apoyaba totalmente, pero intentaba no molestarme, sabiendo que necesitaba más privacidad para poder procesar todo lo que me estaba sucediendo.

La abuela Jela también me creía. Se había dado cuenta, entre otras cosas, de lo mucho que rezaba.

«Tu rostro, de alguna manera, parece distinto», me dijo un día.

«¿De verdad, abuela?».

Entornó los ojos y se inclinó hacia delante: «Como si algo lo iluminara».

La fe era todo para mi abuela. Muchos años antes había sido puesta a prueba de un modo inimaginable.

En los días sucesivos a la Segunda Guerra Mundial, ella y su Marido Mate mi abuelo por parte de madre vivían en la parroquia de Medjugorje con sus cinco hijos. Como muchas familias de entonces, cultivaban la tierra y luchaban por sobrevivir en condiciones durísimas.

Aunque nunca le conocí, crecí oyendo historias sobre mi abuelo Mate. Mi madre y el tío Šimun amaban mucho a su padre. Amable y generoso, la gente del pueblo lo respetaba por su sabiduría y le pedía consejo en las cuestiones importantes. En esa época, un hombre de Herzegovina tenía que luchar para alimentar a su familia, pero ni siquiera aquella dureza pudo ayudar a mi abuelo en los días caóticos en que los comunistas tomaron el poder.

En aquel tiempo, los hombres jóvenes a menudo tenían que participar en lo que se llamaba «acciones de trabajo voluntario» que, en realidad, eran campos de trabajo y no eran para nada voluntarios, sino obligatorios. Cuando el gobierno obligó al hijo de Jela y Mate, Niko, a ir a uno de estos campos, él miró a su madre y le dijo: «No volveré vivo».

Desgraciadamente los miedos de Niko se cumplieron. Un día los trabajadores del gobierno llevaron su cuerpo a mi abuela y le dijeron que había muerto en un accidente. Muchas madres se hubieran hundido por el dolor, pero de alguna manera ella controló el sufrimiento que sentía y caminó quince kilómetros hasta el lugar donde trabajaba mi abuelo. No quería que se enterara de la noticia por boca de otra persona.

Al poco tiempo de perder a Niko el tío que nunca conocí, el gobierno acusó falsamente a mi abuelo de ser un enemigo del estado. Sin ningún tipo de aviso o explicación, los comunistas llegaron una noche y se lo llevaron.

Este tipo de horror era muy normal en esa época. El gobierno tenía espías en todos los pueblos. Informar de un «enemigo» al gobierno ya fuera verdad o porque el espía quería que alguien desapareciera significaba un buen futuro en el Partido Comunista. Muchos inocentes fueron asesinados y enterrados en fosas comunes.

A medida que pasaban los meses y Mate no volvía, fue dolorosamente evidente para Jela que él también estaba muerto.

Nunca supo dónde le habían enterrado.

Mi madre tenía sólo nueve años cuando su padre desapareció. Temerosa de provocar a los comunistas tras haber vivido en primera persona su brutalidad, casi nunca hablaba de él. Cuando se trasladó a vivir a Sarajevo, los oficiales del Partido Comunista se aseguraron de que ella supiera que la vigilaban. Le dijeron que sabían quién era su padre y que tendría serios problemas si hablaba de él, de su fe o de otros temas «inapropiados» en su lugar de trabajo.

Para mí, mi abuela era una heroína. Tras perder a su marido, soportó la dureza que comportaba ser una viuda sin medios. Educó a cinco hijos a pesar de ser extremadamente pobres, una hazaña que ella atribuye sólo a la gracia de Dios.

Mi abuela Jela tenía unos ochenta años cuando tuve la primera aparición. Su fe había sido puesta a prueba de fuego y había sido purificada por una vida de oración, por lo que fue de gran consuelo que ella me creyera cuando le conté lo que había visto. Sabía que no mentiría nunca, especialmente sobre algo tan sagrado como la Bienaventurada Virgen María.

Mi abuela no era la única con fuertes creencias. La gran mayoría de la gente de la parroquia de Medjugorje vivía para Dios.

Incluso antes de que empezaran las apariciones, la mayoría de las familias recitaban el rosario juntas por la noche y la persona más anciana guiaba la oración. Nosotros nos reuníamos en la familia de mi tío después de cenar. Mi abuela se tomaba muy en serio su papel tras guiar el rosario, seguía rezando por los sacerdotes, los enfermos, las madres embarazadas y por todo el que lo necesitara. A nosotros, los niños, nos parecía que las oraciones no terminaban nunca.

Pero las expresiones de fe iban mucho más allá del rosario la mayor parte de la vida diaria de Medjugorje giraba alrededor de la religión. La gente nunca trabajaba el campo en los días festivos, lo que dice mucho acerca de su fe, porque el campo era su único medio de sustento.

Incluso la montaña que dominaba el pueblo, con su gran cruz de cemento, era un recuerdo constante de su sólida fe.En 1933 el párroco, padre Bernardin Smoljan, decidió juntar a sus feligreses, construir una cruz para conmemorar el 1900 aniversario de la crucifixión de Cristo. El nombre de la montaña se cambió a *Križevac*, que significa *Montaña de la Cruz. Una década más tarde los comunistas asesinaron al padre Smoljan y a otros sacerdotes del lugar.*

Cerca de Medjugorje está la ciudad de Široki Brijeg, hogar de un gran monasterio y de una iglesia dedicados a la Asunción al Cielo de la Bienaventurada Virgen María. Los sacerdotes y los hermanos que viven allí miembros de la orden Franciscana, iniciada por San Francisco de Asís prestan su ministerio en Herzegovina desde hace cientos de años. A pesar de los periodos de gran persecución, nunca abandonaron a la gente del lugar y es muy normal ver a los franciscanos con su hábito largo y marron en la región. De hecho, los franciscanos son los responsables de la parroquia de Medjugorje.

Los lugareños recuerdan con especial admiración a los franciscanos que vivieron en el monasterio de Široki Brijeg en 1945.

En los caóticos días que siguieron a la Segunda Guerra Mundial, los comunistas estaban ansiosos de coger el poder e imponer su ideología atea al pueblo de Yugoslavia. Para ellos, la religión era más que un mero estorbo; dada la fe firme de la gente, era un obstáculo evidente para sus proyectos.

El 7 de febrero de 1945, un grupo de soldados comunistas llegó a Široki Brijeg con un plan despiadado: eliminar la fe de la gente eliminando a los que, según ellos, eran su causa. Para que el comunismo floreciera, tenían que silenciar a los sacerdotes. Como dijo una vez Stalin: «La muerte es la solución a todos los problemas. Eliminas al hombre y eliminas el problema».

La gente cuenta que los soldados rodearon el monasterio de los franciscanos y entonces el comandante empezó a gritar a los frailes: «¡Dios no existe! ¡No hay Papa! ¡No hay Iglesia!».

Les miró a los ojos mientras paseaba por delante de ellos: «¡Y no necesitamos sacerdotes! Todos debéis salir al mundo y trabajar como cualquier otro hombre. Quitaos vuestros hábitos en seguida».

Los franciscanos se negaron a obedecer y se mantuvieron estoicamente firmes. Según se cuenta, uno de los soldados arrancó uno de los crucifijos de las paredes del monasterio y lo arrojó a los pies de los franciscanos. «Todos tenéis que elegir», dijo. «La vida o la muerte».

Uno a uno, todos los frailes se arrodillaron y abrazaron el crucifijo. Los soldados los sacaron fuera, les dispararon y enterraron a doce de ellos en una pequeña cueva en el terreno del monasterio. Sus cuerpos estuvieron allí muchos años, pero ahora están enterrados en lugares privilegiados dentro de la iglesia.

Según otro relato, el primer soldado al que se ordenó disparar a los franciscanos se negó. Entonces también él fue asesinado. Otro soldado siguió el mismo destino, por lo que el comandante dio las órdenes a un tercer soldado.

Este hombre le confío a alguien lo que pasó. Al ver que no tenía salida se dispuso a acatar las órdenes. Pero entonces vio a los pacíficos franciscanos orando y se dio cuenta por qué sus dos compañeros no habían podido llevar a cabo la orden.

En ese momento el soldado no podía pensar claramente y el miedo a morir como los otros dos le abrumaba. Pensó que los franciscanos iban a morir de todas formas. Si él cumplía las órdenes, pensó, al menos una persona seguiría viva.

Mató a los sacerdotes.

Décadas más tarde, su decisión seguía atormentándole. «Es una imagen terrible que tengo siempre ante mis ojos», cuentan que decía. «Al principio intenté olvidarlo, pero todos mis esfuerzos han sido inútiles. Desde entonces no puedo dormir. Cada noche es un infierno del que no puedo salir».

En total los comunistas asesinaron a treinta y cuatro sacerdotes franciscanos en Široki Brijeg. Y más de quinientos sacerdotes fueron asesinados en las repúblicas yugoslavas de Croacia y Herzegovina en ese mismo periodo.

Sus muertes, sin embargo, no fueron en vano. La masacre de Široki Brijeg tuvo el efecto opuesto al que buscaban los comunistas fortaleció la fe de la gente del lugar y confirmó sus sospechas de que el nuevo régimen era una amenaza real para todo lo que ellos consideraban serverdad.

Yo crecí en este inestable ambiente.

«Si mueres por Dios, vivirás para siempre», me dijo una vez mi madre. «Pero si le dices a Dios que 'no', morirás para siempre».

En aquel periodo, esta afirmación me confundió y turbó, pero cuando crecí, entendí lo que había intentado decirme: que no debía permitir que algo fuera más importante que la fe y que nada en esta vida es más importante que ganarnos la vida *futura* con Dios.

Hizo que me preguntara: si tuviera que enfrentarme a lo inimaginable, ¿defendería mis creencias?

Nunca imaginé que tuviera que responder a esta pregunta, pero cuando las apariciones empezaron, me convertí en el objetivo del mismo gobierno que había matado a mi tío, a mi abuelo y a los treinta y cuatro franciscanos de Široki Brijeg.

Nosotros seis, los «videntes», en los primeros días. De izquierda a derecha: Ivan, Maria, Ivanka, yo, Jakov y Vicka.

CAPÍTULO V

«Deseo ser una madre para vosotros, una maestra de la verdad para que en la sencillez de un corazón abierto podáis conocer la inconmensurable pureza y la luz que proviene de ella, que destruye la oscuridad; la luz que trae la esperanza».
(Del mensaje de Nuestra Señora del 2 de mayo de 2014)

EL TERCER DÍA, el 26 de junio de 1981, nos quedamos atónitos al ver a cientos de personas esperando en la colina cuando llegamos para la aparición. La noticia se había difundido por la región.

Esa tarde hacía un calor sofocante y el aire se fue volviendo más asfixiante a medida que la multitud se agolpaba. Pero no había incomodidad que pudiera impedirnos estar allí.

De nuevo subimos la colina a una velocidad increíble y caímos de rodillas cuando vimos a la Virgen. Más tarde los testigos nos dijeron que la aparición duró unos treinta minutos.

Nos saludó con las palabras «*Alabado sea Jesús*», que todos reconocimos como parte del himno tradicional croata *Hvaljen Isus i Marija*, o *Alabados sean Jesús y María*. Entendí luego por qué la Virgen había recitado sólo la primera parte como humilde sierva de Dios nunca se hubiera alabado a sí misma.

La abuela de Vicka le había sugerido que «pusiera a prueba» la visión rociándola con agua bendita. En el caso de que fuera algo diabólico, argumentó su abuela, el agua bendita haría que desapareciera. Pero en lugar de rociarla, Vicka vació todo el vaso.

«Si eres la Virgen, quédate con nosotros», dijo. «Si no lo eres, entonces ¡vete!». Nuestra Señora sonrió. Uno de nosotros le preguntó por qué había elegido aparecer en Medjugorje y no en otro lugar.

«*He venido porque aquí hay muchos creyentes verdaderos*», respondió. «*He venido a convertir y reconciliar al mundo*».

Otro preguntó: «¿Por qué te apareces a nosotros? No somos mejores que otros».

«Porque os necesito tal como sois», respondió.

Cuando la aparición acabó y todos estábamos bajando por la colina, Marija de repente se alejó y se arrodilló. Tenía otra visión. Más tarde nos dijo que la Virgen, llorando, le había dicho: «¡Paz, paz, paz y sólo paz! La paz debe reinar entre Dios y los hombres, y entre todos los hombres».

En cuanto las líneas telefónicas volvieron a funcionar, mi tía llamó a mi madre. Mi tía Slava era una mujer delicada a la que no le gustaban los dramas, y no sabía cómo decirle lo que estaba pasando. ¿Cómo le dices a una madre que su hija afirma que ve a la Virgen María?

«Algo le ha sucedido a Mirjana», dijo la tía Slava. Mi madre se preocupó. «¿Qué? ¿Está bien?».

«Bueno, no sé cómo decírtelo».

Mi madre temió que fuera algo tan horrible que mi tía no se atrevía a soltárselo.

Slava continuó: «Dice que ve a la Virgen María».

Mi madre permaneció en silencio un instante y luego preguntó: «Vale, ¿te parece que está normal?».

«Tiene el mismo aspecto de siempre. No hay nada anormal en ella».

Mi madre se acordó de lo rara que estaba en Sarajevo. «Entonces debe estar experimentado algo. Ella no mentiría o bromearía sobre estas cosas».

Mis padres vinieron a Medjugorje inmediatamente. Se inquietaron cuando me vieron durante una aparición por primera vez, sobre todo por las extremas emociones que reflejaba mi rostro y las lágrimas que resbalaban por mis mejillas. Conociéndome como me conocían y plenamente conscientes de que mi timidez me impediría desear ser el centro de atención entre tanta multitud no dudaron nunca de mí.

Miro tenía sólo siete años cuando empezaron las apariciones. Él creyó al instante. Para él era simple: si su hermana mayor decía que veía a la Virgen, era verdad.

Cuando llegó el momento de que mis padres volvieran a Sarajevo, me pidieron que fuera con ellos. Les preocupaba mi seguridad. Cada día era más caótico que el anterior, y la policía y la multitud aumentaban. Educadamente les dije que no estaba preparada para volver. En realidad, quería quedarme allí para siempre estaba convencida de que la Virgen podía aparecer sólo allí, en Medjugorje, y nada era más importante para mí que verla.

Mi madre me dijo más tarde que mi padre lloró en el coche cuando emprendieron la vuelta sin mí.

«¿Qué le sucederá?», repetía mientras viajaban.

El día siguiente, 27 de junio, los seis nos reunimos en casa de Marija para descansar y hablar antes de la aparición.

Vicka y yo nos tumbamos en la sombra bajo una gran mesa cubierta; los otros se sentaron en un sofá.

De repente entró un policía. «¿Dónde están los que dicen que ven a la Virgen?», preguntó.

Nos asomamos desde debajo de la mesa. Seguramente pensó que era un lugar extraño para estar.

«Subid al coche», dijo.

Mientras nos íbamos, la familia de Marija nos suplicaba: «¡No dejéis que os den pastillas ni os pongan inyecciones!».

El hombre nos llevó a la comisaría de la ciudad vecina, Čitluk. Según parece, las autoridades locales estaban siendo presionadas por el gobierno yugoslavo para que «apagaran el fuego». Pero ésta era una llama que nadie podía extinguir.

La policía nos interrogó y nos acusó de mentir. Cuando insistimos en que decíamos la verdad, nos gritaron y nos imprecaron. Era la primera vez que oía un lenguaje tan vulgar. Obviamente estábamos asustados, pero nuestra persistencia empezó a confundirlos y ablandarlos. Es muy probable que algunos nos creyeran, pero no podían demostrarlo. En Medjugorje y Čitluk muchos policías bautizaban en secreto a sus hijos e incluso se casaban por la Iglesia, durante la noche. Pero en el trabajo tenían que acatar las órdenes.

Tras el interrogatorio nos llevaron a una clínica para que nos examinaran. Nos sentamos nerviosos en la sala de espera. El médico llamó a Ivan el primero; después a Vicka. A través de las delgadas paredes pude oír su negativa a que él la examinara. Cuando llegó el momento de llamar a Ivanka eran ya las seis menos cuarto. Yo estaba preocupada porque llegaríamos tarde a la aparición, por lo que decidí entrar con ella.

El médico me fulminó con la mirada. «¿Quién te ha llamado?», me preguntó.

«Tenemos prisa», dije yo. «Tenemos que volver».

«No. Todos tenéis que quedaros». Encendió un cigarrillo y me ofreció uno. «No», dije.

«¿Cómo te llamas?», me preguntó.

«Mirjana».

«¿De dónde eres, Mirjana?».

«De Sarajevo».

«Ah, Sarajevo», dijo él. «Entonces, eres tú. Enséñame las manos». Controló mis manos para ver si temblaban, pero estaban firmes.

«*Realmente* tenemos que volver», insistí.

En ese momento sonó el teléfono. Había un carácter de urgencia en la voz del médico tras responder la llamada. Se acercó a nosotros y nos dijo:

«Ahora os examinará un psiquiatra de Mostar «No», dije yo. «¿ No?» dijo él.

«Tal vez usted piense que estamos todos locos, pero ¿qué más quiere de nosotros?». Abrí la puerta. «Adiós. Tenemos que irnos».

Y nos fuimos. Preguntamos en un hostal cercano si alguien nos podía llevar a Bijakovići. Un hombre se ofreció a acompañarnos y subimos, apretándonos, en su coche. Se acercaba el momento de la aparición y al ver un control de policía en la carretera que llevaba a Medjugorje nos angustiamos. Había cientos de coches aparcados a lo largo de la carretera. La gente que había venido a ver la aparición había aparcado y seguía a pie. La policía estaba controlando los coches y anotando los números de matrícula.

Salimos rápidamente del coche y corrimos hacia la colina. En cuanto llegamos, tres destellos iluminaron la ladera.

Además de sufrir el acoso de las autoridades, tuvimos que enfrentarnos a las dudas de la persona que pensábamos que sería nuestro mayor apoyo: el párroco.

El padre Jozo Zovko, de cuarenta años de edad, no hacía mucho que había llegado a Medjugorje. Era un sacerdote franciscano conocido por sus largos sermones y había empezado a trabajar en la iglesia de Santiago pocos meses antes de que todo empezara. Cuando empezaron las apariciones, él estaba en un retiro espiritual en Zagreb. El 27 de junio regresó a Medjugorje, pero en el viaje de vuelta se detuvo brevemente en el hospital de Mostar para visitar a su madre enferma. En la entrada del hospital se encontró con una mujer que conocía de Medjugorje y que tenía una herida en el brazo.

«¿Dónde ha estado? », le gritó en cuanto le vio. «¡La Virgen se ha aparecido en Medjugorje y usted no estaba allí! ».

«¿De qué me está usted hablando? », dijo. «Escuche, los que ven, que vean. Y los que no ven, que vengan a la iglesia y recen».

El padre Jozo prosiguió su camino hacia Medjugorje con otro sacerdote al que le comentó lo que la mujer le había dicho. Y añadió: «¡Creo que se golpeó la cabeza, no el brazo!».

Pero cuando vio la gran multitud que subía hacia la colina, no pudo ignorar el hecho. Al principio pensó lo peor: mentiras, alucinaciones o un engaño de los comunistas para desacreditar su trabajo. Ver a toda esa gente pasar y dejar atrás la iglesia de Santiago para dirigirse a la colina le preocupó. Si la Virgen María había decidido aparecer, ¿Porqué no lo hacía en la iglesia?

Yo estaba en Sarajevo cuando el padre Jozo empezó a llevar a cabo su labor en Medjugorje al principio de ese año, por lo que no le conocía. Durante toda mi vida había sentido un gran temor y respeto por los sacerdotes, por lo que estaba bastante nerviosa cuando me convocó en el despacho parroquial la tarde de ese 27 de junio. Los ojos de color marrón oscuro del padre Jozo hacían juego con el color de su pelo, y su rostro hubiera tenido una expresión amable si no se hubiera esforzado por mantenerse serio. Sin sonreír me dijo que me sentara y le describiera la aparición del día anterior.

«Fuimos a la colina», le dije, «y entonces vimos que el cielo se iluminaba tres veces. Miré hacia la colina y dije: '¡Allí está!'. Esta vez estaba incluso más lejos que la vez anterior».

«¿Y qué hicisteis?», preguntó el padre Jozo.

«Corrimos colina arriba a gran velocidad, sin esfuerzo. Cuando llegamos al lugar donde estaba la Virgen, nos arrodillamos inmediatamente. Mucha gente subía por la colina. Mientras estábamos arrodillados, algunos nos pisaron las piernas y otros pusieron niños delante de nosotros. Yo me desmayé a causa de todo esto, y por la emoción».

«¿Te desmayaste?».

«Sí, Ivanka y yo nos desmayamos, probablemente a causa de la humedad en el aire y por todo lo demás. Todos querían que le preguntáramos algo a la Virgen. Yo le pregunté: '¿Cómo está mi abuelo?' Le quería mucho. Me dijo: 'Tu abuelo está bien'».

Mi abuelo Ilija, el padre de mi padre, había fallecido cuatro meses antes. Mi abuela paterna había fallecido cuando yo era pequeña y apenas me acuerdo de ella, pero quería mucho a mi abuelo Ilija. Su nombre la forma croata de Elías significa «el Señor es mi Dios». Era un hombre muy cariñoso. Cuando iba a verle, siempre me daba un gran abrazo y un beso. Le recuerdo sentado y fumando en la parte delantera de su casa, con una sonrisa amable en su rostro arrugado. Se liaba sus propios cigarrillos y yo siempre le traía de Sarajevo su papel de fumar favorito.

Cuando el abuelo Ilija estaba muriéndose, mi padre estaba con él en Medjugorje. Era un día laborable y murió antes de que yo pudiera llegar a tiempo. En sus últimos momentos mi abuelo me llamó porque quería darme un último beso. Siento mucho no haber tenido la posibilidad de despedirme de él y fue hermoso cuando la Virgen me dijo que estaba bien.

El padre Jozo entonces me pidió que le describiera lo que hizo Nuestra Señora durante las apariciones. Yo no tenía palabras que pudieran describir lo que era estar con ella, pero lo intenté.

«A menudo mira a su alrededor, a la gente», dije. «Le pedimos que nos dejara una señal para que la gente nos creyera, para que no se rieran de nosotros. Pero no nos respondió. Simplemente dijo: 'Vendré mañana'».

«¿Es hermosa?», pregunto el padre Jozo.

«Oh, sí. ¡Es increíblemente hermosa! Tiene pelo oscuro, un poco estirado hacia atrás, y ojos azules».

«¿Has visto alguna vez a una chica como ella?».

«Nunca».

«¿Cómo es de alta? ¿Es más baja que tú?».

«Como yo, pero más delgada. Es *realmente* hermosa».

Quería describir lo que la hacía tan hermosa, pero no pude precisar algo de manera más concreta. Cuando la gente habla de la belleza física, a veces indican los ojos, el pelo u otros rasgos distintivos. Pero la belleza de Nuestra Señora era distinta. Todos los rasgos eran hermosos y armónicos. Un velo blanco enmarcaba su rostro ovalado. El color de su piel era similar a la tez morena y brillante de la gente del Mediterráneo. Esto, junto a su pelo oscuro, hacía que pareciera una persona de Oriente Medio. Su nariz diminuta estaba perfectamente centrada entre sus ojos almendrados y el ligero rubor de sus mejillas era similar al color de sus labios, que eran pequeños, carnosos y tenían una expresión de ternura.

Pero su «apariencia» era también un sentimiento, descrito muy bien por la palabra *materna*. Su expresión transmitía las cualidades de la maternidad: atención, compasión, paciencia, ternura. De sus ojos se desprendía tanto amor que yo sentía que me abrazaba cada vez que la miraba.

«¿Y qué hacía con sus manos?», preguntó el padre Jozo.

«Las movía de distintas maneras», le respondí. «No estaban quietas en una única posición».

«¿No tenías miedo al mirar?».

«En absoluto. Me sentía realmente feliz. No me importaría que se llevara a uno de nosotros con ella, así la gente vería que es realmente ella».

El padre Jozo me miró con aire interrogante. «¿*Llevarse* a uno de voso tros? ¿Te gustaría que te llevara consigo?». «Sí, me gustaría».

«¿De verdad no te arrepentirías?».

«No, no lo haría».

Respondí muy seria. El amor que me embargaba durante las

apariciones no se parecía a nada que hubiera experimentado en la tierra y cada vez que veía a la Virgen, mi único deseo era estar siempre con ella.

«Me duele», seguí, «que digan que he traído drogas de Sarajevo». El rostro del padre Jozo reflejó preocupación. «¿Quién dice esto?».

«Los policías. Dos de ellos me llamaron y me pidieron que les enseñara mi reloj. Se lo enseñé y les conté lo que había pasado. Luego me fui. Pero les oí decir: 'Ésta de Sarajevo, a lo mejor ha traído alguna droga de la ciudad' y otras cosas. Hay gente que también dice lo mismo».

«¿A qué se refieren con drogas?».

«Como si nosotros fuéramos drogadictos; vamos, que tomamos drogas y por eso vemos a la Virgen».

«¿Qué piensas de esto?».

«Me gustaría decirles, mirándoles directamente a los ojos: que un médico me examine para ver si estoy drogada o no».

Durante los años siguientes fui examinada por más médicos de los que la mayoría de las personas verían durante toda su vida. Pero en lugar de encontrar lo que ellos sospechaban a saber: drogas, epilepsia, enfermedad mental o engaño, fue mi normalidad lo que les dejó a todos desconcertados.

Peregrinos se dirigen hacia la iglesia de Santiago.
Al fondo, la Montaña de la Cruz.

CAPÍTULO VI

«Un corazón impuro no puede hacer cosas justas y correctas; no es un ejemplo de la belleza del amor de Dios para aquellos que le rodean y para aquellos que todavía no han conocido ese amor».

(Del mensaje de Nuestra Señora del 2 de julio de 2011)

«HIJOS MÍOS, SIEMPRE ha habido injusticia en este mundo».

Esta fue la respuesta de Nuestra Señora durante la aparición del 28 de junio de 1981, cuando le dije que la gente nos estaba acusando de usar drogas o de tener alguna enfermedad que causaba nuestras visiones.

Durante la misma aparición, le preguntamos su nombre. «Soy la Bienaventurada Virgen María», contestó.

Le preguntamos si tenía un mensaje para los sacerdotes. Ella dijo: «Que crean firmemente».

Uno de nosotros preguntó: «¿Te aparecerás a la multitud para que ellos te puedan ver?»

«Bienaventurados aquellos que creen sin ver», respondió ella, y entonces miró a la gente. «Que me crean como si me vieran».

Entonces, como siempre hacíamos, le pedimos que nos dejara algún tipo de señal de modo que todos pudieran creer. Y, al igual que antes, ella simplemente dijo que volvería el día siguiente.

Ese día temprano, nosotros seis habíamos ido a la misa de domingo en la Iglesia de Santiago. Estaba rebosante de gente, muchos habían venido de las distintas partes de Herzegovina. Estaba claro que muchos de ellos venían por curiosidad, no por devoción, porque la mayoría hablaba de las señales y los milagros. Algunos de ellos rezaban o hacían la señal de la cruz durante la misa.

Aún más preocupante, la homilía del padre Jozo parecía estar dirigida a nosotros seis. «Es verdad que Dios puede revelarse a sí mismo y así lo ha hecho antes», dijo él. «Y, ciertamente, Nuestra Señora se ha aparecido en la tierra antes. Pero ¿por qué necesitamos esas maravillas cuando tenemos la Eucaristía, la Biblia, y la Iglesia? ¡Jesús está aquí! Amigos míos, nosotros somos solamente seres humanos, y los seres humanos pueden ser fácilmente manipulados.

Vivimos en tiempos desafiantes y tenemos que ser siempre prudentes. Sobre todo, debemos orar constantemente al Señor».

Después de oír su homilía, temía tener que encontrarme con el padre Jozo esa tarde.

Un día o dos antes, un hombre del pueblo me dio un libro sobre las apariciones en Lourdes, Francia, y me sugirió que lo leyera para ver si había semejanzas con lo que estábamos experimentando. Me quedé asombrada al enterarme que alguien más había visto una vez a Nuestra Señora. En 1958, una campesina llamada Bernadette estaba cogiendo leña a la orilla de un río. De repente hubo una ráfaga de viento y al levanter la mirada vio una Hermosa mujer en una gruta. La mujer permaneció en silencio, pero en los siguientes días, Bernadette continuó viéndola en el mismo lugar y empezaron a conversar.

«No te prometo hacerte feliz en este mundo», dijo la mujer a Bernadette, «sino en el futuro».

La gente del lugar se reunió alrededor de Bernadette cuando ella tenía las apariciones, pero padre Peyramale nunca fue a la gruta a verlo él mismo, eligiendo en cambio entrevistar a Bernadette en la rectoría. Él dudó de su historia.

«No se me pide que le haga creer», dijo Bernadette. «Sólo se me pide que se lo diga».

Un día, Bernadette preguntó a la mujer su nombre y ella contestó: «Soy la Inmaculada Concepción».

Cuando Bernadette contó esto al padre Peyramale, éste se dio cuenta que decía la verdad. Esta niña, sencilla y pobre, no podía saber algo sobre el dogma, relativamente nuevo en ese tiempo, de la Inmaculada Concepción.

Nuestra Señora dejó una señal que todavía hoy puede verse en Lourdes: una fuente milagrosa en el suelo de la gruta. Hoy, enfermos de todo el mundo van allí a bañarse en el agua y a orar por su curación.

Cuando leí que Nuestra Señora se había aparecido a Bernadette dieciocho veces, supuse que en Medjugorje podía ser también así. Algo me decía que ella se aparecería sólo algunos días más y se lo conté a los otros videntes. En algún momento, comenzamos a creer que era verdad. Con los comunistas aterrorizándonos y las apariciones suscitando nuestras emociones apenas comíamos o dormíamos y era fácil confundirse. Pero en el fondo, yo quería desesperadamente que las apariciones continuaran. ¿Cómo podría volver a vivir mi vida normal después de haber experimentado el Cielo?

Esos días estuvieron marcados por los contrastes alegría y miedo, soledad y sufrimiento, el amor del Cielo y la hostilidad de la policía. Había sido una adolescente normal, viviendo en paz con mi familia, cuando de repente todo cambió. Crecí de la noche a la mañana.

Marko vino unos días a visitarme a Medjugorje. Cuando llegó con su pequeña moto se sentía demasiado incómodo para entrar en casa de mi tío, así que se quedó fuera, de pie, y caminaba de un lado para otro. Cuando abrí la puerta y le invité a entrar, me miró con sorpresa y alivio.

«Oh, gracias a Dios», dijo.

«¿ Qué?», le contesté yo.

«¡Eres normal! ».

«Más que tú, parece. ¿Qué esperabas?».

«Bueno, no sabía cómo serías ahora. Tenía miedo de venir. Me imaginé que tendrías un aspecto sombrío y que tendrías los pelos de punta como cuando metes el dedo en un enchufe o algo así. Pero eres la misma».

Me reí. «Bueno, gracias, supongo».

Quizás habría cambiado más si hubiera sido joven, aunque ciertamente no de la forma drástica que Marko imaginaba. A medida que conocía a los otros videntes y observaba nuestras diferentes personalidades, empecé a pensar que Nuestra Señora nos quería justo como éramos, con todos nuestros defectos y rarezas incluidos.

Después, cuando supe más sobre Lourdes, Fátima y otras apariciones del pasado, me di cuenta de que Nuestra Señora normalmente se aparecía a gente joven y me preguntaba por qué. ¿Era porque nosotros no estábamos todavía agobiados con planes y obligaciones? ¿Eran los corazones de los niños más puros que los de los adultos?

Si hubiera sido mayor, quizás hubiera comprendido todo más rápido, pero sus mensajes no requerían largos comentarios o una interpretación teológica. Ella nos hablaba a todos nosotros y lo hacía con palabras sencillas.

La tarde del 28 de junio el padre Jozo tenía más preguntas para mí. Parecía preocupado acerca de mi conocimiento de la fe católica y de que éste no fuera suficiente.

«Dime, Mirjana», me dijo. «¿Ahora leerás más la Biblia?».

«Me gustaría leer más la Biblia», dije. «Ya sé que te gustaría, pero ¿lo harás?». Dudé. «Bueno…». «¿Ni siquiera tienes una Biblia?».

Bajé la mirada. «No. Mi abuela en Sarajevo tiene una. Algunas veces la visito y la leo allí».

Pude ver la frustración en la cara del padre Jozo. Tenía ante sí a una chica que aseguraba que la Madre de Dios la visitaba y ni siquiera poseía una Biblia. La cosa más parecida que teníamos en casa era un libro ilustrado para niños de historias de la Biblia.

«¿ Sientes ahora la necesidad de aprender algo?», me preguntó. «Por ejemplo, ¿de rezar a Nuestra Señora?».

«Me encantaría hacerlo», le dije. Y lo decía en serio. Hacía poco que había pedido a la gente que me escribiera algunas oraciones porque quería aprenderlas. La experiencia de ver a Nuestra Señora me había inspirado a abrazar la fe con todo mi corazón.

«Sabes», dijo el padre Jozo, «la gente dice que ellos no ven lo que tú ves».

«Yo no puedo ayudarles», le dije. Pensé en el padre Peyramale y en Bernadette, y quería preguntarle al padre Jozo por qué todavía no había ido a la colina para ver con sus propios ojos. Pero como sacerdote le tenía demasiado respeto como para hacerlo.

«Algunos han empezado a dudar. Algunas de las personas mayores están diciendo que tus apariciones no sirven para nada. La gente está decepcionada».

Pensé por un momento, no estaba segura qué respuesta dar. «No todos pueden ver».

«¿Y por qué no pueden ver? ¿Tienes alguna opinión al respecto? ¿Alguna duda?».

«Si todos pudieran verla entonces todas las personas podrían decir que Dios existe. Todos creerían. No lo puedo explicar. Dios no se aparece a todas las personas. Debes creer incluso si tú no le ves».

Aunque ellos no veían, muchos creyeron, y el tranquilo pueblo agrícola de Medjugorje se transformó rápidamente en un lugar de peregrinación.

Desde los primeros tiempos de la Cristiandad los creyentes han emprendido viajes hacia Tierra Santa, hacia Roma y hacia santuarios marianos como la Basílica de Nuestra Señora del Pilar en Zaragoza, España, donde la tradición sostiene que tuvo lugar la primera aparición de María, al Apóstol Santiago. También en España, la gente peregrina por una ruta medieval conocida como el Camino de Santiago, para fortalecer su fe y rendir homenaje al santo patrón de los peregrinos. De hecho, nuestra palabra para peregrinación, hodočašće, viene de la palabra hodati, que significa caminar.

La mayoría de los peregrinos que intentaba llegar a Medjugorje venía en coche o autobús, pero la policía bloqueó la carretera principal de entrada al lugar, haciendo que la mayoría de ellos se transformara en hodočasnici. A medida que la afluencia de visitantes aumentaba, aumentaba también la acogida de los habitantes de la parroquia a los mensajes de Nuestra Señora. A mí me producía gran alegría ver el efecto que tenían las apariciones en la gente más cercana a mí. Mi tía, mi tío y mis primos rezaban con más devoción. Mi abuela añadió más decenarios del rosario a su rutina diaria. Y, como una verdadera peregrinación, Marko a menudo caminaba los treinta kilómetros que separaban Mostar de Medjugorje en honor a Nuestra Señora.

Podbrdo, más tarde conocido como la Colina de las Apariciones, se alza sobre la aldea de Bijakovići en Medjugorje.

CAPÍTULO VII

«Deseo ser una madre para vosotros, una maestra de la verdad, para que en la sencillez de un corazón abierto podáis conocer la inconmensurable pureza y la luz que proviene de ella, que destruye la oscuridad; la luz que trae la esperanza».

(Del mensaje de Nuestra Señora del 2 de mayo de 2014)

EL 29 DE junio, fiesta de los Santos Pedro y Pablo, nos convocaron de nuevo en la comisaría de Čitluk para interrogarnos.

Uno de los oficiales me miró con rabia. «¿Dónde está esa pequeña mierda?», dijo refiriéndose a Jakov.

Sabiendo lo horrible que podía ser la policía, nos alegrábamos de que Jakov no hubiera venido con nosotros esa vez. Era impensable que se pudiera someter a un niño de esa edad a tal hostilidad. Los policías eran artistas cuando se trataba de vilipendiar, como si compitieran entre ellos para saber quién podía ser más ofensivo.

«Jakov tiene sólo diez años», dije. «Déjelo tranquilo. Es demasiado pequeño».

«Tú perra mentirosa», gruñó el policía. «No es pequeño si puede subir esa colina en dos minutos».

Cerré los ojos y le pedí a Dios que tranquilizara al policía, pero el interrogatorio prosiguió de esta manera durante cuatro horas. Al final, incapaz de hacernos renegar de nuestras declaraciones, la policía nos apiñó en una pequeña ambulancia y nos llevó a una clínica para que nos examinara la Dra. Darinka Glamuzina, una pediatra local.

Mujer inteligente y segura de sí misma, de pelo corto y oscuro, la Dr. Glamuzina nos dijo que era atea. Cierta de que tenía que haber una explicación lógica a nuestra historia, empezó a soltar preguntas tan rápidamente cómo podíamos contestarlas: ¿Qué habías visto? ¿Dónde ocurrió? ¿Cómo os sentisteis? ¿Os han hipnotizado alguna vez?

Su última pregunta parecía bastante disparatada, pero contestamos a todo con paciencia y honestidad. Al final del encuentro, la Dra. Glamuzina dijo: «Mi colega y yo iremos más tarde a Bijakovići para observaros».

¿Observarnos?, pensé. ¿Cree que somos animales salvajes?

Habían pasado seis días desde la primera aparición y miles de personas llegaban cada tarde a Medjugorje de sitios tan lejanos como Sarajevo y Zagreb. Cada vez más paranoicas ante el temor de perder el control después de la muerte del Presidente Tito, un año antes, las autoridades comunistas utilizaron sus armas preferidas: el miedo y la intimidación.

La policía nos metió de nuevo en la ambulancia. Apretados y sin tener un sitio donde sentarnos, cada bache del camino era atroz. Al cabo de una hora llegamos por fin al Hospital de Mostar.

«Acostumbraros a este sitio», dijo el conductor. «Tal vez sea vuestro nuevo hogar cuando los médicos os declaren dementes».

La policía nos llevó primero a una habitación oscura y sin ventanas y cerró la puerta tras nosotros. El ambiente era húmedo, frío y nauseabundo. Vi lo que me pareció a alguien durmiendo encima de una mesa, pero cuando mis ojos se acostumbraron a la luz, me di cuenta de que la persona estaba muerta. Mirando la habitación, vi más cuerpos. «La morgue», susurré.

Estábamos horrorizados. ¿Cómo podían hacer esto a unos niños?

Cuando finalmente nos hicieron salir de allí, nos llevaron para que un médico nos examinara. Sus preguntas eran parecidas a las de la Dra. Glamuzina, pero su comportamiento era más frío.

«Sabéis», dijo, «tenemos un lugar especial para los locos».

Engañándonos y haciéndonos pensar que era una sala de espera, nos encerró en una sala llena de enfermos mentales. La gente se movía a nuestro alrededor sin rumbo fijo, gritando y haciendo ruidos extraños.

Un paciente se nos acercó. «Soy un soldado», dijo y empezó a marchar dando vueltas alrededor de nosotros.

Nos juntamos, aterrorizados. ¿Estaban planeando encerrarnos en ese lugar para siempre? Gracias a Dios, una enfermera nos sacó de allí.

«No debéis estar aquí», dijo.

Y guiándonos a través de un oscuro pasillo nos llevó a una sala donde había otras enfermeras.

«Contadnos la aparición de Nuestra Señora», dijo la enfermera. «Todo el mundo habla de ello».

Les contamos lo que habíamos visto y respondimos a un sinfín de preguntas. Al final de nuestro testimonio muchas enfermeras estaban llorando. Su interés y sus reacciones me sorprendieron.

Después nos examinó el jefe del servicio de Neuropsiquiatría del Hospital de Mostar, la Dra. Mulija Džudža. Más tarde nos dijeron que había dicho que éramos niños sanos y equilibrados, y que añadió: «¡Los que les trajeron aquí son los que deberían ser declarados dementes! ».

Lo que más me sorprendió, y me confirmó que no debería temer nunca hablar de Nuestra Señora a cualquiera, es que la Dra. Džudža era musulmana.

Aunque la policía nos dejó libres ese mismo día, la experiencia de visitar la morgue y la sala psiquiátrica me traumatizó. Imágenes inquietantes aparecían constantemente en mi mente: un cadaver en una mesa de acero, un«soldado» perturbado marchando a nuestro alrededor, pacientes que balbuceaban y vagabundeaban. Pero supe entonces que si tuviera que llegar el momento de elegir entre ser encerrada en un manicomio o negar que había visto a la Virgen, yo elegiría sin dudarlo el manicomio. Nada me haría renunciar a ella, ni la cárcel y ni tan siquiera la muerte.

Esa tarde nos reunimos para la aparición, angustiados aún por las experiencias de ese día. Cuando Nuestra Señora apareció, todos empezamos a llorar. Su inmenso amor hacía brotar nuestras emociones. Pero mis miedos y mis preocupaciones desaparecieron cuando la Virgen me mostró una serie de escenas muy vívidas de su vida terrenal. Era como ver una película. La condiciones en las que vivió María no tienen nada que ver con las versiones idealizadas que había visto en el arte religioso. Vi que había vivido una vida humilde y modesta desde que era muy pequeña; difícil pero bella en su sencillez. Vi destellos de sus momentos más relevantes, como la aparición del ángel y el nacimiento de Jesús. Me di cuenta de que María también había sido niña y que había tenido los mismos dolores y alegrías que tiene todo el mundo, pero con una profunda excepción: ella se convirtió en la madre de Dios.

Uno de los otros videntes le contó a la Virgen su angustia por los acontecimientos de ese día: «¿Podremos soportar todo esto?».

«*Podréis, ángeles míos*», respondió la Virgen maternalmente. «*No tengáis miedo*».

La azulada luz celestial que había detrás de la Virgen se atenuó mientras una silueta que no nos era familiar apareció por encima de su hombro derecho. Era la figura de un hombre ensangrentado y magullado, de ojos marrones, pelo largo y barba. Sólo podía ver los hombros y la cabeza del hombre. Su rostro tenía una expresión de intenso sufrimiento. Al contrario de la Virgen, que siempre había tenido la apariencia de un ser humano, este hombre tenía más bien el aspecto de una estatua. Me di cuenta de quien era cuando vi la corona de espinas en su cabeza.

«*Mirad al que dio todo por la fe*», dijo Nuestra Señora, «*para que no os parezca demasiado por lo que estáis pasando*».

La figura se disolvió en la luz azulada. Estaba feliz de haber vislumbrado a Jesús, pero me sentía también un poco avergonzada por haber pensado que mi sufrimiento había sido demasiado. La experiencia me ayudó a no darme nunca demasiada importancia o a considerarme una especie de víctima.

La Dra. Glamuzina, la pediatra escéptica que nos había examinado esa mañana, vino a observar la aparición; o, para ser más precisos, para observarnos a *nosotros*. Testigos nos dijeron que su mirada de escepticismo cambió a fascinación cuando vio nuestros rostros. Le pidió a Vicka que le hiciera unas preguntas a Nuestra Señora y Vicka aceptó hacerlo.

«Pregúntale quién es», dijo la Dra. Glamuzina.

Vicka le transmitió la pregunta y Nuestra Señora dijo:

«*Soy la Reina de la Paz*».

«¿Cómo podemos tener paz cuando hay tantas religiones distintas?», preguntó la doctora.

Vicka transmitió esta nueva pregunta y Nuestra Señora respondió: «*Hay un solo credo y un solo Dios*».

La Dra. Glamuzina preguntó por qué, de todos los lugares, la Virgen había elegido aparecer en Bijakovići.

«*He venido aquí porque la gente reza y tiene una gran fe*», respondió.

La doctora preguntó si podía intentar tocar lo que nosotros estábamos contemplando; transmitimos la pregunta.

«*Puede intentarlo*», dijo Nuestra Señora.

Dirigimos a la Dra. Glamuzina hasta donde estaba la Virgen. La doctora alargó la mano, pero la Virgen de repente ascendió y desapareció. La Dra. Glamuzina se volvió al instante hacia nosotros con una mirada de aflicción en su rostro y dijo: «Se ha ido, ¿verdad?».

«Sí», dijo Vicka. «Se ha ido».

«¿Ha dicho algo?».

«Ella ha dicho: '*Siempre habrá Judas dudosos*' y luego desapareció».

El rostro de la doctora se llenó de tristeza. Bajó la colina con una mirada asombrada. Declaró que nos creía. Al cabo de un tiempo volvió a sus raíces cristianas e incluso empezó a cantar en el coro de la iglesia.

«Cuando intenté tocar a Nuestra Señora», dijo, recordando su experiencia, «tuve esta increíble sensación. Era como si supiera que se iba a ir y en qué dirección. Más tarde lo confirmé con los videntes. Al principio, cuando me dijeron lo que la Virgen había dicho sobre los Judas dudosos, me ofendí. Pero luego comprendí clara y pacíficamente: ¡estos niños realmente veían a la Virgen! Yo, desde luego, era como Judas: quería desenmascararlos. No les creía. Pero tras mi experiencia, me sentí avergonzada y sentí una profunda humildad ante la grandeza de la Virgen, que supo leer dentro de mí y, como una buena madre, me avisó».

La aparición fue también memorable porque un hombre llevó a su hijo de tres años, con una minusvalía grave, a la colina. El nombre del niño era Danijel Šetka y era paralítico, sin posibilidad de caminar, desde que era un bebé. Sus padres vinieron con la esperanza de una curación.

«Bienaventurada Madre», dijimos, «¿podrá hablar este niño algún día? Sánale para que todos nos crean».

Nuestra Señora se volvió hacia Danijel y le miró largamente con una expresión de compasión y amor. Finalmente dijo: «Dejad que crean firmemente que él se curará».

Quizá nos quedamos algo decepcionados de que no hubiera un cambio visible inmediato en la condición de Danijel, pero más tarde los padres volvieron a la colina para dar gracias a Dios. Esa noche Danijel había empezado a caminar y a hablar.

El padre Jozo me interrogó de nuevo a la mañana siguiente. Parecía decepcionado de que Nuestra Señora, a pesar de haber aparecido durante varios días, no hubiera sido especialmente habladora. En otras apariciones del pasado, reflexionó, había dado mensajes y profecías intensos al mundo. ¿Cómo podía ser la Virgen si tenía tan poco que decir?

«La gente ha empezado a despreciaros y rechazaros», me dijo, «porque no les dais nada, ni una señal. Y ellos siguen llegando, cada vez más. Y ahora ¿qué?».

Me mantuve en silencio porque no tenía una respuesta para darle. Habíamos pedido a Nuestra Señora varias veces que nos diera una señal, pero aún no había respondido a nuestra petición.

El padre Jozo continuó: «¿Cómo os justificareis ante la gente? Dios castiga severamente a los que engañan, lo sabéis. ¿Estáis familiarizados con esto, verdad?».

Asentí con la cabeza, pero dentro de mí me sentía triste por el hecho de que él sospechara que estábamos haciendo algo que requería el castigo de Dios. Siguió diciendo que el mal comportamiento de algunas personas en la multitude como decir palabrotas y empujar era quizá el signo de que era verdaderamente la Virgen quien aparecía.

«Los que engañan a la gente o lanzan falsos mensajes eran castigados duramente», continuó. «Entre los judíos, o en la Iglesia primitiva, estaban excluidos de la comunidad. Dios les reprendía duramente. ¿Tenéis miedo de algo así?».

«Yo no», respondí.

«¿Qué pasa si Dios os castiga a los seis mañana?».

«No creo que lo haga».

«¿Por qué crees que no lo hará?».

Le miré directamente a los ojos: «Porque no estamos mintiendo».

El padre Jozo se quedó en silencio un instante. Su mirada se dulcificó. «¿Por qué la Virgen se aparece a algunas personas y no a otras?», dijo, esta vez con un tono mucho más amable. «¿Piensas que deberías ser distinta de los que no la ven?».

«Sí», dije. «Debería ser mejor, creer más y ser un ejemplo». Me miró a los ojos.

«¿Y tú lo crees realmente, verdad?».

«Sí. Lo creo».

El padre Jozo asintió. «Tu fe, ¿qué hace que hagas?».

«Simplemente quiero hacer buenas obras». «¿Y en qué consistirían estas buenas obras?».

«Me gustaría ayudar a todos los que pueda y pedirles que recen un poco más».

«¿Sientes tristeza por la gente cuando no ve a Nuestra Señora y tú sí?».

«Sí. Quiero que todos la vean. Miro a la gente, cómo sube la colina. Algunos incluso caminan descalzos durante seis horas para estar allí. ¿No sería hermoso que ella se les apareciera también a ellos?».

Nuestra conversación volvió al lugar de las apariciones. El padre Jozo estaba preocupado porque mucha gente iba al lugar que los peregrinos habían empezado a llamar «Colina de las Apariciones» y no a la iglesia de Santiago. Le preocupaba la presencia de la policía, cada vez más numerosa. El gobierno había prohibido las concentraciones numerosas y la multitud aumentaba a medida que pasaban los días. El padre Jozo quería que fuéramos a la iglesia en el momento en que tuviera lugar la aparición y que invitáramos a la gente a ir allí. Parecía más seguro y más cómodo que lidiar con la multitud, la policía y el calor oprimente en la colina cada tarde, pero ¿Aparecería la Virgen en un lugar diferente?

Las cuatro chicas del grupo. Desde la izquierda: Marija, Ivanka, yo y Vicka.

CAPÍTULO VIII

«Mis pobres hijos, mirad alrededor de vosotros y mirad los signos de los tiempos. Desde lo profundo de vuestro corazón gritad a mi Hijo. Su Nombre disipa hasta la oscuridad más grande».
(Del mensaje de Nuestra Señora del 2 de mayo de 2009)

POCO TIEMPO DESPUÉS de mi encuentro con el padre Jozo se acercaron dos mujeres a mí y a algunos de los otros videntes, Mica y Ljubica, que se identificaron como trabajadoras sociales. No había visto nunca antes a Ljubica, pero reconocía a Mica. Vivía en Bijakovići, al pie de la colina, y había estado presente al menos durante una de las apariciones.

«La policía secreta está planeando venir a por vosotros», dijo Mica con urgencia.

«Tienen órdenes de Belgrado», añadió Ljubica.

Dijimos a las mujeres que nos encerraríamos con llave en nuestras habitaciones y que no saldríamos, pero ellas menearon la cabeza.

«¿Realmente pensáis que podéis esconderos de la policía secreta en vuestras habitaciones?», dijo Ljubica.

«¿Qué pensáis si nos vamos juntos a algún lugar?», propuso Mica.

«Podemos ir a Čapljina y tomar un helado», añadió Ljubica, lo que provocó que Jakov abriera los ojos como platos.

Vicka conocía y confiaba en Mica, por lo tanto, me sentía cómoda con ella, pero estaba un poco escéptica sobre Ljubica. Sin embargo, el pensamiento de que la Policía Secreta viniera por mí, me hacía sentir escalofríos por todo mi cuerpo. Era como la Gestapo del gobierno de Yugoslavia, conocida por sus violentos interrogatorios, palizas e incluso ejecuciones. Las multitudes estaban creciendo exponencialmente, así que no era inverosímil pensar que intervendría pronto. Después de discutirlo rápidamente entre nosotros, los cinco nos apretujamos en el asiento trasero del coche de Mica. Ese día Ivan no estaba con nosotros.

Sin embargo, cuando estábamos dejando Bijakovići, el comandante de la policía local, Zdravko, nos hizo señales. Circulamos hasta un stop y se acercó a nuestra ventanilla. Mirando el asiento trasero, pareció sorprendido e interesado de vernos. «Mica», dijo, «¿Qué pasa aquí?».

«Tenemos prisa», dijo Mica.

Zdravko habló con un tono tranquilo, pero serio. «Necesito preguntarte algo, Mica».

Mica miró hacia afuera a toda la gente que se movía en el pueblo. Algunos de ellos se habían detenido para mirarnos embobados en el coche. «La gente se reunirá entorno a los niños si nos quedamos aquí».

«Mica, espera un momento».

«No podemos esperar».

Más curiosos se habían detenido cerca del coche. Zdravko los miró a ellos y luego a nosotros. «De acuerdo», dijo. Entró en su coche y nos siguió.

Pronto llegamos a un coche *milicija* aparcado a un lado para impedir que se entrara en la ciudad, o, como en nuestro caso, se saliera de ella. Varios policías se pararon cerca del coche. Se quedaron mirándonos, aparentemente confundidos sobre lo que debían hacer.

«¡Apártense!», gritó Mica por la ventanilla. «Tenemos prisa».

Su firmeza nos sorprendió, pero los policías se quedaron parados; es decir, hasta que vieron a Zdravko detenerse detrás de nosotros en su coche. Pensando que él estaba con nosotros, quitaron de prisa su coche del camino. Dijimos adiós con la mano a los desconcertados policías cuando pasamos delante del puesto de control, y Mica salió corriendo lo suficientemente rápido para perder a Zdravko. Pronto estábamos zumbando carretera abajo, con las ventanillas abiertas, disfrutando del viento en nuestros rostros y riéndonos.

Nuestra primera parada fue Počitelj, una antigua ciudad amurallada con una mezquita histórica y los restos destruidos de una fortaleza medieval. Cuando trepamos los muros de piedra y exploramos las ruinas, nuestras preocupaciones desaparecieron. Miré fijamente el río Neretva de color esmeralda que discurría a través del valle Počitelj. El agua que se movía me hizo pensar en la afluencia de todos los peregrinos que iban a Medjugorje. Como al poderoso Neretva, parecía que nada los podría detener.

Después de Počitelj, nos fuimos a Čapljina, una de las ciudades más grandes y modernas de la región. Mica y Ljubica nos llevaron a una cafetería. Ya había estado antes en una cafetería en Sarajevo, pero para los otros era una novedad.

«¿Tienen zumo en botella?», preguntó Jakov.

Mica sonrió. «Por supuesto que tienen».

Todos nos reímos. Las mujeres nos pidieron tarta y helado y, por supuesto, zumo embotellado. Nos sentamos allí a comer y hablar hasta que un joven se acercó a nosotros.

«¿Sois de Medjugorje?», preguntó.

«¿Dónde está Medjugorje?», dijo Mica.

El joven miró a Jakov. «Reconozco a alguno de vosotros. ¿No sois los que ven a Nuestra Señora? Anoche estuve allí en la colina».

«No te conocemos», dijo Ljubica.

El joven me miró. Y luego miró hacia mi muñeca. «¿Dónde está tu reloj? ¿No recuerdas cómo te pedí que lo miraras?»

«Quizás lo hiciste», dije. Mucha gente me había pedido que lo mirara, pero la policía me lo había quitado después de que se corriera la voz de cómo había cambiado. Nunca me lo devolvieron, pero después oí que la policía se lo había dado a un relojero para examinarlo. Éste dijo que era imposible que un reloj cambiara así y siguiera funcionando todavía.

Algunas personas que estaban en la cafetería oyeron al joven y pronto todos nos estaban mirando. Una mujer mayor se acercó y dijo: «¿Hoy no vais a estar allí arriba en la colina?».

La atención llegó a ser tanta que tuvimos que irnos. Entonces me di cuenta de que mi privacidad era cosa del pasado. Incluso personas que no vivían en Medjugorje me trataban de forma diferente y me miraban como si fuera una especie de santa, cuando, en realidad, era la misma chica de siempre.

Después de dejar la cafetería descubrimos unos columpios en una guardería. Preguntamos a las mujeres si podíamos usar el columpio y Ljubica aceptó, pero de mala gana. Hicimos turnos para columpiarnos. Ivanka llegó a lo más alto, su sonrisa era un contraste agradable con sus vestidos negros de luto.

Nuestro siguiente destino fue *Kravice*, una magnífica cascada en el río Trebižat. En el camino hacia allí expresamos nuestra preocupación de no regresar a tiempo a Medjugorje para la aparición, que cada día tenía lugar alrededor de las 6:40 de la tarde. Mica y Ljubica nos aseguraron que no nos teníamos que preocupar. Cuando llegamos a *Kravice*, nos quedamos tan fascinados por el torrente de agua, la exuberante vegetación y la fresca neblina en el ambiente, que dejamos de prestar atención por completo a la hora. De todas formas, ya no tenía mi reloj.

No fue hasta que el sol descendió detrás de los árboles y las sombras cubrieron el valle del río que, de repente, nos dimos cuenta de lo tarde que se había hecho. Suplicamos a Mica y Ljubica que nos llevaran de vuelta a Medjugorje. Finalmente aceptaron, aunque parecía que conducían el coche más despacio de lo que habían hecho durante el resto del día. Empezamos a pensar que Mica y Ljubica no habían venido exactamente a salvarnos.

Cuando el coche llegó cerca de Medjugorje pudimos ver la Colina de las Apariciones en la distancia, así como la inmensa multitud de gente esperando allí. Sentí cierto remordimiento. Deberíamos haber estado allí entre ellos. Parecía imposible poder llegar a la colina a tiempo. Justo cuando estaba a punto de llorar, el intenso presentimiento que siempre sentía antes de las apariciones me inundó de repente.

«Para», dije.

«¿Dónde?», dijo Mica.

«¡Donde sea!».

Mica paró el coche a un lado de la carretera, en un camino de piedras. Todos salimos de un salto y nos arrodillamos en un páramo baldío de karst y zarzas. La tranquilidad de ese lugar salvaje era un cambio agradable respecto a las multitudes caóticas a las cuales nos habíamos acostumbrado.

Mica y Ljubica se quedaron de pie al lado del coche y miraban cuando empezamos a rezar.

«Pregunta a la Virgen qué me va a hacer por sustraeros de esta manera», bromeó Ljubica.

Mica rio, pero entonces, de repente, apuntó a la Colina de las Apariciones.

«¿Ves aquello?», dijo.

«Dios mío», contestó Ljubica, con miedo en su voz. «¿Qué es eso?».

«Una especie de neblina», dijo Mica, haciendo la señal de la cruz.

«O como un luz», dijo Ljubica.

Miré hacia la colina y vi una figura brillante en el aire encima de toda la gente.

«Es ella», dijo Vicka.

La tristeza me invadió. Nuestra Señora y miles de fieles peregrinos estaban esperándonos en la colina y nosotros estábamos atrapados a un lado de una carretera. ¿Cómo habíamos podido dejar que esto sucediera?

Pero entonces la luz comenzó a deslizarse hacia nosotros. A medida que se acercaba, pudimos ver a Nuestra Señora dentro de ella.

«¡Está acercándose!», gritó Ivanka.

En cuanto llegó donde estábamos nosotros, Nuestra Señora dijo:

«*Alabado sea Jesús*», que se había convertido en su saludo habitual. Pensando de nuevo en mi conversación con el padre Jozo, me di cuenta de que mi pregunta estaba siendo respondida. *Era* posible para Nuestra Senora aparecer en un lugar distinto a la colina. Como siempre, su resplandor y belleza me dejaron momentáneamente sin palabras, pero quería estar segura de que no estaba decepcionada.

«¿Estás disgustada porque no estábamos en la colina?», le pregunté.

«*Eso no importa*», contestó.

«¿Te disgustaría si, en lugar de regresar a la colina, te esperáramos en la iglesia?», le pregunté.

Ella sonrió dulcemente, de un modo materno. «*Siempre a la misma hora*».

Le preguntamos si nos dejaría una señal, pero como siempre no respondió. Se alejó despacio hasta que su luz estuvo nuevamente brillando sobre toda la gente que se había reunido en la colina.

«*Id en la paz de Dios*», escuchamos que decía. Y la luz se desvaneció.

En cuanto regresamos a Medjugorje, el padre Jozo nos pidió a todos, incluidas Mica y Ljubica, que fuéramos a la rectoría para contarle todo. Al principio le preocupaba que la gente en la colina se hubiera sentido engañada por no haber estado allí, pero cuando le contamos que Nuestra Señora había dicho que podía aparecer en la iglesia, se alegró. También estaba impaciente por saber lo que Mica y Ljubica habían sentido.

«¿Qué viste?», le preguntó a Ljubica.

«Vi algo moviéndose», respondió.

«Era como una especie de nebulosidad», añadió Mica.

«O algo así como una sombra, o una brisa», dijo Ljubica.

Obviamente, las mujeres no habían visto todo lo que vimos nosotros, pero habían visto algo, y ahora tenían problemas para expresarlo con palabras. Me identificaba con ellas.

«¿Tenías miedo, Mica?», preguntó el padre Jozo.

«Realmente no», dijo Mica. «Estaba temblando un poco, pero más por emoción que por miedo».

«Yo tenía miedo», admitió Ljubica. «Se me puso la piel de gallina y entonces agarré la mano de Mica».

Mica asintió. «Comencé a temblar más y más. No tenía miedo, pero solamente el pensamiento de que la Bienaventurada Virgen María estaba delante de mí. Esto no deja a nadie indiferente».

Más tarde descubrimos que Ljubica y Mica habían seguido las órdenes del gobierno de sacarnos de Medjugorje ese día. Algunas personas del lugar estaban enfadadas, pero yo sabía que las mujeres sólo estaban haciendo su trabajo, como tenía que hacer todo el mundo en un sistema comunista.

La experiencia debió afectar profundamente a Ljubica, porque en cuanto regresó a Sarajevo informó a sus superiores que ya no quería colaborar.

Nosotros seis viendo una aparición. De izquierda a derecha: Vicka, Jakov, yo, Ivanka, Marija e Ivan.

CAPÍTULO IX

«Todo el mundo os odiará por causa de mi nombre; pero quien se mantenga firme hasta el final será salvado».
(Jesús en el Evangelio de Mateo 10, 22).

LA NOTICIA SOBRE las apariciones se difundió por toda Yugoslavia a través de la televisión, la radio y los periódicos. El punto común en todas las informaciones era el escepticismo, o la clara condena. Los periodistas nos ridiculizaban y se referían a los miles de peregrinos que venían a Medjugorje como «fanáticos religiosos», o peor.

Los noticiarios gubernamentales nos acusaban, junto a los sacerdotes locales, de ser nacionalistas croatas que se habían inventado las apariciones para fomentar una contrarevolución. Los telediarios nacionales nos tachaban de «amargados enemigos del estado» y los titulares de los periódicos que hacían referencia a Medjugorje parecían provenir de un periódico sensacionalista:

UN ENGAÑO RELIGIOSO ATRAE A MILES DE ZELOTES
LOS FRAILES, SOSPECHOSOS DE TRAMAR UN COMPLOT NACIONALISTA
SEIS PALURDOS INVENTAN VISIONES SOBRE MARÍA

Las autoridades organizaron una reunión de la comunidad en la escuela primaria y llamaron a nuestros padres y familiares para que participaran en ella. Dijeron que si los «disparates» no se detenían, seríamos expulsados del colegio y encerrados en una institución para enfermos mentales, y que nuestros padres perderían su trabajo y pasaportes. La policía arrestó al vecino de Vicka, Ivan, porque durante la reunión se levantó para defendernos. Estuvo dos meses en la cárcel.

El padre Jozo estaba angustiado por el aumento de la tensión. Los comunistas le habían amenazado con la cárcel si no detenía las «manifestaciones» en su parroquia. Él seguía sin decidir si creer que veíamos a la Virgen o no. El hecho de que los dos sacerdotes que le asistían en la parroquia nos creían era un estrés añadido. Pero una declaración de su superior, el obispo de Mostar Pavao Žanić, es lo que más le angustió.

Al saber que afirmábamos tener estas visiones, el obispo nos convocó a los seis a una reunión. Nos hizo preguntas durante más de una hora y grabó nuestras respuestas en una cinta de radiocasete. Luego nos dijo que pusiéramos nuestras manos sobre una cruz y juráramos que estábamos diciendo la verdad, lo que hicimos sin dudarlo. Después de nuestro encuentro, le dijo al padre Jozo que él estaba seguro de que Nuestra Señora se nos estaba apareciendo. El padre instó al obispo a la prudencia, pero al poco tiempo un artículo en un periódico declaró que el obispo había dicho lo siguiente: «Es evidente que los niños no fueron incitados por nadie, en particular por la Iglesia, a mentir».

El padre Jozo estaba tan angustiado por toda la situación que un día dijo, sencillamente, que quería estar solo. Cerró las puertas de la iglesia de Santiago, se sentó en uno de los bancos y rezó pidiendo a Dios que le guiara a través de lo que se había convertido en la situación más difícil que había encontrado en su sacerdocio. Abrió su Biblia y se encontró con el pasaje en el que Dios realizaba los milagros a través de Moisés, como separar las aguas del Mar Rojo.

Ese mismo día yo me reuní con algunos de los otros videntes cerca de la Colina de las Apariciones para rezar. Unos días antes el gobierno había ordenado a algunos policías que se situaran en la colina para mantener alejada a la gente. Cuando los policías nos vieron, corrieron hacia nosotros y hechamos a correr.

En la iglesia, el padre Jozo rezaba: «Señor, sabes cuánto te amo.

Hablaste con Moisés, pero para él fue fácil. Su gente sabía que eras Tú el que los guiaba, pero aquí nadie lo sabe».

En ese momento el padre Jozo oyó una voz dentro de sí que le decía: «*Sal fuera y protege a los niños*».

Asombrado se levantó de un salto y corrió hacia las puertas de la iglesia. Cuando las abrió, vio que algunos de nosotros estábamos esperando fuera.

«¡La policía!», dijo Vicka, haciendo una pausa para recuperar el aliento. «¡Nos está persiguiendo!».

El padre Jozo abrió sus brazos. «Mis queridos ángeles», dijo con ternura, «entrad».

Su actitud era tan diferente que me pregunté si estaba siendo sarcástico, pero mientras nos hacía pasar noté que su ternura era auténtica.

Esa tarde Nuestra Señora nos visitó en una pequeña estancia cerca del altar de la iglesia, enfrente de la sacristía. Siguió visitándonos en ese lugar los días sucesivos. El padre Jozo no volvió a dudar nunca de nosotros.

Su apoyo fue un consuelo momentáneo, pero no podíamos dominar nuestro miedo y ansiedad ante lo que pensábamos que podría ser la última aparición de la Virgen. ¿Cómo seguiríamos sin ella?

Cuando llegó el momento estábamos muy emocionados. La multitud, que se calculó que era de unas decenas de miles de personas, era la más grande que habíamos visto nunca y parecía que estuviera esperando que algún tipo de milagro acompañara a la aparición.

Sin embargo, cuando la Virgen apareció, no hubo nada fuera de lo normal, ningún mensaje especial al mundo. Le preguntamos de nuevo si nos dejaría una señal, pero ella sólo sonrió. Cuando se fue nos dirigimos a la multitud.

Muchos de ellos parecían decepcionados por el hecho de que no hubiera habido una magnífica conclusión a los acontecimientos. Personalmente, yo me sentía sobre todo confundida. En mi corazón sentía que las apariciones no habían acabado.

Al día siguiente intentamos volver a nuestra rutina habitual. Yo estaba en casa de mi tío cuando sentí algo en mi interior un estremecimiento familiar que indicaba expectación y que rápidamente se transformó en una excitada cacofonía. Sentía que estallaría si Nuestra Señora no aparecía al instante. Tan repentina como un soplo de viento apareció ante mí. Caí de rodillas, embelesada. Sólo deseaba mirarla, nada más. Lloré mucho cuando se fue.

Los otros videntes también la vieron y fue en ese momento cuando nos dimos cuenta de que Medjugorje no era igual que Lourdes. Nuestra Señora continuó apareciéndose a nosotros cada día.

En ese mismo periodo la persecución se volvió más peligrosa cuando el gobierno yugoslavo declaró el estado de emergencia en Medjugorje. Los efectos de las apariciones habían llegado hasta Belgrado, la capital de Yugoslavia, y los comunistas, enfurecidos por nuestra renuencia a doblegarnos a sus presiones y temerosos de estar perdiendo el control, estaban decididos a acabar con el problema lo más rápidamente posible.

En pocos días los militares entraron en el pueblo. Soldados con rifles automáticos y agresivos perros pastores alemanes tomaron posición en la colina y ante nuestras casas. Los militares patrullaban las calles. Los helicópteros zumbaban sobre los peregrinos mientras intentaban rezar. Parecía como si hubiéramos despertado a un gigantesco avispero.

Los interrogatorios, realizados ahora por la policía federal y no por la policía local, eran más largos e intensos. Un día me cogieron y la frustración de un policía gritón aumentaba a medida que yo rechazaba negar las apariciones.

«Confiesa », dijo.

«Sólo me confieso con mi sacerdote», respondí.

Su cara se puso colorada y las venas de su cuello se abultaron.

«¡Admite que no ves a Nuestra Señora!».

«Pero la veo».

Entonces sacó la pistola de su funda y la puso en la mesa, entre los dos.

«Confiésalo todo», dijo, mirando la pistola. «No viste *nada*».

Ayúdame, Gospa, recé en silencio.

A pesar del arma mortal que había en la mesa, sentí una extraña calma. Después de ver a la Virgen y de experimentar el Cielo, era casi imposible temer a nada.

«Se acabó el tiempo», dijo el policía.

«Dime inmediatamente la verdad».

Le miré a los ojos. «La verdad es que veo a Nuestra Señora y estoy deseando morir por ella».

Golpeó la mesa con el puño, guardó la pistola en la funda y salió furioso de la estancia.

Si hubiéramos sido adultos, seguramente los comunistas nos habrían encerrado en la celda más oscura y profunda de la prisión. O hubiéramos desaparecido como le pasó a mi abuelo. Pero por muy brutales que podían ser las autoridades gubernamentales, sabían que sería un escándalo público encarcelar a unos niños. En un cierto sentido, nuestra juventud nos protegía, pero nada les impedía intentar aterrorizarnos. Pero no sólo había experiencias aterradoras. También había emoción.

Cada mañana nos traía la promesa de una nueva sorpresa o aventura. A veces, durante la misma tarde teníamos varias apariciones. La policía nos perseguía e intentaba alterar nuestros planes, y para evadirlos, cambiábamos constantemente el lugar de encuentro: en el bosque detrás de una de las casas, en medio de un campo sin cultivar, bajo la sombra de una arboleda de alguna manera, nos parecía apropiado que las apariciones tuvieran lugar en el aislamiento de la naturaleza, donde el aire fresco y la luz de las estrellas proporcionaban un serenidad digna de Nuestra Señora.

Años más tarde, en uno de sus mensajes, dijo: «*Hoy os invito a observar la naturaleza porque en ella encontraréis a Dios*»; y en otra ocasión: «*Os pido dar gloria a Dios Creador por los colores de la naturaleza. A través de la más minúscula de las flores, Él os habla sobre Su belleza y la profundidad de Su amor*».

Durante una de estas extraordinarias visiones, la Virgen interactuó con los lugareños de una manera sorprendentemente íntima. El 2 de agosto de 1981 apareció a la hora habitual y no pidió que la esperáramos también por la noche. Mis recuerdos de esta y otras de las primeras apariciones son vagos, pero Marija declara que Nuestra Señora dijo: «*Id todos juntos al prado de Gumno. Una gran batalla está a punto de empezar, una batalla entre mi Hijo y Satanás. Las almas humanas están en juego*».

Más tarde, ese mismo día, fuimos a la zona conocida como Gumno, cerca de la casa de mi tío. En nuestro idioma, la palabra Gumno significa *era*, una zona amplia y circular de suelo duro donde los granjeros separaban el grano utilizando vacas y caballos que caminaban en círculo sobre él. En la Biblia, Juan el Bautista usaba la misma palabra cuando, en sentido figurado, describía la misión de Jesús como una cosecha de almas: «Él tiene el bieldo en la mano; limpiará su era, reunirá su trigo en el granero y quemará la paja en una hoguera que no se apaga».

Unas cuarenta personas se unieron a nosotros en Gumno. Los grillos chirriaban alto y los mosquitos zumbaban delante de nuestras caras mientras nos arrodillamos en la arcilla roja. Rezamos y esperamos y, de repente, Nuestra Señora apareció ante nosotros.

Algunas de las personas nos habían preguntado si podían tocar a la Virgen y cuando le presentamos esta petición, respondió que todos los que lo desearan podían hacerlo.

Uno a uno les cogimos de la mano y les guiamos para que tocaran el vestido de Nuestra Señora. La experiencia para nosotros, los videntes, era extraña; era difícil comprender que sólo nosotros podíamos ver a la Virgen. Desde nuestro punto de vista, guiar a la gente para que la tocara era como guiar a un ciego. Sus reacciones fueron maravillosas, especialmente las de los niños. Casi todos sintieron algo. Unos cuantos dijeron que habían sentido algo como «electricidad» y otros estaban conmovidos. Pero a medida que la gente tocaba a Nuestra Señora, me di cuenta de que en su vestido se estaban formando agujeros negros. Estos agujeros se coagularon formando una gran mancha del color del carbón. Lloré cuando vi esto.

«¡Su vestido!», gritó Marija, llorando también.

Las manchas, dijo Nuestra Señora, representaban los pecados que nunca habían sido confesados. De repente, desapareció. Después de rezar un poco, permanecimos en la oscuridad y le contamos a la gente lo que habíamos visto. Todos estaban tan trastornados como nosotros. Alguien sugirió que todos los que estaban allí deberían confesarse. El día siguiente, la gente arrepentida acudió en masa a los sacerdotes.

Mi primo, Vlado, un niño pequeño, era uno de los que tocó el vestido de la Virgen. Cuando le hablé de las manchas, él exclamó: «¡Pero yo me había lavado las manos, Mirjana! ¡Estaban limpias! ¡Lo prometo!».

A partir de entonces, siempre que le veía sonreía y le decía: «¿Te has lavado las manos últimamente, Vlado?».

Durante estos encuentros diarios, Nuestra Señora nos subrayaba cosas como la oración, el ayuno, la confesión, la lectura de la Biblia e ir a misa. Posteriormente, la gente identificó estos como los «mensajes principales» de Nuestra Señora. O, como los llamaba el padre Jozo, sus «cinco piedras», en alusión a la historia de David y Goliat. No nos pedía rezar o ayunar sólo por el simple hecho de hacerlo. El fruto de vivir nuestra fe, dijo, es el amor. Como expresó en uno de sus mensajes: «*He venido a vosotros como una madre que, ante todo, ama a sus hijos. Hijos míos, quiero en señaros a amar*».

La belleza etérea de Nuestra Señora nos cautivó desde el principio. Un día, durante la aparición, le planteamos una pregunta infantil: «¿Cómo es posible que seas tan hermosa?».

La Virgen sonrió dulcemente: «*Soy hermosa porque amo*», dijo. «*Si queréis ser hermosos, amad*».

Después de la aparición, Jakov, que tenía sólo diez años, nos miró y dijo: «No creo que dijera la verdad».

Le regañé: «¿Cómo puedes decir que la Bienaventurada Madre no dice la verdad?».

«Vale, mira a algunos de nosotros», respondió. «¡Algunos podremos amar toda nuestra vida y nunca seremos hermosos, como ella dice!».

Todos nos reímos. Jakov no entendía el tipo de belleza de la que ella hablaba. La suya era una hermosura eterna y venía de dentro, y ella quiere este tipo de belleza para cada uno de nosotros. Si estás limpio en tu interior y lleno de amor, entonces serás hermoso también por fuera.

A pesar de estos momentos desenfadados, la seriedad de las apariciones en general se nos hacía cada vez más evidente.

Gracias a nuestros encuentros diarios con la Virgen, nos dimos cuenta de que sus planes con Medjugorje no eran sólo para el pueblo, no estaban limitados a Yugoslavia. Había venido para cambiar el mundo entero.

Nos reveló que el plan de Dios se realizaría, al final, a través de una serie de acontecimientos futuros. Empezó a relatar estos acontecimientos con la instrucción de mantenerlos en secreto, justo hasta el momento antes que ocurrieran.

Desde los primeros días de las apariciones, un gran número de peregrinos y de lugareños se ha confesado en el exterior de la iglesia de Santiago.

CAPÍTULO X

«Os estoy mostrando el camino para perdonaros a vosotros mismos, perdonar a los otros y, con sincero arrepentimiento de corazón, arrodillaros ante el Padre».

(Del mensaje de Nuestra Señora del 2 de enero de 2010)

HACE UNOS AÑOS, un hombre llegó a mi puerta. Me resultaba vagamente familiar, pero no lo reconocí a la primera. Parecía reacio a hablar y evitaba mirarme a los ojos.

«¿Puedo ayudarte?», le dije.

«Por favor, perdóname».

«¿Por qué?».

«Soy uno de los policías que te interrogó en 1981. De verdad que siento lo que os hicimos pasar».

No era la primera vez que alguien me había pedido perdón de este modo, pero nunca podía recordar los incidentes concretos por los que se sentían culpables. Hacía tiempo que los había perdonado y olvidado. Recé por mis perseguidores incluso durante los peores acosos, como cuando levantaban sus porras como si quisieran golpearme o cuando llamaban a Nuestra Señora con nombres terribles.

«Está bien», dije al hombre. «Eso fue hace mucho tiempo». Pareció aliviado.

«Tengo algo para ti», dijo, y me mostró una cinta. «He conservado la grabación de aquel interrogatorio durante todos estos años. Pensé que te gustaría escucharla».

Había una grabadora sobre la mesa en casi todos los interrogatorios. Recuerdo el inconfundible *clic* del botón de grabación que marcaba el inicio de cada sesión. Nunca tuve la oportunidad ni el deseo de escuchar ninguna de las grabaciones. Me preocupaba que haciendo eso ahora pudiera revivir algún mal recuerdo, pero también tenía curiosidad.

«Entra», le dije, y nos sentamos en mi sala de estar.

Puso la cinta en el radiocasete. «Al principio pensé que estabas mintiendo. Pero después de que te interrogamos, sólo quería estrecharte la mano. No pude entonces, no delante de mis compañeros, pero ahora quiero hacerlo; he aquí el porqué».

Presionó el botón de inicio y el recuerdo del pasado me llegó a través de los altavoces.

Interrogador: *Estás engañando a la gente.*

Yo: *No estoy engañando a nadie.*

Interrogador: *¿No ves que tu historia es absurda?*

Yo: *Estoy diciendo la verdad. Es todo lo que puedo hacer.*

Escuchar mi voz de adolescente a través del radiocasete era una experiencia surrealista. Difícilmente podía creer que la otra voz de la cinta con toda su brusquedad e ira pertenecía al mismo hombre humilde que estaba ahora sentado frente a mí.

La cinta continuó.

Interrogador: *Te preguntaré una vez más. ¿Qué viste en aquella colina?*

Yo: *Vi a Nuestra Señora.*

Interrogador: *¡Tú viste una mierda!*

Yo: *No. Eso es lo que estoy viendo justo ahora.*

Estaba sorprendida de escuchar mi propio atrevimiento. Yo habría sido distinta si hubiera sido interrogada *antes* de empezar a ver a Nuestra Señora; el miedo me habría abrumado hasta el punto de hacerme llorar y nunca habría desafiado do a un policía o a cualquier adulto de ese modo. Pero a partir del 24 de junio de 1981, la timidez que me había fastidiado durante casi toda mi infancia había desaparecido.

El hombre detuvo el radiocasete y dijo: «Fue verte sin miedo lo que me convenció que estabas diciendo la verdad».

Le agradecí que me hubiera traído la grabación y le aseguré que no le guardaba rencor por aquellos días. «Estabas haciendo tu trabajo», le dije.

Cuando se marchó me senté e intenté procesar todos los recuerdos que la grabación había desencadenado. Cerré mis ojos y mi mente voló hacia atrás, al tiempo en que tuvo lugar el interrogatorio.

En agosto de 1981 los acontecimientos en Medjugorje parecían estar moviéndose más rápido que nunca. Considerando la enorme presencia de la *milicija* en el pueblo, era increíble que los peregrinos siguieran viniendo. Pero ni la policía ni los soldados podían desalentar a los fieles. La noticia de las apariciones se había difundido por todo el mundo, trayendo peregrinos desde los lugares más remotos, de los cuales solamente habíamos oído hablar en la escuela.

Muchos peregrinos tenían ganas de conocer a los videntes y, a menudo, venían a casa de mis tíos a buscarme. Al principio hablaba con todos los que venían. Pasaba horas escuchando sus tristes historias, llorando con ellos y consolándoles. Pero pronto me di cuenta de que era demasiada gente para que yo les ayudara. Estaba cargando una gran parte de su dolor sobre mis hombros y esto me estaba causando una pérdida de sueño, de modo que a menudo me sentía agotada y enferma.

Preocupado por mi salud, el tío Šimun se volvió cada vez más protector y empezó a ser él quien abría la puerta cuando los peregrinos me buscaban.

«¿Está la vidente en casa?», preguntaban. «¡Queremos verla!».

Mi tío trataba siempre de despacharlos lo más educadamente posible. «Lo siento, pero Mirjana está cansada».

Era demasiado amable para cerrarles la puerta sin más, así que cuando los peregrinos insistían o le contaban una triste historia pedía ayuda a la tía Slava. Ella, también, había visto lo difícil que era para mí lidiar con toda esta atención, por lo que protegía mi privacidad, especialmente cuando la gente lo único que quería era verme. Sólo me pedía atender a la gente si alguien realmente necesitaba ayuda, e incluso en esos casos me hacía volver dentro cuando ya era muy tarde.

Al principio me sentía culpable por no poder hablar con todos, pero luego empecé a entender que los peregrinos no necesitaban conocerme para tener una peregrinación productiva. Estaba llamada simplemente a ser una mensajera y transmitía mi experiencia lo mejor que podía. Por otro lado, los mensajes de Nuestra Señora se expresaban a través del mismo Medjugorje, en la soledad de sus campos, en las cuestas rocosas de sus colinas, en los confesionarios y en el altar de la iglesia de Santiago. Como videntes, nosotros sólo teníamos que transmitir sus palabras, y una vez que lo hacíamos, entonces Nuestra Señora podía hablar a todos.

Me encantaba ver a mi abuela Jela relacionándose con los peregrinos. Solía rezar: «Dios, ya que tú nos has creado a todos nosotros, ¿por qué no hiciste que todos pudiéramos hablar el mismo lenguaje? Quiero desesperadamente hablar a todos los peregrinos de ti, pero no me entienden».

Sin embargo, *estaba* hablando a los peregrinos. A pesar de su frágil salud daba a todos la bienvenida con una sonrisa. Les daba de comer de lo poco que tenía y los alojaba en su casa, todo gratuitamente. Rezaba con ellos y ellos podían ver cómo su rosario estaba prácticamente pegado a su mano en todo momento. Incluso sin que ella se diera cuenta, estaba hablándoles de Dios de la manera más potente posible: con su ejemplo.

La abuela Jela y la mayoría de la gente del pueblo observaban la presencia militar con paz y amabilidad. En las tardes calurosas llevaban bebidas frías a los soldados y por las noches, a veces, les llevaban comida casera. Era un espectáculo extraño y bonito ver a una viejecita encorvada alargar la mano para dar un vaso de leche o una hogaza de pan fresco a un soldado uniformado. Las madres de Medjugorje trataban a los soldados como si fueran sus propios hijos, y el afecto era profundo: cuanto más tiempo estaban los soldados, más condescendientes llegaban a ser con todos, incluidos los peregrinos.

Probablemente esto exasperaba aún más a los líderes comunistas, que intensificaron la campaña de propaganda en contra de Medjugorje con la esperanza de detener la afluencia de visitantes. La *Televisión de Sarajevo* presentó un reportaje especial declarando que tenían pruebas de que todo había sido un engaño para intentar fomentar el nacionalismo croata. Mostraban imágenes de lápidas supuestamente encontradas en la Colina de las Apariciones; sobre estas lápidas había frases como *Nuestra Señora restaurará el estado croata* y Únete a Nuestra Señora contra el comunismo. Nadie había visto nunca algo así en la colina, así que todos sabíamos que eran los comunistas los que habían hecho las lapidas y las habían puesto allí para el reportaje.

El programa también distorsionaba una de las homilías del padre Jozo, asegurando que él había dicho: «Cuarenta años de sufrimiento bajo los comunistas es suficiente».

Lo que realmente dijo en su homilía del 11 de julio de 1981 ni tan siquiera incluía la palabra «comunista», pero los espías del gobierno sentados en los bancos de la iglesia habían estado esperando mucho tiempo cualquier tipo de pretexto para acusar al padre Jozo de un comportamiento contrario al gobierno. Finalmente consiguieron lo que estaban esperando.

La homilía del padre Jozo empezaba con un amable saludo de bienvenida a toda la gente reunida en la iglesia. «Observando las matrículas de vuestros coches, he podido ver que habéis venido de lugares muy diferentes. Muchos de vosotros venís a preguntarme qué está sucediendo exactamente aquí. Ayer y hoy han llegado muchos periodistas y todos han preguntado cómo es posible que, a pesar de que nuestra oficina de correos y las líneas telefónicas se quemaron la semana anterior a los acontecimientos, las noticias sobre Medjugorje se han difundido en menos de un día por todo el país, e incluso en Europa.

«Incluso si hubiéramos puesto grandes letreros en el cielo, no habríamos podido atraer tanta gente aquí. Cuando el Señor trabaja, no necesita publicidad. Sin ruido ni alboroto, nuestro Dios usa a un sencillo ser humano, no gente poderosa, sino los pequeños, porque 'Él derriba a los poderosos de sus tronos y ensalza a los humildes'. Él se sirve de una persona sencilla, de una persona que tiene fe y confianza y, a través de este siervo, puede proclamar sus misterios más grandes y profundos. María fue una humilde sierva del Señor».

El padre Jozo continuó su homilía exhortando a la gente a liberarse del pecado. «Jesús vino entre sus hijos perdidos y dijo: 'El Espíritu del Señor está sobre mí, porque Él me ha ungido para predicar las buenas noticias a los pobres. Él me ha enviado para proclamar la libertad a los prisioneros, para devolver la vista a los ciegos, para liberar a los oprimidos, para proclamar el año de gracia del Señor'. ¡Eso lo comprendemos esta tarde! ¿No ha venido Él para liberarme a mí, prisionero, a ti, oprimido, a los que durante cuarenta años han estado en prisión, para que esta noche o mañana puedas arrodillarte delante de Él y decir: 'Abre esas cadenas, abre esos cerrojos, abre las cadenas que han estado presionando mi vida, porque los pecados me han encadenado durante muchos años'?».

El padre Jozo nunca imaginó que sus palabras podrían acarrearle cerrojos y cadenas *reales*, pero entregaron una grabación secreta de su homilía a los oficiales del gobierno. Sus referencias a «prisioneros» y «opresión» causaron escándalo a un régimen paranoico porque temía perder el control sobre su gente. Los comunistas tenían, por fin, lo que necesitaban para acusar al hombre que ellos sospechaban que estaba detrás de los acontecimientos en Medjugorje.

A primera hora de la mañana del 17 de agosto de 1981, dos agentes secretos de Belgrado llegaron a la iglesia de Santiago. Inspeccionaron la zona y finalmente encontraron al padre Jozo en la casa parroquial. «¿Eres Jozo?».

«Lo soy. ¿En qué puedo ayudarles?»

«Tienes que venir con nosotros».

Después de obligarle a que cambiara el hábito religioso por vestimenta civil, los agentes esposaron al padre Jozo y le escoltaron fuera de la iglesia. Miró a la gente reunida cerca de la escalinata de la iglesia.

«Adiós», dijo el padre Jozo. «Dios esté siempre con vosotros. No tengáis miedo. Nuestra Señora está con nosotros».

La gente vio con horror cómo los agentes empujaban al padre Jozo para que se metiera en el coche y se iban a toda velocidad. ¿Le torturarían? ¿Le matarían? Todos temían lo peor.

Justo después de que el padre Jozo fuera arrestado, una brigada de la policía rodeó la iglesia y el despacho parroquial. Bloquearon con barricadas las puertas y registraron ambos edificios durante mucho tiempo. Se llevaron todo el dinero de las ofrendas de misa y arrestaron a otros sacerdotes.

Aquella misma mañana, más tarde, fui a la iglesia y me quedé impactada al encontrarla rodeada por verjas y policías. Sentí que mi vida se detenía. Se me partió el corazón por el padre Jozo y pedí a Dios que le diera fuerzas. Algunos de los policías se burlaban de nosotros diciendo:

«¡Ajá, Jozo se ha ido! ¡Estáis acabados!». Estaba claro que esperaban que todo terminase aquel día.

¿Era esta la «gran lucha» sobre la que nos había advertido Nuestra Señora el 2 de agosto? ¿Estaba preparando a la gente del pueblo cuando permitió que tocara su vestido en los campos de Gumno?

Con tantos policías armados alrededor parecía que estuviéramos en guerra. Supuse que nosotros seis, los videntes, seríamos los siguientes. ¿Viviríamos todavía para ver el día siguiente? De alguna manera sentí, era mi interior, miedo y paz al mismo tiempo, miedo porque sabía cuánto sufriría mi familia si moría y paz porque finalmente podría estar con Nuestra Señora. No tenía miedo de la muerte porque sabía que el Cielo existía, pero sentía tristeza por la gente que tendría que dejar atrás.

Increíblemente, un sacerdote de un pueblo cercano pudo reabrir la iglesia y celebrar la misa esa noche, continuando así el programa de oración nocturna que el padre Jozo había establecido. Aquella noche la iglesia estaba llena hasta los topes. La gente lloraba y rezaba. Nosotros seis, los videntes, guiamos a los feligreses en el rosario y cuando llegó la hora de la aparición nos metimos en una estancia cercana al altar. Tan pronto como Nuestra Señora apareció, le preguntamos sobre nuestro querido sacerdote.

«*No tengáis miedo*», nos dijo. «Deseo que os llenéis de gozo, un gozo que se vea en vuestros rostros. Protegeré al padre Jozo. Estoy con él».

Cuando la aparición terminó, le dijimos al sacerdote lo que nos había dicho. El sacerdote miró las caras preocupadas de los feligreses y entonces cogió al pequeño Jakov de la mano y lo llevó delante del altar. Jakov era tan pequeño que nadie podía verle.

«Por favor, Jakov, diles», dijo el sacerdote.

Jakov miró a la multitud, cogió aire y entonces, sin miedo, les dijo lo que Nuestra Señora había dicho. El estado de ánimo en la iglesia cambió de desesperación a esperanza. Hicimos todo lo posible por sonreír como Jakov había trasmitido en el mensaje. Nuestra Señora nos había traído un poco de consuelo, pero era imposible ignorar la ausencia del sacerdote que, a pesar de sus dudas iniciales, se había convertido en nuestro aliado incondicional. Nos preguntábamos dónde estaba y qué estaba sintiendo en ese momento.

Cuando las autoridades intentaron presionar al otro sacerdote local para que cancelara todas las misas de la tarde, puntualizando que ese tipo de servicios normalmente se celebraba por la mañana, el sacerdote respondió: «¡La misa no es una conmemoración del último *desayuno* de Jesús, sino de la última *cena*!»

Era asombroso, pero el padre Jozo había terminado su controvertida homilía con palabras que, consideradas en retrospectiva, parecían un presagio del sufrimiento que tendría que padecer.

«Los cristianos en este mundo son como una luz en la oscuridad», dijo. «Nuestra fortaleza esta en nuestras rodillas, en nuestras manos unidas en oracion, en nuestro cargar la cruz. Nuestra fuerza viene de Dios, Nuestro Señor. No hay otra fuerza, otra sabiduría, otra victoria, sino la victoria sobre la absurdidad de este mundo a través de la humildad, el amor y el sacrificio.

CAPÍTULO XI

«Os he elegido, apóstoles míos, porque todos lleváis algo bello en vuestro interior».

(Del mensaje de Nuestra Señora del 2 de abril de 2015)

A PESAR DE las previsiones de los comunistas, las apariciones siguieron tras el arresto del padre Jozo, y la llegada de peregrinos continuó. Yo había aprendido a ser tan hábil en esconderme de los peregrinos como de la policía. Me seguía levantando muy temprano para recoger y ensartar tabaco, y trabajaba hasta que llegaba la hora de la aparición.

El 25 de agosto de 1981 Nuestra Señora respondió a nuestras constantes peticiones de una señal, quizá para tranquilizar a la gente de Medjugorje y calmar sus miedos. Vicka y yo estábamos en casa de Ivan cuando oímos una gran conmoción afuera. Salimos corriendo y vimos a la gente de pie ,en la calle ,mirando hacia Krizevac.Algunos señalaban con el dedo,otros se habían arrodillado.

Me di la vuelta para mirar hacia la montaña y vi la figura de Nuestra Señora en el lugar donde solía estar la cruz de ocho metros y medio de altura. Su aspecto era distinto al que estábamos acostumbrados: parecía más una estatua que una persona. La figura se desvaneció lentamente y volvió a aparecer la cruz. Unos momentos más tarde, unas extrañas siluetas se materializaron en el cielo, encima de la montaña, formando, con enormes y luminosas letras, la palabra *mir*, que significa *paz* en nuestro idioma. *Mir* es también la primera parte de *Miriam*, el nombre judío para María.

Nadie podía ignorar lo que estaba sucediendo en Medjugorje. Es como si estuviéramos viviendo en los tiempos bíblicos.

Seguíamos con nerviosismo las noticias sobre el juicio del padre Jozo. Cada vez que alguien mencionaba su nombre, sentía un vacío dentro de mí. En los días anteriores al juicio, Nuestra Señora nos pidió ayunar a pan y agua y rezar por él. Sin ninguna prueba de que hubiera cometido un crimen, el gobierno utilizó mentiras y falsas acusaciones para demostrar su causa. El padre Jozo fue condenado por sedición, un crimen serio que podría haber acarreado la pena de muerte, pero fue sentenciado a tres años de cárcel y a trabajos forzados.

El padre Jozo no había hecho nada malo, pero el gobierno yugoslavo distorsionó la verdad para conseguir sus fines. Me di cuenta de que los comunistas podían hacer lo que quisieran a cualquiera.

A finales de agosto tuve ocasión de sufrir su crueldad de primera mano.

La policía ordenó al tío Šimun que me llevara a Čitluk para ser interrogada de nuevo. Estos continuos interrogatorios se habían convertido en una rutina: una y otra vez me metían en una habitación vacía, donde me hacían esperar lo que parecía una eternidad. Después me acribillaban a preguntas y al no recibir las respuestas que querían, me amenazaban, me maldecían y, al final, me liberaban. ¿Qué más querían?

Pero esa vez, cuando mi tío y yo entramos en la comisaría, supe que este interrogatorio iba a ser distinto. Dos hombres trajeados estaban de pie junto a policías uniformados. Empujaron al tío Šimun fuera y me encerraron en una celda de detención. Estuve sentada allí durante un par de horas, durante las que nadie me dijo nada. Después me metieron en el asiento de atrás de un coche gubernamental. Los hombres trajeados, agentes de la policía secreta, se sentaron delante. Lloré mientras el coche salía disparado. «¿Dónde me lleváis?».

«¡Cállate!», dijo el conductor.

«Estúpida», dijo el otro hombre. «Vuestro fraude acaba hoy».

Me gritaron y maldijeron mientras íbamos en el coche. Me tapé los oídos con las manos y me hice un ovillo. Intenté rezar, pero mi corazón latía con fuerza debido a la ansiedad. Pero, sobre todo, estaba preocupada por mi tío Šimun.

Desconsolado por no haber sido capaz de protegerme, se quedó fuera de la comisaría llorando. ¿Cómo podría explicar a mi madre, su hermana, que me había perdido? Por primera vez en su vida, mi tío entró en un bar cercano y pidió *rakija*, un coñac croata.

Después de estar viajando en el coche tres horas, empecé a reconocer los alrededores y me di cuenta de que estábamos entrando en Sarajevo. ¿Me estaban llevando a la cárcel? ¿O al lugar de la ejecución? Pensé en todos los modos posibles cómo podrían asesinarme y deseé que fuera algo rápido como un pelotón de ejecución.

Pero cuando el coche finalmente se detuvo, miré a través de la ventana y vi el edificio donde estaba el apartamento de mis padres. *Gracias, Dios mío*, recé. Los oficiales me escoltaron hasta nuestro apartamento. Mi madre abrió la puerta y ahogó un grito cuando me vio acompañada por los policías. Hizo el esfuerzo de sonreír y saludó a los hombres con mucha más amabilidad de lo que yo pensaba merecían.

«Buenos días, caballeros», dijo. «¡Qué amables han sido por traer a mi hija a casa!».

«¡Mamá!», dije. «¡Si supieras cómo me han tratado!».

Me miró, sonriendo aún. «Entra, cariño. No importa». Y, dirigiéndose a los policías, dijo: «Caballeros, ¿les gustaría entrar y tomar un café?».

«Pero..¡mamá!».

Mi madre me dirigió una mirada que significaba «¡cállate!», por lo que respiré profundamente y me callé. Los policías le explicaron a mi madre que tenía que quedarme en Sarajevo y que necesitaría el permiso de la policía si quería ir a cualquier lugar, como cualquier «enemigo del estado». ¿Quiénes eran ellos para decirme dónde podía o no podía ir? La mayor parte de mis pertenencias personales seguía en casa de mi tío, pero lo que más me preocupaba era que mis apariciones terminaran si yo no estaba en Medjugorje.

Mientras los policías se iban, uno me miró con rabia y me dijo: «Te estaremos observando».

En cuanto se fueron, la falsa sonrisa de mi madre desapareció y me abrazó. «Lo único importante es que estás de vuelta sana y salva», dijo. «Estás viva y es lo más importante».

Con el padre Jozo en la prisión y yo fuera de Medjugorje, los comunistas probablemente pensaron que todo terminaría de una manera tranquila. De nuevo subestimaron el poder de Dios.

Tenía un sentimiento encontrado, amargo y dulce a la vez, por estar de vuelta en Sarajevo. Había echado de menos a mis padres y a mi hermano, pero no lo sentía mi hogar como antes. Lo que en el pasado era mi refugio, ahora se había convertido en una prisión. Aunque había estado fuera sólo dos meses, me parecía que había vuelto siendo una persona distinta. Habían pasado muchas cosas en poco tiempo y yo había crecido de la noche a la mañana. Las cosas que me preocupaban antes ahora, parecían no tener importancia.

Durante las primeras horas de mi vuelta a casa sentí un nudo en la boca del estómago. Al estar tan lejos de Medjugorje y separada de los otros, estaba segura de que Nuestra Señora ya no se me aparecería. Pero mis preocupaciones desaparecieron esa tarde cuando, sentada en nuestro apartamento, sentí de repente su presencia. Me arrodillé en el suelo y tuve la que sería la primera de sus muchas apariciones en Sarajevo.

Debido a la continua vigilancia y al acoso policial, mis apariciones sólo podían suceder en el secreto de nuestro hogar, en la sala de estar que era también mi habitación. Estar con Nuestra Señora en Sarajevo era una experiencia íntima y maravillosa. De hecho, a pesar de la intensa persecución que sufrí en esta ciudad, considero, mirando atrás, que fue uno de los periodos más hermosos de mi vida. En Medjugorje tenía que «compartir» a Nuestra Señora con los otros; en Sarajevo era sólo para mí. Me visitaba cada día y me ayudó a entender los planes de Dios.

Improvisé un altar de oración en la habitación, con una cruz y una estatua de la Santa Madre. No podía haber mucha gente conmigo durante las apariciones. Mi madre, mi padre y mi hermano estaban siempre presentes. Y con ellos, cuando era posible, unas cuantas monjas, sacerdotes o amigos íntimos, pero no podíamos dejar que mucha gente se reuniera en el apartamento. La policía lo encontraría sospechoso. Incluso pedimos a los visitantes que llegaran a casa a horas distintas.

Uno de los sacerdotes era el padre Ljudevit Rupčić, un teólogo muy conocido de la *Franjevacka Teologija*, la Escuela de Teología de Sarajevo. Nacido cerca de Medjugorje en 1920, el padre Rupčić redactó las crónicas de las apariciones desde los primeros días. Cada vez que venía a verme grababa nuestras conversaciones y tomaba notas, pero siempre se iba deprisa si la policía se acercaba. En el pasado había sido encarcelado dos veces por los comunistas. Si no hubiera sido por las visitas de Nuestra Señora cada tarde, no sé cómo habría soportado vivir en Sarajevo durante ese periodo.

Mis padres y mi hermano también sufrieron mucho. La policía aparecía de manera regular en nuestra casa, e incluso nuestros amigos más íntimos se distanciaron de nosotros. La mayoría de la gente tenía miedo de que se la viera con nosotros. Un día la policía me convocó en la comisaría. Un oficial me ordenó que entregara mi pasaporte para asegurarse de que no abandonaría el país. Lo saqué de mi bolsillo, pero dudé de entregárselo.

«Soy un ser humano», dije. «Tengo derechos».

Me miró enfurecido desde detrás de la mesa. «Aquí no tienes derechos», me gritó.

«Empiezo a darme cuenta de esto».

Me arrancó el pasaporte de la mano y me gritó como si fuera un perro: «¡Lárgate de aquí!».

Éste era el ambiente. Los comunistas tenían que ser especialmente duros en Sarajevo porque todos los grupos étnicos de Yugoslavia estaban presentes en la ciudad. Las autoridades eran expertas en utilizar el miedo como medio de control. ¿De qué otra manera podía tratar el gobierno a un chica que hablaba de Dios cuando este mismo gobierno enseñaba en las escuelas que Dios era una invención?

Intenté volver a vivir como una adolescente normal. Normal con excepción de las apariciones diarias. Como se acercaba el inicio del año escolar, estaba deseando ver a mis amigos. Tenía ganas también de seguir con mi educación, algo que siempre había sido importante para mí. Estaba a punto de iniciar el tercer año de la secundaria en uno de los mejores institutos de Sarajevo, ubicado a unos bloques de distancia de nuestro apartamento.

Una mañana, paseando por la ciudad, le eché un vistazo a una tienda en una esquina y me detuve de repente cuando leí los titulares del periódico del día:

MIRJANA DRAGIĆEVIĆ, NIETA DE UNA
FASCISTA, DECLARA TENER VISIONES

No parecía real. Copié las primeras líneas del artículo.

Mirjana Dragičevi, una estudiante de instituto de dieciséis años, de Sarajevo, dice que ve y habla con una imaginaria Virgen María. Su actividad antigubernamental no debería ser una sorpresa; de hecho, su abuelo era fascista.

Habían pasado cuarenta años desde que mi abuelo desapareció.

¿Hasta dónde llegarían para desacreditarme? Apenas sabía lo que era un fascista y, de repente, todos pensaban que yo era uno. Algunos incluso me acusaban de ser una «subversiva» antigubernamental. Por el contrario, yo no albergaba ningún recelo hacia el gobierno yugoslavo; al menos no hasta que me convertí en uno de sus objetivos. De hecho, un mes antes de que las apariciones empezaran, había sido elegida para representar al pueblo de Sarajevo y recitar un poema comunista sobre el Presidente Tito en la televisión nacional.

Ahora, como vidente, me había convertido de repente en una marginada. Los periódicos locales informaron a todo Sarajevo de mi presencia. Cuando estaba a punto de empezar el año escolar, la policía llamó a mi puerta y me dio una noticia devastadora: había sido expulsada del instituto.

Según los oficiales de policía, cuando el director vio mi nombre en la lista y se dio cuenta de que era la chica de los periódicos, gritó: «¿Está inscrita esa mierda aquí?».

Antes de las apariciones iba a uno de los mejores colegios de Sarajevo. Estoy en la fila de abajo, la tercera por la derecha.

CAPÍTULO XII

«El amor conquista la muerte y hace que la vida sea eterna».
(Del mensaje de Nuestra Señora del 2 de octubre de 2015)

APARTE DEL MILAGRO de ver a Nuestra Señora cada día, mi vida parecía estar desmoronándose. Siempre había sido una estudiante muy aplicada, así que ser expulsada del instituto me dejó consternada y perpleja. ¿Me estaba poniendo Dios a prueba? ¿Era una penitencia por algo que había hecho mal?

Cada tarde, cuando me arrodillaba para esperar a Nuestra Señora, esperaba que me diera una respuesta o, al menos, algunas palabras de ánimo. *Ella sabe qué hacer*, pensé. *Puede arreglarlo todo.* Pero cuando aparecía, no decía nada acerca de mis luchas personales.

Sólo a través de la oración entendí finalmente que yo no era diferente de cualquier otra persona que sufría. Nuestra Señora permanecía en silencio sobre mi situación por respeto a mi libre albedrío y por amor a *todos* sus hijos los que la podían ver, como los que no la podían ver. Me di cuenta que, como una buena madre, Nuestra Señora no tenía favoritos.

Mis padres intentaron matricularme en otros institutos de Sarajevo, pero ninguno me aceptaba. Cada rechazo me hería más que el anterior. Hubo momentos en los que quise tirar la toalla. Antes de las apariciones mis metas incluían ir a la universidad, pero ahora estaba rezando para tener la oportunidad de terminar la enseñanza secundaria.

Mis padres eran tan insistentes como mi propio corazón. «Nosotros sólo te pedimos una cosa», decía mi madre. «Termina la escuela».

Los periódicos nos etiquetaban a mí y a los otros videntes con todo tipo de nombres peyorativos intentando sembrar dudas sobre nuestra inteligencia. *Seis palurdos insisten en que tienen apariciones*, leí en un titular. Después de ver esto, mi padre me miró con una inusitada seriedad. «Encontraremos un instituto», dijo, «y demostrarás al mundo que ninguno de los seis sois unos palurdos».

A pesar de su naturaleza despreocupada, la educación tenía una gran importancia para mi padre. En un país con pocas oportunidades, sabía que vivir una vida por encima del nivel de pobreza era difícil si no se tenía, al menos, el diploma de secundaria. Aún así, nunca nos presionó ni nos gritó. Si mi madre alguna vez se enfadaba conmigo o con Miro, él le decía con calma: «No es necesario que levantes la voz. No te preocupes. Los niños son in teligentes, aprenderán».

Una vez Miro tuvo unas notas terribles en la escuela. Mi madre estaba disgustada y le pidió a mi padre que lo castigara. Mi padre observó a Miro con la expresión más severa que nunca había visto en su rostro. «Nosotros dos tenemos que ir a la habitación a hablar».

¿Qué le sucederá a Miro?, pensé.

Diez minutos más tarde, mi padre salió abrazando a Miro. Los dos estaban llorando. Mi madre se puso de jarras y meneó la cabeza. «¡Jozo! ¿Es *esta* tu idea de disciplina?»

«No te preocupes», dijo mi padre. «Ha prometido que estudiará más».

Con el mismo amor y paciencia, mi padre se esforzó en ayudarme para que pudiera seguir con mis estudios. Cuando parecía que estaba destinada a ser una desertora escolar, mi padre consiguió la ayuda de un amigo y logró matricularme en lo que se podría describir como el último recurso. Era un instituto para chicos delincuentes, destinado a ser la última oportunidad para lo «peor de lo peor», expulsados del resto de institutos de Sarajevo. Tenía que coger un tranvía para llegar porque estaba en *Skenderija*, un barrio céntrico conocido por su gran centro deportivo y por el histórico puente donde Gavrilo Princip asesinó al archiduque Fernando en 1914, haciendo de Sarajevo el catalizador de la Primera Guerra Mundial.

El alumnado estaba compuesto por jóvenes que habían tenido

problemas con drogas, alcohol y crimen. Y ahora estaba yo, una chica que aseguraba tener apariciones de la Virgen María. La primera vez que entré en el nuevo instituto estaba nerviosa, e incluso un poco asustada. Casi todos los otros chicos de la clase eran serbios y musulmanes. La mayoría estaban marcados por la dureza de la vida en las calles; sus rostros eran adustos y sus largos cabellos caían sobre sus ojos. Algunos vestían como los hippies de los años 60, mientras que algunas chicas llevaban faldas ceñidas, zapatos de tacón alto y un maquillaje excesivo. Un chico con el pelo en punta y vaqueros rotos holgazaneaba en su pupitre fumando un cigarrillo.

Como una estudiante diligente que venía del instituto más elitista de la ciudad, donde todos se vestían como correspondía, me impactó la existencia de este lugar. Si alguno de los estudiantes de mi escuela anterior fumaba, nunca se hubiera atrevido a hacerlo en el patio y, muchos menos, en clase.

Me senté en mi pupitre e intenté ocultar mi ansiedad, pero el incesante ruido que hacía con los pies me delataba. La chica que estaba sentada a mi lado se agachó y me ofreció una pequeña pastilla. «Eh», dijo, «si estás preocupada por algo, toma este *Valium* y bebe una cerveza. Estarás tan colocada que nada te molestará».

La miré en estado de shock.

¿Dónde estoy? Pensé. *Dios mío, ayúdame.*

La profesora entró en la clase y la chica metió la pastilla en su bolsillo. Esperaba que la profesora se enfadase al ver al chico con el cigarrillo, pero dijo tímidamente: «Sería mejor si no fumaras en clase».

Sin decir nada, el chico dio otra calada, hizo un anillo de humo y apagó el cigarrillo en su pupitre. La profesora, con una mirada de alivio, le dio las gracias. ¿Qué tipo de instituto era éste en el que los profesores tenían miedo de los estudiantes?

Los estudiantes no me prestaron mucha atención al principio, aparte de pedirme a menudo dinero. Pensé que lo necesitaban para comprar comida, dado que la mayoría de ellos procedían de familias pobres. Les di lo poco que tenía, pero cuando me di cuenta de que usaban mi dinero para comprar drogas dejé de ser tan generosa.

Mi secreto me permitió centrarme en los estudios y observar, en silencio, este extraño mundo nuevo. A medida que pasaban los días la aprensión que sentía hacia mis compañeros se fue convirtiendo en empatía. Supuse que la mayoría de ellos venían de familias desestructuradas y que lo único que buscaban era amor. Muchos encontraban aceptación en grupos vinculados a las drogas, el robo y el juego, y al final ellos mismos se venían envueltos en estos vicios. Rezaba por ellos cada día.

Algunas cosas eran más difíciles de aceptar. Muchas de las chicas contaban que habían abortado voluntariamente como si esto no fuera nada, como si hubieran ido al dentista a sacarse una muela. Una chica podía, por ejemplo, ir a abortar por la mañana y luego presentarse en clase por la tarde y hablar de cualquier concierto o fiesta que había esa noche. Sufría cada vez que oía a alguien hablando de este tema.

Hubo veces que me hubiera gustado afrontar este tema con las chicas para decirles algo como: «¿No sabes que está mal matar al niño que llevas dentro?», pero a través de las apariciones diarias y de la oración Nuestra Señora me enseñó que dándoles un sermón y siendo crítica lo único que haría era alejarles a todos. Al contrario, aprendí a demostrarles mi amor e intenté vivir como un ejemplo de alguien que conoce el amor de Dios.

Una vez oí que las almas de los niños que no estaban bautizados y las víctimas de los abortos iban a un lugar conocido como Limbo un estado perpetuo de separación de Dios. Pero ¿cómo podía Dios, el Amor Puro, excluir del Cielo a bebés inocentes? Durante una aparición le pregunté a la Virgen: «¿Dónde van?».

«*Están conmigo en el Cielo*», respondió.

A medida que el año escolar avanzaba, los chicos de mi nuevo instituto se acercaban a mí. Ellos sabían mi situación, porque los periódicos continuaban publicando artículos sobre mí e insinuando que las apariciones eran un complot contra el gobierno. Pero los estudiantes nunca me dijeron nada grosero, ni siquiera Azra, una chica musulmana con fama de ser fría e insoportable. Los otros estudiantes la evitaban; incluso los profesores se mantenían a distancia. Una vez llegó por la tarde cuando sólo faltaba media hora para que terminaran las clases. Irrumpió en la clase, interrumpió la lección del profesor y se dejó caer en su pupitre.

El profesor la fulminó con la mirada. «¿Sabes qué hora es, Azra? ¿Dónde has estado?».

Azra se quedó mirando fríamente al profesor y se encogió de hombros. «¿Un funeral?».

El profesor la miró por un momento, pero no respondió. Era evidente que Azra estaba mintiendo, pero el profesor debía tener demasiado miedo como para regañarla.

Después de la clase me quedé sorprendida cuando Azra se me acercó con lágrimas en los ojos. «¿Puedo hablar contigo?», preguntó.

Nunca la había visto llorando y con un aspecto tan vulnerable. «Por supuesto», le dije.

«Eres la única que me escuchará».

Nos sentamos juntas y cogí su mano. «Dime».

«No he llegado tarde porque estaba en un funeral».

«Ya lo sé», dije, y luego sonreí. «Todos lo sabíamos».

Azra sonrió y, por primera vez, vi lo hermosa que era. Me hice la promesa de hacerla sonreír más a menudo.

«Vivo una situación terrible en casa», continuó diciendo. «Mi padre abusa de mi madre y no sé qué hacer. No puedo denunciarlo a la policía porque él es el único que trabaja. Sin él, estaríamos en la calle. Pero tampoco puedo enfrentarme a él y decirle que pare, porque entonces me pega a mí también».

Le apreté la mano. «Lo siento, Azra».

«La única cosa que me alivia son las pastillas que los médicos me han prescrito para relajarme, pero no quiero parecer un zombi todo el tiempo. Es por esto que todos en el instituto piensan que soy antipática. La medicina adormece mi dolor, pero también adormece todo lo demás que hay en mí».

Azra se secó las lágrimas y luego me miró, preguntando: «¿Cómo eres tan feliz con la policía molestándote continuamente? Nunca estás enfada. No lo entiendo».

«Bueno, es una historia interesante», dije, y le conté cómo la oración me traía paz en los momentos más oscuros. También le hablé de las apariciones. A partir de aquel día Azra siguió preguntándome sobre mi fe.

Pronto otros chicos también empezaron a confiar en mí. Me contaban sus problemas familiares y compartían conmigo sus heridas más profundas, como si estuvieran confesándose, aunque en realidad ninguno de ellos sabía lo que era eso. Intentaba consolarles y, si ellos me preguntaban, les hablaba del amor de Dios.

Estaba ávida por saber qué sucedía en Medjugorje durante mi ausencia.

Las noticias llegaban esporádicamente. A veces Marko me llamaba para ponerme al día y, de vez en cuando, algún miembro de la familia nos venía a ver a Sarajevo. Nunca estuve del todo desconectada. Al contrario de lo que esperaban los comunistas, los otros cinco videntes seguían teniendo apariciones cada día. Encarcelar al padre Jozo no había servido para nada. Tampoco exiliarme a mí. Y a pesar de la incansable coacción del gobierno, el número de los peregrinos seguía creciendo. Medjugorje estaba prosperando. A menudo pensaba en los otros videntes y me preguntaba cuándo podría verlos de nuevo.

Sin embargo, hubo una noticia que me causó un profundo desasosiego: justo después del arresto del padre Jozo, el obispo Žanić cambió por completo su postura sobre Medjugorje. ¿Cómo era posible esto por parte del mismo obispo que había sido citado en los periódicos unos meses antes diciendo que creía en nosotros? ¿El mismo que, en la homilía en la fiesta de Santiago en Medjugorje, había dicho que estaba «seguro que los niños no están mintiendo»? Comencé a rezar por él cada día.

El padre Ljudevit Rupčić y otros clérigos parecían sentir el mismo desasosiego. «Nadie puede cerrar la boca a Dios», escribió el padre Rupčić. «No ha terminado su conversación, ni su revelación a la gente. Ésta continúa, sin interrupción en la Iglesia y en el mundo de modos distintos».

Comencé a ser menos comunicativa sobre mis experiencias tras mi vuelta a Sarajevo, principalmente porque allí poca gente estaba interesada en conocerlas y mis visiones sólo sucedían en la privacidad de mi casa. Sin embargo, fue en Sarajevo donde experimenté las persecuciones más intensas. Sarajevo estaba lleno de comunistas radicales; en cambio, la mayoría de los policías en Medjugorje eran católicos, muchos de los cuales llegaron a creer en las apariciones. También estaba claro, que el gobierno me consideraba como la raíz del problema y ahora me habían aislado en un lugar donde podría ser más fácil que me desmoronara.

Casi cada mañana, la policía llegaba a nuestra casa y me interrogaba antes de ir al instituto. No era la policía normal. Sus oficiales vestían traje y corbata y eran miembros de la policía de estado, parecida al FBI de los Estados Unidos o la KGB de la Unión Soviética. Cuando los interrogatorios me hacían llegar tarde al instituto, tenía que entregar a mi profesor una justificación del Secretariado, como si fuera un conocido criminal. A veces la policía me obligaba a estar todo el día en la comisaría.

Para conseguir lo que querían, los policías jugaban al juego del policía bueno/policía malo: uno era amable y el otro agresivo. Un día me dejaron totalmente sola en una sala de interrogatorios. El malo entró primero. Con el ceño fruncido me amenazó y me lanzó preguntas acusadoras. «¿Quieres pasar toda tu vida en prisión? ¿O en un manicomio? Tú *sabes* que la gente quiere que te dispare, ¿verdad?».

Cuando no conseguía las respuestas que quería, gritaba y maldecía. Entonces salía furioso y el «policía bueno» entraba.

«Lo siento mucho», decía. «Mi colega no tiene paciencia. No te mereces que te traten así».

Mostrando una sonrisa falsa, me preguntaba si quería algo de comer o beber. En esa época estaba muy delgada, incluso excesivamente delgada, porque casi nunca tenía tiempo para comer. Y aunque estaba hambrienta y sedienta, rechazaba su ofrecimiento.

«Tú sabes», decía, «eres muy hermosa. Deberíamos salir juntos alguna vez. Te llevaré a un bonito restaurante en las montañas y pagaré tu cena. No tienes por qué pasar por todos estos problemas».

«Gracias, pero no», respondía.

Viendo que no progresaba, cambiaba de táctica.

«Escucha, soy tu amigo. Quiero ayudarte. ¿Tú qué quieres? Puedo asegurar que te matrícules en tu anterior instituto. Puedo facilitarte los estudios universitarios que quieras. ¿Qué me dices de tener tu propio apartamento? ¿Y que tu familia tenga una casa mejor? No hay problema. Sólo necesito una cosa de ti. Admite que el padre Jozo se inventó todo».

Ponía un documento delante de mí y sacaba un bolígrafo. «Solamente firma esto y todo habrá terminado».

Cuando le explicaba con inocencia infantil que ni siquiera había conocido al padre Jozo antes de las apariciones y que de verdad veía a Nuestra Señora, su sonrisa falsa desaparecía y abandonaba la sala. El «policía malo» entraba de nuevo, gritando y chillando y amenazando con pegarme hasta matarme. En vez de pedir, exigía que firmase el documento y, si no lo hacía, se aseguraría de que mi familia y yo «sufriéramos de maneras inimaginables».

Con el tiempo me di cuenta de que la policía, en realidad, no estaba interesada en oír la verdad. Recordé las palabras del Principito: «Los mayores nunca comprenden nada por sí solos y es cansado para los niños tener que explicarles siempre las cosas».

A partir de ese momento, cuando la policía maldecía, amenazaba o hacía promesas, me tapaba la cara con las manos y rezaba en silencio porque sabía que nada bueno podía salir de hablar con ellos.

Lo que vaya a ocurrir ocurrirá, pensé. *Que me encarcelen, que me maten, no me importa; sólo quiero que esto termine.*

Lo más difícil de los interrogatorios de la policía era tener que soportar todas sus blasfemias. Nuestra Señora estaba siempre en mis pensamientos, así que era difícil escuchar esas cosas terribles mientras pensaba en su belleza. Los comunistas me prohibieron tener mi rosario durante los interrogatorios, así que me inventé una manera de rezar el rosario con mis manos: contaba con los dedos de la mano izquierda los cinco misterios y con los dedos de la derecha, dos veces, para los diez *Ave María.*

Rezar el rosario después de ver a Nuestra Señora era una experiencia profunda. Cada vez que decía un *Ave María* podía imaginármela su hermoso rostro, su expresión de dolor y de alegría y podía sentirla en mi corazón. Cuando era pequeña me parecía que el rezo de rosario no acababa nunca; en cambio ahora se terminaba siempre demasiado pronto. Era imposible pensar que era sólo una oración repetitiva.

La policía de Sarajevo parecía estar preocupada también con mi grupo étnico. La mayoría de los comunistas de Yugoslavia se identificaba a sí misma como serbia, y a lo largo de la historia reciente siempre ha habido un cierto grado de hostilidad entre serbios y croatas. Sin embargo, al crecer nunca le había dado demasiada importancia. En cierto modo, los policías me enseñaron quién era ni siquiera había pensado en el hecho de que era croata hasta que ellos me lo dijeron, insistiendo sobre ello.

También me llamaron fascista y yo no sabía lo que eso significaba. Un día se lo pregunté a mis padres, en casa. «¿Soy una fascista? ¿Qué significa eso?».

Mis padres me explicaron que los comunistas usaban el término *fascista* para los croatas que querían separar Croacia de Yugoslavia. Yo tenía dieciséis años. Nunca me había preocupado por el nacionalismo croata, ni mis padres habían hablado de ello. Yo amaba a la gente de todas las etnias y religiones.

A menudo abrían nuestro correo antes de que llegara a casa. Suponíamos que la policía había instalado micrófonos en nuestro hogar, pero eso no nos preocupaba porque no hablábamos nunca en contra del estado. Las continuas inspecciones, no avisadas, eran lo que más nos molestaba. La policía podía entrar y poner todo patas arriba sin ningún tipo de consideración hacia nosotros y nuestras pertenencias. No sabía qué estaban buscando, pero temía que dejaran algún tipo de «prueba incriminatoria» en nuestro apartamento para luego fingir que la habían encontrado. Sólo podíamos sentarnos y esperar a que terminaran.

Recuerdo observar a mi familia durante una de esas intrusiones y nunca olvidaré lo que vi: los ojos de mi padre llenos de vergüenza porque se sentía impotente para protegernos; las lágrimas en el rostro de mi madre cuando los policías ensuciaban la casa que ella había limpiado con tanto esfuerzo; y mi hermano pequeño e inocente tiritando y encogido de miedo, lo que causó que durante muchos años tuviera miedo de dormir solo.

Me sentía responsable por los sufrimientos que habían entrado en sus vidas. Yo tenía el consuelo de ver a Nuestra Señora cada día, pero mis padres y mi hermano no. Ellos sufrían por mi causa, y aunque nunca se quejaron, me prometí a mí misma que cargaría con todo el peso que pudiera.

Una noche, al llegar a la puerta de nuestra casa después de un duro interrogatorio, me sequé las lágrimas, respiré hondo y me esforcé en sonreír antes de entrar. Mi madre estaba en la cocina e inmediatamente me miró con preocupación. «¿Mirjana?»

«¡Hola mamá!», dije.

«¿Por qué has tardado tanto? ¿Estás bien?».

«Nada importante. La policía sólo me hizo algunas preguntas».

«¿Estás segura?».

«No te preocupes, mamá». Me incliné y la besé en la mejilla, tratando de mantener mi sonrisa. «Tengo escuela mañana, así que ¡buenas noches!».

Me fui al baño, cerré la puerta y rompí a llorar. Era el único lugar donde nadie podía verme llorar. A partir de aquella noche el baño se convirtió en mi asilo y a menudo me refugiaba allí para no cargar a nadie más con mi dolor.

Un día me topé con el Salmo 23, el salmo de David. Las palabras me encantaron y hablaron a mi corazón. Desde entonces, cuando experimento una dificultad, el salmo me tranquiliza.

El Señor es mi pastor, nada me falta.
Por prados de fresca hierba me apacienta.

Hacia las aguas de reposo me conduce, y conforta mi alma; me guía por senderos de justicia, en gracia de su nombre.

Aunque pase por valle tenebroso, ningún mal temeré, porque tú vas conmigo; tu vara y tu cayado, ellos me sosiegan.

Tú prepares ante mí una mesa
frente a mis adversarios; unges con
óleo mi cabeza, rebosante está mi copa.

Tú, dicha y gracia me acompañarán todos los días de mi vida; mi morada será la casa del Señor a lo largo de los días.

Navidad en Medjugorje, 1981, cuando Nuestra Señora se presentó de una forma extraordinaria.

CAPÍTULO XIII

«Conozco vuestro dolor y sufrimiento porque los he vivido. Me alegro con vuestra alegría y lloro con vosotros en vuestro dolor. Nunca os abandonaré».

(Del mensaje de Nuestra Señora del 2 de mayo de 2015)

DURANTE ESOS DÍAS estaba preparada para morir en cualquier instante. Esperaba que todo llegara a un punto en que me matarían; desaparecería de la noche a la mañana como el abuelo Mate. Sin embargo, no tenía miedo a morir porque entonces podría estar con la Bienaventurada Madre para siempre.

Nunca cedí. Veía a Nuestra Señora y nadie podía convencerme para negar dicho milagro. Nunca renegué de mi fe. Mediante la oración, Dios me dio la fuerza para continuar. Me ayudó a crecer y a olvidar a la pequeña niña mimada que una vez fui.

Mi madre siempre me había dicho que no presentara oposición a los que me interrogaban, y que debía mantenerme callada dijeran lo que dijeran. La mayor parte del tiempo seguí su consejo, pero aveces no podía evitar defenderme.

Una vez mi madre y yo teníamos que ver a un trabajador social designado por el gobierno y cuyo papel debía ser, supuestamente, persuadirme para que negara las apariciones. Cuando entramos en su despacho, le encontramos recostado en su silla con los pies encima del escritorio mientras se limpiaba las uñas.

«Sentaos», dijo sin ni siquiera mirarnos.

Nos sentamos frente a él. Finalmente me miró y me estudió por un momento. «Eres más bonita de lo que esperaba. ¿No crees que ha llegado el momento de madurar y de dejar de hablar de esta imaginaria amiga tuya? ¿Quién deseará casarse contigo?».

«¿Es importante casarse? Puedo ser monja». De hecho, había considerado esta posibilidad.

El hombre se levantó de un salto y me miró, con sus fosas nasales dilatadas. «¿Qué han hecho las *monjas* por Yugoslavia?».

Me levanté también. «¿Y qué has hecho *tú*? Te sientas en una silla limpiándote las uñas. ¿Es esto contribuir?».

Asombrados por mi reacción, el trabajador social y mi madre me miraron con la boca abierta. Había llegado a un punto en el que ya no me importaba. Si la policía quería que yo no tuviera más apariciones, entonces tendría que matarme.

Aunque pase por valle tenebroso, pensé, *ningún mal temeré*.

Casi todos mis antiguos amigos me habían abandonado y cada vez que entablaba una nueva amistad, los comunistas no tardaban en alejarla de mí. Una tarde me tomé un café con un chico serbio de mi instituto. Tuvimos una agradable conversación y después nos separamos.

Esa noche él me llamó a casa. «¿Quién *eres*?», me preguntó.

Yo estaba confundida. «¿Qué quieres decir?».

«Pues que en cuanto he llegado a casa la policía ha venido a buscarme».

Sentí dolor en mi corazón. «Lo siento. ¿Qué te han dicho?».

«Me han llevado a la comisaría y me han interrogado. Me han exigido que les dijera de qué hemos estado hablando. 'En realidad, sobre nada importante,', les he dicho. Sobre todo acerca de la escuela y los deberes'. Entonces me han preguntado: '¿Te ha hablado sobre la destrucción de Yugoslavia?. Estaba asombrado.'Pues claro que no les he dicho'. No tenía ni idea de qué estaba pasando».

Sentí que sería mejor para todos que yo desapareciera. Estaba cansada de ser la causa de los problemas de la gente. La situación empeoró tanto que cuando paseaba por la calle, la gente que conocía se cambiaba de acera para no tener que saludarme. Tenían miedo de que la policía les acosara a ellos también. Me acostumbré a estar sola.

Había una persona que nunca me evitaba. Era nuestra vecina, Paasha. Había visto a la policía venir y llevarme con ellos y no podía imaginarse a su «Pequeña Rubia» haciendo nada que fuera contra la ley. Un día le preguntó a mi madre qué estaba pasando.

«Mirjana ve a la Virgen María», dijo mi madre, sin estar segura de cómo reaccionaría Paasha.

«Ah», dijo Paasha, asintiendo y sonriendo. «La Bienaventurada Maryam».

Mi madre le explicó toda la situación y Paasha escuchó con interés y respeto. Resultó que la Bienaventurada Madre es la única mujer mencionada en el Corán. Los títulos islámicos para María incluyen *Sa'imah* (la que ayuna) y *Siddiqah* (la que confirma la verdad). El Corán incluso tiene ángeles que dicen: «¡Oh María! Dios te ha elegido y purificado, te ha elegido sobre todas las mujeres de todas las naciones del mundo».

Mi historia era plausible para Paasha y ella la aceptó con amor. En lugar de distanciarse de nosotros, como habían hecho muchos otros, se acercó aún más. La vez que un sacerdote vino para presenciar la aparición, ella estaba en nuestra casa. Paasha lo saludó con afecto y le besó la mano educadamente antes de irse. En otra ocasión me detuvo en el pasillo y me miró a los ojos. «Rezo por ti cada día», me dijo.

Su apoyo fue un rayo consolador en una tormenta constante, pero nada me ayudaba a soportarlo todo como mis apariciones diarias. A veces yo seguía con la policía cuando llegaba el momento de la aparición, pero la Virgen siempre esperaba hasta que yo estuviera de vuelta en casa. Toda mi vida giraba alrededor de esos escasos momentos en que estaba con ella cada tarde. Era mi escape a la persecución e incluso a mis propios pensamientos. Cuando estaba con Nuestra Señora, no era yo. Me sentía una persona distinta en otro lugar y en otro tiempo.

Nuestra Señora hablaba sobre la importancia de la oración y el ayuno y nos invitaba a la conversión, a abandonar el pecado y a poner a Dios en primer lugar en nuestras vidas. Sólo entonces podríamos conocer el amor verdadero, decía.

El padre Ljudevit Rupčić, que seguía visitándome en Sarajevo, escribió: «La verdadera conversión significa la purificación o sanación de nuestro corazón, porque un corazón corrupto o enfermo es la base de las malas relaciones, que, a su vez, traen el desorden social, las leyes injustas y las constituciones de base. Sin un cambio radical del corazón, no hay paz».

En otros momentos, durante mis apariciones diarias, Nuestra Señora hablaba sobre los secretos. Para entonces se habían convertido en una fuente de gran curiosidad y especulación para todos los que seguían Medjugorje. Los seis estábamos juntos cuando empezó a decirnos los secretos, uno por uno.

Poco puedo decir sobre ellos. Después de todo son *secretos*. Cuando Nuestra Señora me confió el tercer secreto, me permitió, sin embargo, revelar algunos detalles sobre el mismo, tal vez porque le habíamos pedido en muchas ocasiones que dejara una señal.

Puedo decir esto: cuando los acontecimientos que hay en los primeros dos secretos sucedan, Nuestra Señora dejará una señal permanente en la Colina de las Apariciones, donde se apareció al principio. Todos podrán ver que no ha sido realizado por mano humana. La gente podrá fotografiar y grabar la señal, pero para poder comprenderla del todo, para vivir la experiencia de corazón, tendrán que ir a Medjugorje. Verlo en primera persona, con sus ojos, será más hermoso.

Los seis videntes no hablamos entre nosotros sobre los secretos. La única parte que compartimos en común al respecto es la señal permanente.

No puedo hablar acerca de los detalles de los otros secretos antes de que llegue el tiempo de revelarlos al mundo, excepto decir que serán anunciados antes de que ocurran. Cuando los acontecimientos tengan lugar, tal como se predijo, será difícil, incluso para el más reticente de los escépticos, dudar de la existencia de Dios y de la autenticidad de las apariciones.

Todos ellos son para el mundo; ninguno de los secretos es para mí personalmente. La Virgen transmitió la mayor parte de los acontecimientos de los secretos mediante palabras, pero algunos me los mostró como escenas de una película. Cuando vi estos destellos del futuro durante las apariciones, la gente que tenía cerca a veces notaba las intensas expresiones de mi rostro y luego me hacía preguntas.

Cada secreto ocurrirá exactamente como me ha sido transmitido, con una excepción. Estaba sola en nuestra casa cuando Nuestra Señora me confió el séptimo secreto. Su contenido me inquietó mucho.

«¿No se puede disminuir el secreto?», le imploré.

«*Reza*», fue su respuesta.

Reuní amigos, parientes, monjas y sacerdotes para rezar y ayunar con la intención de cambiar el séptimo secreto, y lo hicimos intensamente y con convicción. A menudo nos reuníamos en Sarajevo como grupo para rezar por ello. Ocho meses más tarde, durante una aparición, le pregunté de nuevo a la Virgen acerca del séptimo secreto.

«*Por la gracia de Dios, ha sido suavizado*», dijo. «*Pero no debéis pedir de nuevo cosas como ésta, porque debe hacerse la voluntad de Dios*».

La Virgen también me enseñó a aceptar la voluntad de Dios en mi propia vida. Aunque era muy difícil vivir en Sarajevo, los problemas siempre se resolvían de algún modo. Nuestra Señora nunca dijo claramente que me ayudaría, pero sé que estaba cerca de mí. Notaba constantemente sus intervenciones. Si una situación parecía perdida, de repente se abría una puerta. Si me sentía sola, alguien venía a ayudarme. Empecé a ver cómo actuaba Dios a través de gente distinta.

Mis padres también empezaron a sentir su protección. Frustrados por mis negativas a doblegarme a sus presiones, los comunistas empezaron a intimidar a mi padre. Oficiales del partido le dijeron que si no podía acallar a su hija, perdería su trabajo en el hospital. Nuestra familia dependía de su sueldo, pero mis padres nunca me dijeron que me callara sobre la Virgen. Al contrario, ellos sufrieron y aguantaron.

Los comunistas, obviamente, no estaban contentos.

Unos inspectores de policía fueron al hospital y le dijeron al director, que era serbio y comunista, que mi padre tenía que dejar el trabajo inmediatamente a causa de las actividades religiosas de su hija.

«Pero Jozo es amado aquí», dijo el director, «y es un trabajador ejemplar».

«No hay nada que discutir», dijeron los inspectores.

El director se levantó. «Si Jozo se va del hospital, entonces yo también me iré y todo el sistema se derrumbará. ¿Es lo que queréis?».

El apoyo del director salvó el trabajo de mi padre.

«Seguramente es una señal de la Virgen», dijo mi padre, «cuando una persona con creencias distintas a las tuyas te apoya».

Antes de las apariciones nunca le había oído hablar de este modo. Era bello ver crecer la fe de alguien, pero nada comparable con ver a mi propio padre abrazar los mensajes de la Virgen. Sin embargo, empecé a notar que sus canas aumentaban a medida que pasaban los días.

La policía también interrogó a mis padres. Amenazaron con encarcelar a mi padre y desalojarnos de nuestro apartamento, propiedad del estado, si mis «actividades religiosas» no cesaban. Sabíamos que podían hacer prácticamente todo lo que quisieran.

En el Sistema comunista no podíamos considerar nada como nuestro.

Esa noche mis padres discutieron sobre lo que tenían que hacer. En lugar de pedirme que dejara de hablar de mis apariciones, decidieron separarse. O hacer creer a la gente que se separaban. Acordaron que visto que el sueldo de mi padre era superior al de mi madre, él daría la impresión en público de que no aprobaba mis afirmaciones y que se había separado de mi madre porque ella me creía. De este modo, él podría mantener su trabajo y podríamos vivir con su sueldo en el caso de que despidieran a mamá. No me gustaba esta idea, pero eran mis padres e intenté respetar su decisión.

La policía encontró rápidamente otro modo de herirme y avergonzarme. Empezaron a venir a mi instituto. En cierto modo era divertido. Cuando los coches de la policía aparcaban delante del edificio escolar, algunos de los estudiantes de mi clase huían porque pensaban que la policía venía a arrestarles. Pero la policía venía por mí. Me sentía avergonzada. Quería explicar a todo el colegio que yo no era una criminal.

Después de cada duro interrogatorio le pedía a Dios que me diera más amor y que me ayudara a entender. Llegué a creer que también los policías eran un instrumento. No estaba segura del porqué, pero me parecía que ellos debían ser como eran, incluso cuando gritaban y maldecían.

Señor, pensaba, ¡cuán desesperanzada debe estar la gente! ¡Cuánto dolor debe haber en su interior!

Sólo un hombre miserable podía gritar a una chica o amenazarla con que la mataría. Nunca les odié. Al contrario, sentía piedad de ellos y le pedía a Dios que les diera paz.

Calma sus corazones inquietos, rezaba. *Guíalos a aguas tranquilas.*

Al rezar por mis verdugos, yo también encontraba la paz. Al cabo de un tiempo, cada vez que la policía me venía a buscar al instituto, yo volvía sonriente. Una de esas mañana, algunos de los estudiantes de mi clase se dieron la vuelta y me miraron.

«¿Quién eres?», preguntó un chico. «Los polis te cogen, ¡pero vuelves con una sonrisa! ¿Qué pasa contigo?»

Sonreí. «La verdad es que no estaba realmente a solas con ellos».

«Vale. ¿Y quién estaba contigo?».

Azra intervino. «Díselo, Mirjana».

Miré al chico a los ojos. «Dios estaba conmigo. Él siempre está».

Los estudiantes siguieron haciéndome preguntas. Les hablé de Jesús, de la Virgen y de la misericordia de Dios. A través de esa experiencia me di cuenta de la diferencia entre predicar y evangelizar. Me dijeron que era distinta a otras personas, que yo era paciente y estaba llena de amor, y aunque no necesariamente me sentía especial, era feliz hablándoles de mi fe. Cuando me preguntaron sobre Dios, se abrió una puerta que me daba la posibilidad de hablar con gente que, normalmente, no estaba interesada en la fe.

Pero nuestra unión era más profunda aún. Todos en ese instituto habían sido apartados y rechazados por la sociedad. Todos éramos marginados y todos sufríamos, pero nos ayudábamos entre nosotros, compartiendo desde apuntes hasta *burek*, un pastelillo croata relleno de carne, queso, espinacas o patatas. Me sorprendía cada vez que alguien quería ser amigo mío con todas las cosas horribles que se escribían acerca de mí en los periódicos comunistas, pero mis compañeros de clase me demostraron más amor que otras personas.

Estábamos tan unidos que muchos de los estudiantes incluso prometían protegerme. Pero cada vez que la policía venía ellos, obviamente, huían.

Cuando el primer semestre acabó, estaba entusiasmada por si surgía la oportunidad de volver a Medjugorje por primera vez desde que el gobierno me obligó a irme. Mi familia planificó las vacaciones para pasarlas allí con nuestros parientes y los párrocos nos invitaron a mí y a los otros videntes a guiar el rosario en la iglesia durante la Nochebuena. Aunque la policía, en Sarajevo, me había prohibido volver a Medjugorje, sabía que era técnicamente legal para mí viajar dentro de mi propio país, por lo que corrí el riesgo.

Volver fue una bella experiencia y saboreé cada uno de sus instantes: los rostros familiares de los lugareños, el fresco olor del aire de campo mezclado con el olor a madera quemada de las estufas, la sinfonía de oraciones e himnos a lo largo de sus calles. Por primera vez en varios meses podía tener un rosario en la mano en público y no tener miedo. Sentí que estaba de nuevo en casa.

Encontrarme de nuevo con los otros videntes fue maravilloso. Habían madurado desde la última vez que los vi y, sin embargo, sus personalidades seguían siendo las mismas. Se asombraron cuando les conté las cosas terribles que la policía me había hecho en Sarajevo. Me di cuenta de que la persecución que habían sufrido en Medjugorje era, en comparación, más leve.

Me uní a ellos detrás del altar para la Misa del Gallo en Nochebuena. La iglesia de Santiago estaba abarrotada de parroquianos y peregrinos. El interior estaba adornado con un árbol de Navidad, un nacimiento y velas. Sin electricidad durante la noche, la única iluminación aparte de las velas eran dos bombillas encendidas gracias a un pequeño generador.

El celebrante principal esa noche era el padre Jozo Vasilj, un sacerdote franciscano nacido en Medjugorje y que, años más tarde, viviría durante una década ayudando a los pobres de África, antes de su muerte en 2007. Antes de la misa el padre Vasilj hizo que los seis videntes nos pusiéramos delante del altar para contar nuestra experiencia. Mientras escuchaba a los otros cinco repetir algunos de los mensajes que habían recibido, me sorprendí al descubrir que eran casi idénticos a los que Nuestra Señora me había dado a mí en las mismas fechas. Pero mis mensajes eran algo más largos.

Por ejemplo, cuando Nuestra Señora pidió a todos que ayunáramos a pan y agua los miércoles y los viernes, ella incluyó otras cosas cuando me lo dijo, como la importancia de la oración durante el ayuno y cuanto le gustaba a Dios que hiciéramos pequeños sacrificios.

¿Por qué, me pregunté, me daba la Virgen a mí más detalles? Para entonces también me había dicho más secretos a mí que a los otros.

La homilía del padre Vasilj esa noche fue apasionada. «Jesús nació a medianoche y transformó la noche en día», dijo. «Murió durante el día y transformó el día en noche. Resucitó a medianoche y transformó la noche en día. Pero no se detiene aquí. Jesús permaneció para vivir entre nosotros. Siempre habrá cristianos en la tierra, pero depende de mí y de ti, amado hermano y amada hermana, si hay más o menos».

Mirando a toda la gente que había afrontado el frío gélido de medianoche para ir a misa, sentí que las apariciones de Nuestra Señora ya estaban dando resultado al aumentar el número de creyentes. Rezar en la oscuridad de la iglesia de Santiago en Nochebuena fue una bella experiencia, pero no podía eliminar un pavor persistente en mi corazón: sabía que tendría que irme de Medjugorje antes de reemprender el curso en el instituto y la idea de volver a la cultura secular y fría de Sarajevo, en la que la fe era vista como una enfermedad mental y donde los creyentes eran rechazados como leprosos, me producía escalofríos.

Amado Jesús, recé. *No quiero volver a casa. Deja que more en la casa del Señor para siempre.*

Pensé en sus palabras en la Biblia: *Nos os agobiéis por el mañana, porque el mañana traerá su propio agobio.*

Mi oracion, unida a la atmosfera de la iglesia, me tranquilizo. Cuando se acercaba el final de la Misa del Gallo, mis ojos se llenaron de lagrimas cuando el coro canto *Narodi Nam Se Kralj Nebeski — Nos ha nacido el Rey Celestial* —uno de los villancicos croatas mas populares. Compuesto en el siglo XIII, su letra es un testamento para la imperecedera fe de la gente del lugar.

Oh María, Virgen Inmaculada, nos ha nacido el Rey Celestial. En este Nuevo Año nos alegramos y al joven Rey rezamos.

Le sigue San Esteban, el primer mártir de Dios Nuestro Señor. En este Nuevo Año nos alegramos y al joven Rey rezamos.

!Que Dios traiga salud y felicidad, en este Nuevo Ano que haya abundancia de todo! En este Nuevo Ano nos alegramos y al joven Rey rezamos.

Levantarme la mañana de Navidad en Medjugorje me trajo recuerdos de los primeros días de las apariciones. Era maravilloso estar de nuevo con mis primos y mis familiares. Con la casa llena de gente, tuvimos una típica celebración croata, y mucho más libre de lo que solía ser en Sarajevo. Era impensable para la gente de Medjugorje trabajar el día de Navidad.

Mi familia de Medjugorje había conservado con amor las tradiciones navideñas de Herzegovina. San Nicolás había llegado y se había ido unas semanas antes. Llegaba no en Nochebuena, sino la vigilia de su fiesta, el 6 de diciembre. El santo venía para llenar las botas de los niños buenos con regalos y sorpresas. Pero él no viajaba solo. Si el niño no se había portado bien, o no había limpiado bien sus botas, una maliciosa criatura llamada Krampus dejaba un tronco de madera. Cuanto más malo había sido el niño, más grande era el tronco.

La gente celebraba otros días de fiesta y costumbres navideñas durante el mes de diciembre, pero la magia de la Nochebuena estaba reservada al Niño Jesús. Llegaba a altas horas de la noche para traer regalos a todos los niños. Aunque los regalos eran una parte bonita de las Navidades, Dios era el centro de estas fiestas en Herzegovina y las familias pasaban el tiempo juntas rezando y yendo a las celebraciones litúrgicas. Todas las tradiciones estaban, de alguna manera, arraigadas en la religión.

Una de estas tradiciones, quemar un tronco de *badnjak*, reunía a las familias para rezar durante la Nochebuena. El rito varia de región a región, pero en Herzegovina normalmente toda la familia se reúne alrededor del *ognjište* (la chimenea) en la cocina exterior donde se ahúman y curan viandas como el *pršut* (jamón). Fuera, la cabeza de familia prepara tres troncos y los reparte a niños diferentes. Uno a uno, los niños entran en la cocina con el tronco mientras los miembros de la familia les tiran granos de trigo.

«Feliz Nochebuena», dice el primer niño y presenta el tronco al miembro más anciano de la familia, normalmente el abuelo, que lo echa al fuego.

Momentos más tarde, el segundo niño entra y dice: «Feliz Nochebuena y Santo Nacimiento de Jesús». Él, también, entrega el tronco al abuelo, que lo echa al fuego.

Por último, entra el tercer niño. «Feliz Nochebuena, Santo Nacimiento del Niño Jesús y San Esteban», dice.

Cuando los tres troncos están en el fuego, el abuelo reza en voz alta: «En el nombre de Padre, del Hijo y del Espíritu Santo». Y mientras dice estas palabras, rocía un poco de vino en el fuego tres veces. Después de esto todo el mundo dice: «Amén».

El tronco de *badnjak* representa una historia tradicional en la que los pastores de Belén hacen un fuego para calentar a María y a Jesús recién nacido en el establo. Como conmemoración de este hecho, los miembros de la familia se turnan para una vigilia en solitario durante la noche para asegurase de que el *badnjak* no se apaga.

Otra parte importante de la Navidad es la comida. El día de Nochebuena es un día de ayuno, pero al día siguiente toda la familia se reúne para festejar. Preparar la comida de Navidad y comerla juntos como familia es una experiencia muy bonita. Y es sencillamente imposible celebrar la Navidad en Herzegovina si no se tiene gran cantidad de dulces navideños.

Mientras el día se iba apagando para todos, yo me preparaba para mi aparición. Estaba más emocionada de lo habitual. Después de todo era el cumpleaños de Jesús y ¿Qué madre no estaría llena de alegría por el cumpleaños de su hijo? Después de meses, tendría la aparición junto a los otros, de nuevo.

Me reuní con Ivanka, Vicka, Marija, Ivan y el pequeño Jakov en la iglesia. Después de rezar juntos, todos sentimos la presencia de Nuestra Señora. Apareció ante nosotros con un vestido dorado brillante que no se parecía en nada al que había visto antes. El estilo era idéntico al gris que solía llevar, pero la tela parecía metal fundido. *Radiaba* oro y Nuestra Señora emitía las mismas lustrosas tonalidades.

Describir su vestido como «dorado» apenas lo define. No hay palabras humanas que puedan expresar la belleza de ese color. Incluso la palabra «color» es inadecuada, a no ser que un color pueda estar vivo e infunda emoción. Puedo decir, por ejemplo, que mi sofá es de color beige y esto, en términos terrenos, sería correcto. El «color» de su vestido, sin embargo, era como luz, pero una especie de luz etérea que se plegaba, fluía y ondulaba según el movimiento de Nuestra Señora y los sentimientos que ella quería transmitir.

Los brazos de la Virgen estaban cruzados en la parte de delante del vestido, lo que parecía peculiar hasta que me di cuenta de que sostenía a un niño, igual que la primera vez que la vi. No había vuelto a aparecer con un niño hasta ahora. Deseaba verle más de cerca, pero algo me impidió ver el rostro del niño. «*Amaos los unos a los otros, hijos míos*», dijo la Virgen con una cálida sonrisa. «*Sois hermanos y hermanas*».

Entonces nos bendijo y se fue. Cuando recobré mis sentidos, me sorprendí al ver que estaba en Medjugorje con los otros y no en nuestro apartamento de Sarajevo. La experiencia había sido tan intensa que había olvidado donde estaba.

Al día siguiente celebramos la festividad de San Esteban, conocido en Croacia como St. Stjepan. La gente de Medjugorje celebra su fiesta el 26 de diciembre pasando el día con amigos y familiares. Según la Biblia, Esteban era un cristiano que predicó en Jerusalén. Las autoridades del templo le acusaron de blasfemia y una multitud enfadada le apedreó hasta morir, convirtiéndolo en el primer mártir cristiano después de la Crucifixión.

Ese día dije *Sretan Imendan* o Feliz Santo al hermano de Marko, Stjepan. En la tradición croata, el santo de una persona se celebra en la fiesta del santo de su nombre. A veces la gente recibe más atención en el día de su santo que en el de su cumpleaños y esto es especialmente cierto para Stjepan, porque el día del Santo es una fiesta popular en el periodo navideño. Stjepan, cuatro años más joven que Marko, era amable y alegre. A la gente le gustaba estar con él. Su atractivo era un reflejo de su personalidad. Stjepan tenía una fe profunda.

Continué yendo a Medjugorje ocasionalmente, pero ya no volví a tener apariciones con los otros videntes.

Cuando el segundo semestre empezó, me asombré de las ganas que tenía de volver y ver a mis compañeros de clase. Los profesores fueron amables conmigo, aunque todos eran comunistas. Tal vez era reconfortante para ellos tener en clase a una estudiante que se tomaba en serio los estudios. Por lo que sea, parecían empatizar con mi situación.

Mi profesor de historia me pedía a menudo que me pusiera en pie y me dirigiera a la clase sobre ciertas cuestiones. Y mi profesora de química, una mujer musulmana, solía acariciarme el pelo cuando pasaba por mi lado en la clase. La chica que tenía sentada al lado se inclinaba hacía mí y me decía bromeando: «Te quiere».

«Para», le susurraba.

Un día la clase se alborotó y ella se enfadó. «Hoy os habéis ganado todos un cero en las notas», dijo.

Decidí decir algo: «Por favor, no lo haga Camarada Profesora. Nos comportaremos bien».

Ella me miró con ternura: «No estaba hablando de ti, querida. No tienes por qué preocuparte».

La chica que estaba a mi lado se inclinó de nuevo hacia mí: «¿Lo ves? ¡Te dije que te quiere!».

Un día las autoridades me llevaron a Medjugorje para que me examinaran los médicos junto a los otros videntes. Duró todo el fin de semana y no me quedó tiempo para preparar un examen de matemáticas programado para ese lunes por la mañana. No pude decirle a mi profesor de matemáticas que las apariciones me habían impedido estudiar, por lo que acudí al instituto sin haberme preparado. Un chico llamado Željko Vasilj, que tenía el mismo examen pero a una hora distinta, me dio sus apuntes con todas sus notas.

«Úsalo durante el examen, pero que no te pillen», me dijo. «No es culpa tuya si no has podido estudiar».

Cuando me senté e intenté esconder los apuntes de Željko en mi pupitre, estaba tan nerviosa e incómoda que no paraba de moverme. No podía hacerlo. Entre los treinta y cinco estudiantes que éramos, el profesor notó mi nerviosismo. Se acercó a mí. Cogió el cuaderno de apuntes y cuando lo abrió vio una escritura masculina y el nombre de Željko Vasilj. Quería morirme.

«Explícame esto», me dijo.

Me sonrojé. «Lo siento».

En lugar de castigarme, como habría esperado, puso el cuaderno de apuntes abierto encima de mi pupitre de modo que fuera para mí más fácil leerlo. «Escucha», dijo en voz baja. «Te dejo copiar todo y te subiré la nota según lo bien que copies».

Cuando se fue, respiré hondo y miré el cuaderno de apuntes. Me seguía sintiendo incómoda. Las respuestas estaban ahí, ante mí, y el profesor me había dado permiso para copiarlas, pero sentí que no estaba bien hacerlo. Cerré mi hoja de examen y salí corriendo del aula.

Al día siguiente me senté en la clase de matemáticas mientras el profesor decía las notas, esperando oír el «Insuficiente» que sabía que merecía.

«Mirjana Dragićević», dijo. «Notable».

«¿De verdad?», dije sorprendida. No había conseguido acabar nada del examen.

Una chica saltó de la silla. «¡No es justo, Profesor Camarada! ¡A mí me ha puesto un Bien y he estudiado toda la noche! ¿Cómo puede tener Mirjana un Notable si casi no sabía nada?».

«Siéntate», dijo el profesor. «Soy yo el que corrijo los exámenes, no tú».

Más tarde intenté entablar amistad con esta chica y nos hicimos amigas, pero ella continuamente intentaba persuadirme de que hiciera novillos durante la clase de matemáticas. Yo le decía que no, pero ella insistía y, al final, para complacerla, acepté.

Estaba sentada con ella tomando un café en lugar de estar en clase y me sentía tan culpable que no conseguía disfrutar el momento. Ella se estaba riendo y contando una historia divertida cuando sus ojos se helaron al ver la puerta de entrada. Dejó de hablar.

«¿Qué pasa?», le pregunté.

«Está aquí», susurró.

«¿Quién está aquí?». Me volví y un sentimiento de vergüenza me sobrecogió. Nuestro profesor de matemáticas estaba entrando por la puerta. Escondí mi rostro y miré a mi amiga.

«¡Rápido, escondámonos debajo de la mesa!».

«Demasiado tarde, nos ha visto».

Unos instantes más tarde sentí una mano en mi hombro. «¿Qué os gustaría beber?», dijo nuestro profesor, de manera sarcástica, claro está. De nuevo, me puse colorada.

Al día siguiente, en el instituto, miré el registro de asistencia a clase y vi que el profesor había justificado mi ausencia, pero no la de mi amiga. Parecía injusto.

«Camarada Profesor, si ella está castigada, yo también debería estarlo», le dije.

«No eres el tipo que hace novillos», me respondió.

«Sé que tu amiga te impulsó a hacerlo».

La verdad es que él conocía mi situación. La policía me había sacado del instituto para tantos interrogatorios que había perdido un número excesivo de clases ese año. Había perdido incluso días enteros porque a veces me sacaban de clase por la mañana y no me dejaban libre hasta la tarde. Nunca sabía lo que traería consigo cada nuevo día y esto era exactamente lo que querían los comunistas, mantenerme en un estado perpetuo de perplejidad.

La policía esperaba, obviamente, que yo suspendiera debido a mi escasa asistencia, pero mis profesores no permitieron que esto sucediera.

Yo era una niña particularmente tímida, por lo que cuando empezaron las apariciones, me tuve que acostumbrar rápidamente a ser el centro de atención.

CAPÍTULO XIV

«Si no tenéis miedo y dais testimonio con valentía, la verdad milagrosamente vencerá».
(Del mensaje de Nuestra Señora del 2 de junio de 2015)

LOS PRIMEROS DIECIOCHO meses Nuestra Señora se apareció cada día. Cuando me hablaba, era como si todo el universo me estuviera hablando. Sacaba fuerza y amor de esos momentos. Fuerza para perseverar en mis luchas cotidianas y amor para perdonar a las personas que me perseguían. Cuando ves a Nuestra Señora, es imposible odiar a nadie porque te das cuenta que ella ama incluso a las personas que te maltratan. Esa persona es su hijo tanto como lo eres tú y su amor por todos sus hijos es indescriptible. Nuca he visto este tipo de amor en la tierra.

Inicialmente el pensamiento de no estar en Medjugorje con los otros videntes me preocupaba, pero con el tiempo me di cuenta de que no necesitaba estar con nadie. Quizá hubiera sido bonito tener a los otros para hablar, dado que estaban viviendo la misma experiencia, pero estaba sola en Sarajevo. En lugar de ello, tenía a Dios y compartía todo con Él. A través de mis oraciones, después de cada aparición, recibía la fuerza para continuar y comprender.

El 23 de diciembre de 1982, Nuestra Señora se me apareció como de costumbre y, como siempre, fue una bonita experiencia que llenó mi alma de alegría. Pero hacia el final, me miró con ternura y dijo: «*El día de Navidad me apareceré a ti por última vez*».

La aparición terminó y yo me quedé pasmada. Había escuchado con claridad lo que había dicho, pero no podía creerlo. ¿Cómo podría vivir sin las apariciones? Me parecía imposible y recé intensamente para que no fuera verdad.

Al día siguiente, víspera de Navidad, ella intentó prepararme de nuevo, pero todavía no podía comprenderlo. Me pasé casi toda la noche suplicando a Dios que me dejara más tiempo con ella.

Mientras mis padres y mi hermano celebraban el día de Navidad con villancicos, oraciones y comida, yo estaba lejos, demasiado consumida por la preocupación como para unirme a ellos. Allí estaba, rodeada por mi querida familia, a punto de pasar parte de la Navidad con la misma mujer que dio a luz a Jesús dos mil años antes, y no podía ni siquiera sonreír.

Mi presentimiento aumentaba a medida que la aparición se acercaba. Mi madre, mi padre y mi hermano, que se habían puesto sus mejores vestidos para la Navidad, estaban arrodillados a mi lado. Rezamos el rosario para preparar su venida. Cuando finalmente apareció, Nuestra Señora sonrió con amabilidad y me saludó en su modo materno habitual. Me quedé fascinada; su vestido irradiaba el mismo y espectacular color dorado que había tenido la Navidad anterior. En ese momento era imposible seguir estando triste con toda su gracia y hermosura brillando sobre mí.

Mis padres después me contaron que la última aparición diaria duró, de manera extraordinaria, cuarenta y cinco minutos. Nuestra Señora y yo hablamos de muchas cosas. Resumimos esos dieciocho meses juntas todo lo que nos habíamos dicho y todo lo que me había revelado. Me confió el décimo y último secreto y me dijo que tendría que elegir a un sacerdote para una tarea especial. Diez días antes de la fecha del acontecimiento presagiado en el primer secreto, debía decirle a él lo que sucedería. Entonces se suponía que él y yo oraríamos y ayunaríamos durante siete días y, tres días antes del acontecimiento, el sacerdote lo revelaría al mundo. Los diez secretos se revelarán de este modo.

Nuestra Señora me dio también un regalo precioso. Me dijo que se me aparecería una vez al año, el 18 de marzo, durante el resto de mi vida. El 18 de marzo es mi cumpleaños, pero Nuestra Señora no eligió ese día por esta razón. Para ella mi cumpleaños no es diferente al de cualquier otra persona. Sólo cuando las cosas contenidas en los secretos empiecen a suceder el mundo entenderá por qué eligió el 18 de marzo. El sentido de la fecha será claro. También me dijo que tendría algunas apariciones adicionales.

Entonces sacó algo parecido a un pergamino enrollado y me explicó que los diez secretos estaban escritos en él y que debería mostrárselo al sacerdote que eligiera cuando llegara el momento de revelarlos. Lo cogí de sus manos sin mirarlo.

«*Ahora tienes que dirigirte a Dios con fe como cualquier otra persona*», dijo. «Mirjana, te he elegido; te he confido todo lo que es esencial. También te he mostrado muchas cosas terribles. Ahora debes cargar con ellas con valor. Piensa en mí y piensa en las lágrimas que debo derramar por eso. Debes seguir siendo valiente. Has captado rápidamente los mensajes. Pero ahora debes entender que debo irme. Ten ánimo».

Me prometió estar siempre cerca de mí y ayudarme en las situaciones más difíciles, pero el dolor que sentía en mi alma era casi insoportable. Nuestra Señora era consciente de mi tormento y me pidió que rezara. Recité la oración que a menudo rezaba cuando estaba a solas con ella la *Salve Regina:*

Dios te salve, Reina y Madre de misericordia, vida, dulzura y esperanza nuestra. Dios te salve.

A ti clamamos los desterrados hijos de Eva, a ti suspiramos, gimiendo y llorando en este valle de lágrimas.

Ea, pues, Señora abogada nuestra, vuelve a nosotros tus ojos misericordiosos, y después de este destierro, muéstranos a Jesús, fruto bendito de tu vientre.
Oh, clemente, oh piadosa, oh dulce Virgen María.

Me sonrió maternalmente y se fue. Me desplomé en el suelo y sollocé. Nunca pude imaginarme una Navidad tan triste.

¿Cómo?, pensé. ¿Cómo podía ser que no vería más a Nuestra Señora cada día?

Me di cuenta de que aún tenía el pergamino que ella me había entregado. Habiendo visto a Nuestra Señora siempre como un ser físico, parecía natural en ese momento tomar un objeto de sus manos, como haría si fuera cualquier otra persona. Pero ahora que la aparición había terminado, estaba alucinada al ver el pergamino todavía conmigo. ¿Cómo era posible? Me preguntaba. ¿Cómo podía sostener un objeto venido del Cielo? Al igual que muchos otros hechos durante los anteriores dieciocho meses, sólo pude explicarlo como un misterio de Dios.

De color beige, el rollo estaba hecho de un material parecido al pergamino: ni papel ni tela, sino algo entre medias. Lo desenrollé con cuidado y encontré los diez secretos escritos en una letra cursiva sencilla y elegante. No había decoraciones ni ilustraciones; cada secreto estaba descrito con palabras sencillas y claras, de un modo muy similar a como me los había explicado Nuestra Señora en un principio. Los secretos no estaban enumerados, pero aparecían en orden, uno detrás de otro, con el primer secreto en la parte de arriba y el último abajo, e incluía las fechas de los acontecimientos futuros.

En aquel momento, sin embargo, estaba demasiado abatida para pensar en el futuro.

Aquella noche me tumbé en la cama, incapaz de dormir. Me convencí a mí misma de que todo era una especie de prueba, que Nuestra Señora me estaba poniendo a prueba por algún motivo más importante, porque vivir sin sus visitas diarias me parecía imposible, no podia ser.

Al día siguiente me arrodillé y recé a la hora en que Nuestra Señora siempre se había aparecido. Cuando pasó el tiempo habitual de su aparición y yo seguía estando sola, me invadió una gran tristeza y lloré mucho. Mis padres entraron e intentaron consolarme.

«Por favor, no hagas eso, Mirjana», dijo mi padre.

Mi madre me abrazó. «Lo siento, querida».

En las siguientes horas me arrodillé allí, rezando y sollozando, suplicando a Nuestra Señora que viniera. Pero no apareció. Quería morirme. Incluso el peor de mis sufrimientos en manos de los comunistas era nada comparado con lo que sentía en aquel momento. De repente, las palabras de la *Salve* resonaron dentro de mí de una manera que nunca había sucedido antes. Allí estaba yo, una pobre desterrada hija de Eva, gimiendo y llorando en un valle de lágrimas, clamando a la Madre de la Misericordia desde mi exilio.

Durante los diez días siguientes continué haciendo lo mismo cada tarde: me arrodillaba, rezaba y esperaba. Y cuando ella no venía, me desplomaba por la pena y lloraba. Los otros cinco videntes todavía veían a Nuestra Señora. ¿Por qué era yo la única que tenía que vivir sin ella? Ahora sabía por qué me dio mensajes más detallados y por qué me confió los secretos más rápidamente. Ella sabía que nuestro tiempo de estar juntas era limitado.

Mi madre me rogaba constantemente que me calmara y que orara con ella. Estaba llena de amor y paciencia y quería ayudarme a comprender. «Lo mismo que aceptaste las apariciones diarias», decía, «ahora debes aceptar que ya no habrá más».

Sus palabras me daban consuelo, pero caía en un estado de profunda depresión cada vez que pensaba en la ausencia de Nuestra Señora durante tanto tiempo. Además de desear las apariciones, pesaba sobre mi corazón también el estrés de recibir todos los secretos en tan poco tiempo. Los profesores y estudiantes de mi instituto estaban perplejos; la chica risueña y optimista que todos conocían se había convertido, de repente, en una persona muy abatida. Incluso Azra intentaba levantarme el ánimo.

Me sentía culpable por estar tan triste, lo que provocaba que estuviera peor. ¿Cómo podía afirmar que era creyente si me negaba a aceptar los planes de Dios? Sabía que tenía que confiar, pero el dolor me parecía insuperable. La promesa de la aparición anual de Nuestra Señora era un minúsculo destello de esperanza y contaba los días hasta el 18 de marzo, pero a veces temía no volver a verla nunca más.

¿Qué pasaría si ella me dijo que la volvería a ver sólo para que me calmara?, pensaba, pero luego me tranquilizaba a mí misma. *No, Nuestra Señora sólo dice la verdad.*

Mi deseo de ver a Nuestra Señora era tan fuerte que al final decidí intentar dibujarla. Cada artista tiene un ámbito y el mío siempre había sido el retrato de chicas y mujeres. Si pudiera capturar un poco, sólo un poco, de su belleza en un papel, entonces al menos tendría algo que mirar fijamente en su ausencia. Saqué mi material de dibujo e hice un boceto de su contorno, su vestido, sus brazos extendidos, e incluso los largos mechones de pelo negro que se asomaban por debajo de su velo. Pero cuando intenté dibujar su rostro, no parecía ella. Lo intenté varias veces, pero mi decepción crecía con cada intento fallido. ¿Por qué no podía hacerlo?

Finalmente entendí que la suya era totalmente otro tipo de belleza. Así como las palabras no pueden describirla, tampoco lo puede el arte. Grandes artistas han intentado retratar a Nuestra Señora siguiendo nuestras descripciones, pero ninguno lo ha logrado. Incluso las pinturas, iconos y esculturas de mayor calidad del mundo de la Bienaventurada Madre son solamente sombras de su esplendor.

Cuando llegó la noticia a Medjugorje de que mis apariciones diarias habían terminado, todos se quedaron perplejos. Las conjeturas acerca de los secretos se hicieron incontrolables, pero tenía mucho cuidado en no decir nada que pudiera insinuar la hora y los contenidos. Me preguntaba si nosotros los videntes deberíamos haber mencionado que habíamos recibido los secretos; a menudo parece que la gente está más interesada en ellos que en los mensajes.

La primera vez que Nuestra Señora me confió los secretos, me provocó un gran estrés y ansiedad. Pero con el tiempo Dios me ayudó a comprender y a aceptar todo. La gente siempre me ha preguntado sobre los secretos y no puedo criticarles que sientan curiosidad. Muchos tienen una fascinación natural por lo desconocido. Algunos han dicho que soy una privilegiada por conocer lo que sucederá en el futuro, pero yo no lo veo así. Sería mucho más fácil para mí si pudiera revelarlo todo ahora. Pero los secretos son la voluntad de Dios. Soy consciente de mi debilidad humana y puedo decir con seguridad que no soy yo quien guarda los secretos, solamente con la ayuda de. Dios soy capaz de hacerlo.

Jakov tenía una edad en la que mayoría de los niños no sabe cómo mantener los secretos. Policías, miembros de la familia e incluso sacerdotes intentaron que revelara lo que él sabía, pero nadie lo consiguió. A menudo bromeo que incluso ahora, de adultos, si le digo a Jakov algo privado, al día siguiente todo el pueblo lo sabe. Pero todavía aguarda los secretos de Nuestra Señora.

Desenrollé el pergamino y lo guardé entre mis documentos importantes, pero me preocupaba que alguien pudiera encontrarlo y leerlo. Un día que mi prima y una amiga estaban en nuestro apartamento, algo me decía que se lo enseñara. Al principio me resistí, pero el sentimiento era imperioso. Saqué el pergamino de su escondite. Mi prima lo tuvo en sus manos y me dijo que vio un tipo de oración o poema. Mi amiga, sin embargo, dijo que vio una carta en la que una persona estaba pidiendo ayuda. Ninguna de las dos vio la misma cosa. Entonces me di cuenta de que sólo yo podía leer lo que en realidad estaba escrito. Lo más probable es que esto sucedió para que yo pudiera tener paz. A partir de entonces ya no volví a pensar en él ni me preocupé. Nuestra Señora nunca mencionó el incidente.

Mucha gente se preguntaba por qué Nuestra Señora me dio el pergamino. Algunos suponían que era para que no olvidase los secretos, pero esto no es exacto. Si me olvido de algún detalle, Dios es todopoderoso y puede darme el regalo de recordarlo en el momento preciso. Mi interpretación del pergamino es distinta: su existencia significa que no es necesario que yo esté viva para revelar los secretos. De lo contrario, sería demasiado privilegiada. Si no estuvieran escritos significaría que no podría morirme morir hoy y que tendría asegurado el estar viva cuando llegue el momento de revelarlos. Ningún ser humano vive para siempre y nadie es eterno.

Se supone que no tengo que pensar en algunas cosas porque Nuestra Señora se ocupara de ellas. A través de la voluntad de Dios, ella conoce cómo se supone que cumpliré todo. Mi tarea es ser obediente, nada más, porque no puedo cambiar nada.

Si no fuera capaz de mantener los secretos, entonces Nuestra Señora no me los hubiera confiado. Siempre he sentido que Dios me ha estado guiando y que soy sólo un instrumento. De todas formas, ¿Quién soy yo sin Él? Confío en la oración y en el ayuno para que me ayuden a vivir según Su voluntad, y para que me ayuden a cumplir con mi papel de mensajera.

Al contrario de lo que mucha gente piensa, no pienso en los secretos. Si no me preguntaran por ellos, podrían pasar días y meses sin pensar en los secretos. Quizás sea un regalo de Dios o el resultado de mis oraciones.

Cuando la gente me hace preguntas pesimistas sobre las catástrofes bíblicas y el final del mundo, siento lástima por ellos. Parece que algunos piensan que todos esos secretos son negativos. Quizá tengan una conciencia culpable; quizá estén preocupados por cómo han vivido sus vidas y por eso temen el castigo de Dios. Quizá cuando el bien no está muy presente dentro de nosotros esperamos cosas malas. Pero preocuparse por los secretos no cambia nada. La gente debería preocuparse únicamente en cambiar su vida.

Algunas personas me han preguntado cómo me las arreglo con el peso de los secretos; creo que los secretos agobian más a los otros que a mí. La gente que está preocupada con los secretos no ha visto a Nuestra Señora y no conoce el proyecto completo de Dios, por qué Nuestra Señora viene aquí o para qué nos está preparando. Pero si tu vida está en sus manos y Dios está en tu corazón, ¿qué te puede hacer daño?

Si la gente me conociera y pudiera ver cuánto me rio y bromeo, no tendría miedo de los secretos. Quienes conocen el amor de Dios deberían estar llenos de alegría. No tiene sentido hablar del futuro cuando cualquiera de nosotros puede morir mañana. Nuestra Señora nos recuerda esto constantemente en sus mensajes, como cuando dijo: «Hijos míos, vuestra vida es tan sólo un abrir y cerrar de ojos en comparación con la vida eterna».

No puedo divulgar mucho más sobre los secretos, pero puedo decir esto: Nuestra Señora está pensando en cambiar el mundo. No vino a anunciarnos nuestra destrucción; vino para salvarnos y, con su Hijo, ella triunfará sobre el mal.

Si nuestra Madre ha prometido vencer el mal, entonces ¿Qué hemos de temer?

Los tres videntes de Fátima, Portugal, en 1917.

CAPÍTULO XV

«Mis amados hijos, que las palabras de mi Hijo y Su amor sean el primer y el último pensamiento de vuestro día».

(Del mensaje de Nuestra Señora del 2 de enero de 2016)

«LO QUE INICIÉ en Fátima, lo completaré en Medjugorje. Mi corazón triunfará».

Cuando Nuestra Señora dijo estas palabras, todo lo que sabía sobre Fátima era que se asemejaba vagamente a Medjugorje: la Virgen María se había aparecido a tres niños. Pero después de este mensaje, sentí curiosidad y cuanto más aprendía, más observaba las profundas conexiones entre Fátima y Medjugorje.

El 13 de mayo de 1981, exactamente sesenta y cuatro años después de la primera aparición en Fátima y justo seis semanas *antes* de la primera aparición de Nuestra Señora en Medjugorje, el Papa Juan Pablo II fue objeto de un atentado en la plaza de San Pedro por un hombre armado. Recuerdo que me horroricé cuando oí las noticias. ¿Por qué alguien querría matar al Papa?

Cuatro balas hirieron al Santo Padre y sus heridas casi fueron mortales, pero él se recuperó milagrosamente y atribuyó su supervivencia a la intercesión de la Virgen. «Fue la mano de una madre la que guió el camino que recorrió la bala», dijo.

Mucha gente sospechó que el intento de asesinato era un complot soviético. El mensaje de paz y valentía del Papa fue leído por el comunismo como una clara amenaza, especialmente cuando este mensaje lo transmitió a sus connacionales en Polonia.

Leer sobre Lourdes me enseñó que la Bienaventurada Virgen María había aparecido en otros lugares, pero me sorprendió descubrir que no fuimos los primeros en recibir secretos. El 13 de mayo de 1917, Lucía, de diez años, Francisco, de ocho, y Jacinta, de siete, estaban pastando sus ovejas en las afueras de Fátima, Portugal, cuando vieron lo que pensaron que eran relámpagos. Creyendo que se acercaba una tormenta, empezaron a reunir el rebaño. Pero otro relámpago captó su atención, se dieron la vuelta y vieron a una bella señora suspendida en el aire, sobre un roble. Vestía de blanco y «brillaba más que el sol».

«*No tengáis miedo*», dijo. «*No os haré daño*».

Lucía, la mayor de los niños, le preguntó: «¿De dónde vienes?».

«*Vengo del Cielo*».

La señora les pidió a los niños que volvieran a verla el día 13 de cada mes. La sexta y última aparición tuvo lugar el 13 de octubre de 1917, cuando más de setenta mil personas fueron testigos del Milagro del Sol: el sol pareció «bailar» en el cielo.

Como en Fátima, las primeras palabras que nos dijo Nuestra Señora en Medjugorje fueron: «No tengáis miedo», y Juan Pablo II dijo lo mismo cuando, apenas elegido Papa, se dirigió a los fieles reunidos en la plaza de San Pedro. Desde luego teníamos miedo el 25 de junio de 1981 cuando vimos a Nuestra Señora por primera vez, pero ahora sé que cada palabra que nos dice tiene un significado más profundo. Cuando me habla, habla al mundo entero. Como Reina de la Paz y como Madre nuestra, viene a decir a sus hijos: «No tengáis miedo» porque ella no nos abandona.

Cuando las apariciones empezaron en Fátima, Europa estaba en plena Primera Guerra Mundial. Recuerdo la placa en el *Puente Latino* cerca de mi escuela, en Sarajevo, indicando el lugar donde el archiduque Fernando, heredero del trono del Imperio austrohúngaro, fue asesinado en 1914. Esa chispa de violencia encendió el fuego salvaje de la carnicería sin precedentes que asoló a Europa. Diecisiete millones de personas murieron en pocos años.

Cuando llegó la primavera de 1917, el papa Benedicto XV había fracasado en sus intentos diplomáticos y se sintió consternado por el desolador panorama. Se dio cuenta de que sólo había una persona a la que dirigirse.

El 5 de mayo de 1917 envió una carta pastoral implorando que toda persona de fe pidiera la intercesión de la Virgen María.

Fragmento de la Carta Pastoral de Benedicto XV:

Se alce, por lo tanto, hacia María, que es Madre de misericordia y omnipotente por gracia, desde todos los rincones de la tierra, en los templos majestuosos y en las capillas más pequeñas, desde los palacios y las mansiones de los ricos a los tugurios más pobres, allí donde more un alma fiel, desde los campos a los mares ensangrentados, la pía y devota invocación que le lleve el angustioso grito de las madres y de las esposas, el gemido de los niños inocentes, el suspiro de todos los corazones generosos: que su tierna y benigna solicitud se conmueva para, así, obtener la tan deseada paz para el mundo.

El Papa pidió también que la invocación «Reina de la Paz, reza por nosotros» se añadiera a la *Letanía de Loreto*, una serie de oraciones marianas que se recitan a menudo en las procesiones.

La Bienaventurada Madre apareció en Fátima a los pocos días del envío de la carta del Papa. Durante su primera aparición les preguntó a Lucía, Jacinta y Francisco si estaban dispuestos a hacer actos de penitencia y sacrificios personales para salvar a los pecadores, a lo que ellos respondieron que sí.

«*Rezad el rosario cada día*», les dijo Nuestra Señora, «*para obtener la paz para el mundo y el final de la guerra*». Entonces se elevó hacia el cielo y desapareció.

Los niños siguieron viéndola una vez al mes. Durante la aparición del 13 de julio de1917 les confió tres secretos, dos de los cuales concernían el futuro.

Cuando Lucía anunció que les había revelado unos secretos, seguramente se enfrentó al mismo tipo de terrible especulación que hemos sufrido nosotros durante todos estos años. Pero la Bienaventurada Madre no me confió los secretos con el propósito de causar miedo. Cuando llegas a conocer el Cielo, aprendes a aceptar la voluntad de Dios con todo tu corazón.

¿Por qué tener miedo de lo que sucederá mañana si ni siquiera sabemos lo que sucederá en una hora? La única cosa que debemos temer es el pecado, que nos distancia de Dios. Tener miedo del futuro y miedo de los secretos es malgastar nuestro limitado tiempo en la tierra. Tu futuro puede acabar hoy. Debemos cuidar de la vida mientras dura.

Por lo tanto, cuando Nuestra Señora nos dijo que Medjugorje sería el cumplimiento de Fátima y que su corazón triunfaría, era un mensaje de esperanza, no de tristeza. Nos estaba recordando que cuando caminamos con ella no tenemos que preocuparnos por nada. Pero incluso ahora, la gente a menudo me pregunta cómo debemos prepararnos para el momento de los secretos. ¿Deben almacenar comida en sus sótanos? ¿Trasladarse a vivir al campo y vivir de la tierra? ¿Comprar un arma para defenderse?

Les digo: «Sí, debéis comprar un arma y debéis usarla a menudo» y entonces les enseño mi rosario: «Ésta es la única arma que vais a necesitar. Pero sólo funciona si la usáis».

En uno de sus primeros mensajes, la Virgen nos dijo: «*La oración y el ayuno pueden detener las guerras y cambiar las leyes de la naturaleza*». No hablaba en sentido figurado: la oración es más efectiva a la hora de crear un cambio que cualquier cosa que podamos hacer solos. El rosario es una oración especialmente poderosa.

Por lo tanto, ¿Debéis prepararos para el futuro? Sí, y lo tenéis que hacer estando seguros de que vuestra alma está siempre preparada para presentaros delante de Dios, no construyendo búnkeres o acumulando víveres. Nadie puede vivir en este mundo para siempre. Debemos centrarnos en lo que viene después. He experimentado el Paraíso y puedo testimoniar que no hay lugar en la tierra, ni cadena montañosa, ni isla tropical, ni séptima maravilla que pueda compararse con lo que les espera a quienes eligieron la luz en lugar de las tinieblas.

«*Dios os dio el libre albedrío para elegir la vida o la muerte*», dijo Nuestra Señora el 18 de mayo de 2003 durante mi aparición anual. «*Hijos míos, sin Dios no podéis hacer nada: no olvidéis esto ni siquiera por un momento*».

El mensaje de Nuestra Señora es claro: todos estamos destinados a la eternidad, pero nuestras acciones en la tierra dictaminarán cómo será para nosotros. Nuestra Señora me mostró sólo un poco de lo que les espera a quienes rechazan el amor de Dios. Incluso lo poco que sé es suficiente para que yo sienta una inmensa tristeza por cada alma rebelde.

En Fátima, Nuestra Señora mostró a los videntes visiones del Infierno. Según Lucía, la Bienaventurada Madre les mostró «un gran mar de fuego. Sumergidos en ese fuego los demonios y las almas, como si fuesen brasas transparentes y negras o bronceadas, con forma humana».

Según los testigos de la aparición, fue durante esta visión cuando Lucía gritó de miedo. Las almas perdidas, dijo Lucía, estaban siendo lanzadas al caos, «parecidas al caer de las pavesas en los grandes incendios» y podía oírlas gemir con desesperación. Describió a los demonios mezclados entre las almas como seres que «se distinguían por sus formas horribles y asquerosas de animales espantosos y desconocidos, pero transparentes y negros».

Lucía dijo que la visión del Infierno duró sólo un instante. Cuando se terminó, la Virgen les dictó a los niños una oración especial.

«*Cuando recéis el rosario*», les dijo, «*después de cada misterio decid*: Oh Jesús mío, perdona nuestros pecados, líbranos del fuego del Infierno. Lleva al cielo a todas las almas, especialmente a las más necesitadas de tu misericordia».

La llamada «Oración de Fátima» se recita ahora en todo el mundo cada vez que la gente reza el rosario. A mí me la enseñaron a temprana edad para que la incluyera entre mis oraciones, aunque no supe su origen hasta años más tarde. Debo admitir que no estaba tan entusiasmada por ella como lo estoy ahora. Siempre he tenido dificultad en entender el concepto de infierno y lo he seguido teniendo incluso cuando empezaron las apariciones.

Si un hombre comete un crimen y va a la cárcel, pensaba, después de cumplir su pena es liberado y perdonado. Sentenciar un alma a una eternidad de sufrimiento parece ser contrario al Dios misericordioso y lleno de amor que yo he conocido.

Por lo que un día, durante una aparición, le pregunté a la Virgen: «¿Cómo puede ser Dios tan inmisericorde y condenar a la gente al infierno para toda la eternidad?».

«*Las almas que van al infierno han dejado de pensar favorablemente en Dios*», me respondió Nuestra Señora. En vida le han maldecido, me explicó, y en la muerte seguirán haciendo lo mismo. Esencialmente, ellos se han convertido en parte del infierno. Dios no envía a la gente al infierno. Ellos eligen estar allí.

«Pero incluso si van al infierno, ¿Pueden rezar por la salvación?», pregunté. Seguramente Dios les librará, pensé.

«*La gente que está en el infierno no reza en absoluto*», dijo Nuestra Señora, explicando que ellos maldicen a Dios por todo. Se hacen uno con el infierno y se acostumbran a eso. Rugen contra Dios y sufren, pero se niegan a rezar. En el infierno ellos odian a Dios incluso más de lo que le odiaron en la tierra.

Obviamente, la línea entre la salvación y el exilio no es tan clara como la gente piensa. Todo en el más allá está gobernado por el amor. La Iglesia enseña que existe un lugar entre el Cielo y el infierno y Nuestra Señora ha confirmado su existencia. Le pregunté una vez dónde va la mayoría de la gente cuando muere. Dijo que la mayor parte va al Purgatorio antes de pasar al Cielo. Luego hay otro grupo grande de gente que va al infierno y unos pocos van directamente al Cielo.

Nuestra Señora nos mostró una vez una breve vision del Purgatorio. En algo que se asemejaba a una proyección de una película, vi una amplia y sombría neblina en la que siluetas humanas oscuras temblaban y se retorcían. La visión sólo duró unos segundos y me causó una gran inquietud, pero la Virgen me aseguró que el Purgatorio tenía más que ver con la misericordia que con el castigo. «*Como nada puede vivir en presencia de Dios más que el amor puro*», dijo, «*la justicia de Dios sana*».

También explicó que hay diferentes niveles en el Purgatorio, algunos más cercanos al infierno y otros más cercanos al Cielo. Cada alma que está allí ya está salvada, por eso es por lo que considero el Purgatorio más como un anillo externo del Cielo que como un lugar totalmente separado. Incluso la palabra «lugar» es inadecuada para describir algo que existe más allá del mundo temporal.

Juan Pablo II describió el Purgatorio como «el proceso de purificación para los que mueren en el amor de Dios, pero que no pueden estar totalmente imbuidos por ese amor».

También dijo: «El término no indica el lugar, sino la condición de la existencia».

Nuestra Señora me dijo que nuestras oraciones aquí, en la tierra, pueden ayudar a las almas allí. De vez en cuando hay personas que me piden que rece por su ser querido que cree que está en el Purgatorio, pero sólo Dios sabe dónde están nuestros difuntos. Lo más hermoso que podemos hacer es rezar y ayunar por nuestros difuntos, y participar en la misa recordándoles con el corazón y la mente.

Juan Pablo II dijo que toda adhesión al mal e imperfección en nuestra alma debe ser eliminada antes de entrar en el Reino de Dios, añadiendo: «Quienes viven en este estado de purificación tras la muerte no están separados de Dios, sino que están inmersos en el amor de Cristo».

Al principio, siempre que intentaba explicar lo que la Virgen nos pedía, mi tío Šimun solía bromear y decir: «¡No me lo cuentes todo! Cuanto menos sepa, mejor para mí. Si pudiera agarrarme con mi dedo meñique en el límite del Purgatorio, entonces podría saltar hacia arriba y estaría bien».

Parece ser que la Biblia también habla de distintos niveles del Reino de Dios. En la Segunda Carta a los Corintios, capítulo 12, Pablo escribe sobre sus propias «visiones y revelaciones» después de haber sido llevado al «tercercielo» donde «oyó palabras inefables, que un hombre no es capaz de repetir». Tal como yo me sentía durante las apariciones, Pablo se sentía confuso sobre cómo interpretar esta visión y escribió «si en el cuerpo o sin el cuerpo, no lo sé; Dios lo sabe».

Vicka y Jakov me dijeron que el Día de Todos los Santos de 1981, Nuestra Señora apareció inesperadamente y dijo que los llevaría al Cielo.

Jakov tuvo pánico. Creyó que ella decía para siempre. «¡No me lleves!», gritó. «¡Coge a Vicka! Ella tiene siete hermanos y hermanas y yo soy el único hijo de mi madre».

Nuestra Señora sonrió, les dijo que no tuvieran miedo y les cogió de la mano. Se encontraron en un sitio enorme inundado por una bellísima luz y una alegría indescriptible. Vieron también el Purgatorio y el infierno. Incluso ahora a Jakov no le gusta hablar del infierno, pero la descripción de Vicka es sorprendentemente similar a la de Lucía: un océano de embravecidas llamas llenas de almas y seres grotescos.

«*No tengáis miedo*», les dijo Nuestra Señora. «*Os he enseñado el infierno para que sepáis el estado de los que están allí*».

Nunca he visto el infierno. Nunca he querido. Pero la Virgen me enseñó una visión del Cielo, como hizo con el Purgatorio: como si fuera la escena de una película. La gente era juvenil, alegre y vestía con ropa de color pastel; pero su aspecto era distinto al de la gente en la tierra, irradiaban una luz que venía desde su interior. Moraban en un espacio infinito rodeado por los más bellos árboles y arroyos, que emanaban la misma luz. Había algo similar a un cielo sobre ellos que parecía estar *hecho* de esa luz, y la propia luz estaba imbuida de alegría, el tipo de alegría que te hace cantar o llorar.

No puedo hablar por Dios, pero creo que si una persona vive en paz, honestidad y amor, entonces puede ir al Cielo. La fe y la oración nos ayudan a conseguirlo. No necesita hacer milagros. Ciertamente, estamos llamados a la santidad o, al menos, a algo mejor que llegar a alcanzar el Purgatorio con nuestro dedo meñique. Pero, al final, pienso que todo tiene que ver con el amor. ¿Amamos a Dios? ¿Amamos a nuestro prójimo? ¿Nos amamos a nosotros mismos? Y más importante, ¿Cómo expresamos este amor?

Con una terrible guerra arrasando Europa en 1917, el mundo seguramente parecía estar totalmente vacío de amor cuando la Bienaventurada Madre vino a Fátima. Pero sus apariciones hicieron que muchísima gente se uniera para rezar por la paz. La guerra terminó al año siguiente. Esto no fue una sorpresa para Lucía, porque mientras su primer secreto fue una visión en el ámbito espiritual, el segundo fue una detallada descripción sobre el futuro del mundo.

«*Habéis visto el infierno al que van las almas de los pobres pecadores*», dijo la Virgen a los tres videntes. «*Para salvarlas, Dios desea que en el mundo se esta blezca la devoción a mi Corazón Inmaculado*».

Continuó diciendo que la Primera Guerra Mundial acabaría, pero que habría una peor si la gente seguía ofendiendo a Dios. Rusia, advirtió, difundiría «sus errores» por el mundo, «causando guerras y persecuciones a la Iglesia». Pero la Bienaventurada Madre también reveló cuál era el remedio: se concedería al mundo un periodo de paz si el Papa consagraba Rusia al Inmaculado Corazón de María.

Aquí, de nuevo, vemos un ejemplo del inconmensurable poder de la oración. Como dijo Jesús: «Todo lo que pidáis orando con fe, lo recibiréis» (Mateo 21, 22).

Fue también en 1917 el año en que se reveló este secreto cuando Vladimir Lenin guió la Revolución bolchevique en Rusia. La Unión Soviética se formó poco después. Dos décadas más tarde, unos cincuenta millones de personas murieron en la Segunda Guerra Mundial. Luego, como se había predicho, el comunismo se difundió rápidamente por todo el mundo, estableciéndose en China, Polonia, Cuba y, claro está, Yugoslavia. Siguieron décadas de sufrimiento. A principios de los años 80 la Guerra Fría había llevado el mundo al borde de la catástrofe nuclear.

Después de ser casi asesinado, el Papa Juan Pablo II observó «la misteriosa coincidencia con el aniversario de la primera aparición en Fátima». La conexión entre las fechas le llevó a estudiar las apariciones de Fátima mientras se recuperaba en el hospital. Con el comunismo amenazando la paz mundial, tomó la determinación de llevar a cumplimiento las peticiones de Nuestra Señora consagrando Rusia al Inmaculado Corazón de María. Sabía que se necesitaría tiempo para reunir a los obispos y cardenales para dicha consagración y, como una especie de anticipación, compuso una oración para lo que él llamó el *Acto de Consagración*, que se celebró el 7 de junio de 1981 en la Basílica de Santa María la Mayor.

Fragmento del Acto de Consagración del Papa Juan Pablo II:

«*Madre de los hombres y de los pueblos, Tú conoces todos sus sufrimientos y sus esperanzas, Tú sientes maternalmente todas las luchas entre el bien y el mal, entre la luz y las tinieblas que sacuden al mundo, acoge nuestro grito dirigido en el Espíritu Santo directamente a tu Corazón y abraza con el amor de la Madre y de la Esclava del Señor a los que más esperan este abrazo, y, al mismo tiempo, a aquellos cuya entrega Tú esperas de modo especial. Toma bajo tu protección materna a toda la familia humana a la que, con todo afecto a ti, Madre, confiamos. Que se acerque para todos el tiempo de la paz y de la libertad, el tiempo de la verdad, de la justicia y de la esperanza.* (7 de junio de 1981).

En aquel momento yo no conocía esta oración suya, pero unas semanas más tarde, Nuestra Señora apareció por primera vez en Medjugorje.

El Papa Juan Pablo II hizo una peregrinación a Fátima el 13 de mayo de 1982 y colocó una de las balas que casi lo mata en la corona de la estatua de la Virgen. En su homilía aquel día el Papa habló de «lugares en los que se siente una presencia especial de la Madre». Y añadió: «Estos lugares a veces irradian su luz hasta una gran distancia y atraen a gente que viene de lejos. El resplandor puede extenderse a una diócesis, a una nación y, a veces, a varios países e incluso continentes. Estos lugares son los santuarios marianos».

El Papa completó la consagración el 25 de marzo de 1984. Como si hubiera sido la señal, la URSS sufrió una serie de desastres militares, el peor de los cuales ocurrió el 13 de mayo de 1984, aniversario de Fátima. Después de la elección del moderado Mikhail Gorbachev, el dominó siguió cayendo. El Muro deBerlín cayó en 1989 y la primera misa cristiana desde la revolución comunista tuvo lugar en la emblemática *Catedral de la Intercesión de la Santísima Virgen*, en la Plaza Roja de Moscú, el 13 de octubre de 1990, día del Aniversario del Milagro del Sol en Fátima. Un año más tarde la URSS se disolvió oficialmente.

Parece ser que el segundo secreto de Fátima era verdad, pero ¿y el tercero? Años más tarde Lucía lo metió en un sobre sellado y lo confió a la Iglesia. La descontrolada especulación sobre su contenido hizo que el Vaticano abriera el tercer secreto en el año 2000.

Lucía declara que se le mostró una visión de un ángel a punto de golpear la tierra con una espada llameante. Pero «el esplendor» que emanaba de la mano derecha de la Virgen extinguió las llamas. A continuación Lucía vio a un Papa pasando por una «ciudad medio en ruinas». Luego el Papa sube por una montaña con una gran cruz en ella. Cuando llega a la cima, él y otros sacerdotes, monjas y laicos son asesinados por soldados. Dos ángeles aparecen bajo la cruz para recoger la sangre de los mártires.

Algunos especularon que el tercer secreto predecía el intento de asesinato de Juan Pablo II, mientras que otros citando el hecho de que sobrevivió, creen que representa algo que aún no ha sucedido.

Pero Nuestra Señora afirmó en Medjugorje que las dos apariciones están vinculadas al triunfo de su corazón.

Tercer secreto de Fátima escrito por Sor Lucía:

«Después de las dos partes que ya he expuesto, hemos visto al *lado izquierdo de Nuestra Señora un poco más en lo alto a un Ángel con una espada de fuego en la mano izquierda; centelleando emitía llamas que parecía iban a incendiar el mundo; pero se apagaban al contacto con el esplendor que Nuestra Señora irradiaba con su mano derecho dirigida hacia él; el Ángel señalando la tierra con su mano derecha, dijo con fuerte voz: ¡Penitencia, Penitencia, Penitencia! Y vimos en una inmensa luz que es Dios: «algo semejante a como se ven las personas en un espejo cuando pasan ante él» a un Obispo vestido de Blanco «hemos tenido el presentimiento de que fuera el Santo Padre». También a otros Obispos, sacerdotes, religiosos y religiosas subir una montaña empinada, en cuya cumbre había una gran Cruz de maderos toscos como si fueran de alcornoque con la corteza; el Santo Padre, antes de llegar a ella, atravesó una gran ciudad medio en ruinas y medio tembloroso con paso vacilante, apesadumbrado de dolor y pena, rezando por las almas de los cadáveres que encontraba por el camino; llegado a la cima del monte, postrado de rodillas a los pies de la gran Cruz fue muerto por un grupo de soldados que le dis pararon varios tiros de arma de fuego y flechas; y del mismo modo murieron unos tras otros los Obispos sacerdotes, religiosos y religiosas y diversas personas seglares, hombres y mujeres de diversas clases y posiciones. Bajo los dos brazos de la Cruz había dos Ángeles cada uno de ellos con una jarra de cristal en la mano, en las cuales recogían la sangre de los Mártires y regaban con ella las almas que se acercaban a Dios».*

Rezaba a menudo por el padre Jozo Zovko en los años posteriores a su arresto.

CAPÍTULO XVI

«A quien mucho se le dio, se le reclamará mucho; y a quien mucho se confió, se le pedirá más».

(Jesús en el Evangelio de Lucas 12,48)

A INICIOS DE 1983 finalmente llegué a aceptar que mis apariciones diarias habían terminado. A través de la oración constante y el ayuno, entendí que para Nuestra Señora yo era igual que cualquier otra persona. A sus ojos no hay privilegiados. Si tengo una cruz que cargar, no puedo seguir dependiendo de mis apariciones diarias para que me consuelen. Tengo que orar como todos los demás.

Contaba los días que faltaban para el 18 de marzo de 1983, como una niña impaciente esperando el día de su cumpleaños. El 18 de marzo *era* mi cumpleaños, pero no me importaba recibir regalos o hacerme un año mayor. Sólo quería volver a verla.

El 18 de febrero, exactamente un mes antes de mi cumpleaños, recibí una noticia que era al mismo tiempo inesperada y fantástica: el padre Jozo había salido de la prisión. El gobierno había reducido su sentencia de tres años a dieciocho meses. Otro sacerdote había ocupado su puesto en la iglesia de Santiago, así que le enviaron a ejercer su ministerio en la parroquia de Bukovica y, después, en la iglesia de S. Elías en Tihaljina, no muy lejos de Medjugorje. Cuando fui a verlo, no habló de la prisión. Si sus experiencias allí le habían traumatizado, lo escondía bien, aunque las cicatrices de su rostro daban a entender una experiencia más violenta de lo que su sonrisa daba a entender.

Había rezado por el padre Jozo cada día, y las historias que oí sobre su encarcelamiento parecían confirmar que Nuestra Señora le había protegido, tal como prometió.

Había estado encarcelado con asesinos, ladrones y los peores criminales, de los que uno sabe sólo por las noticias. Los guardias le golpearon y torturaron, le obligaron a hacer trabajos forzados e intencionadamente hicieron correr terribles rumores sobre él entre los prisioneros. Pero el padre Jozo se aferró a su fe y nunca negó lo que él creía que era verdad sobre Medjugorje.

Los prisioneros, muchos de los cuales eran ateos, musulmanes y ortodoxos, empezaron a ver algo especial en él, así que comenzaron a preguntarle sobre Dios. Les habló sobre Nuestra Señora, Medjugorje y la Misericordia de Jesús.

El padre Jozo, posteriormente, dijo que en la prisión fue feliz y estaba en paz porque había tenido la oportunidad de llevar hombres conflictivos a Jesús. El mayor sufrimiento había sido no tener la Biblia, su rosario o permiso para celebrar la misa.

Al poco tiempo, algunos de los guardias de la prisión empezaron a tenerle miedo; aseguraron ver luces extrañas en su celda durante la noche y, muchas mañanas, encontraron la puerta de su celda inexplicablemente abierta. El padre Jozo después reveló que Nuestra Señora se le había aparecido en la prisión, aunque nunca explicó estos encuentros. Insinuó que habían sido encuentros privados que le habían dado gran consuelo. Incluso antes de ser liberado, los comunistas continuaron hostigándole, pero permaneció un fiel defensor de Medjugorje.

A pesar de mi alegría por la liberación del padre Jozo, estaba preocupada por la aparición prometida y, de algún modo, también nerviosa. ¿Qué pasaría si ella no venía? Esa posibilidad era demasiado horrible para pensar en ella.

En las noches anteriores a mi decimoctavo cumpleaños apenas podía conciliar el sueño. El día de mi cumpleaños me desperté pronto y me preparé para ese día con la ayuda de la oración. Mi familia se unió a mi en el rezo del rosario. Mi expectación era mayor que nunca y cuando esos sentimientos familiares comenzaron a crecer dentro de mí quitándome el aliento a medida que se intensificaban estaba casi sorprendida. De repente, sentí como si mi corazón fuera a quemarse dentro de mi pecho y vi a Nuestra Señora ante mí. Era como nacer de nuevo.

Mientras miraba fijamente su belleza y saboreaba el amor que irradiaba, mi único deseo era que me llevara consigo. La vida en la tierra parecía sin sentido y desolada en comparación con aquel momento, en su presencia. Deseaba estar con ella para siempre. Pero se terminó demasiado pronto y cuando ella se fue me quedé abrumada sabiendo que no la vería de nuevo hasta al cabo de un año.

Agitada por la emoción, me arrodillé y lloré largamente. La gente que me ve cuando termina una aparición dice que tengo dificultad para «volver a la realidad», pero yo pienso de manera diferente: nada es *más cercano* a la realidad que estar con Nuestra Señora. El Cielo es la realidad última y la Bienaventurada Madre es más real que cualquier otra persona sobre este planeta. El dolor de dejar esa dicha indescriptible es inmenso. Sin embargo, su reaparición me llenó de paz porque confirmaba que ella me visitaría al menos una vez al año durante el resto de mi vida.

Cuando reuní fuerzas suficientes para levantar la cabeza, vi a mis padres y a mi hermano mirándome preocupados. Dijeron que nunca me habían visto tan conmocionada en el transcurso de una aparición. Pero también parecían casi tan agradecidos como yo de que Nuestra Señora hubiera vuelto, aunque fuera sólo un día al año. Esto nos recordaba a todos lo afortunados que habíamos sido al haber tenido su compañía durante dieciocho meses.

En aquel momento me hubiera gustado haber permanecido en oración sin interrupciones, recordando en mi mente la aparición una y otra vez, pero el así llamado «mundo real» requería mi atención urgente. Mi último año en el instituto estaba a punto de concluir y yo ya no era la excelente estudiante que solía ser. El estrés de estar constantemente acosada por la policía, sumado a la depresión que sufrí cuando las apariciones diarias terminaron, habían afectado a mis notas.

Sin embargo, estaba determinada a graduarme. Todo lo que tenía que hacer era pasar el examen final. Estudié mucho, sabiendo que mis cuatro años de instituto habrían sido en vano si suspendía.

La noche antes del examen final, la directora de mi instituto llamó a nuestro apartamento. Cuando cogí el teléfono, pidió hablar con mi padre. Me extrañó, porque nadie del instituto había llamado nunca a nuestra casa. Me pregunté si había hecho algo mal.

«¿Por qué necesita hablar con mi padre, Camarada Directora?», pregunté.

«Tengo que pedirle un favor», dijo.

Le pasé el teléfono a mi padre. Escuchó atentamente, sin decir apenas una palabra. Todo tipo de pensamientos pasaron por mi cabeza. ¿Qué podría estar diciéndole cuando no había hecho nada malo? Sabía que ella era serbia y un miembro del Partido Comunista, pero siempre había sido amable conmigo. Unos momentos después, mi padre colgó el teléfono y salió de inmediato del apartamento. ¿Dónde podría estar yendo a esa hora de la noche? Todo parecía muy raro, pero no podía permitir que nada me distrajera de mi preparación para el examen.

Estaba todavía estudiando cuando oí que volvía a casa. Fui a dar las buenas noches a mis padres y cuando les encontré llorando en la cocina me preocupé.

«¿Qué ha pasado?», les pregunté.

Mi madre no podía mirarme. «El primo de tu padre ha muerto», dijo.

Era un primo lejano, añadió mi madre, uno que no había conocido antes. Me pareció extraño que estuvieran llorando por un primo a quien ni siquiera había conocido. Sin embargo, estaba demasiado centrada en los estudios para hacerles más preguntas.

La mañana siguiente, segura de que pasaría, estaba impaciente por hacer el examen. Pero justo antes de que saliera hacia el instituto, mi padre me detuvo.

«Escucha, Mirjana», dijo. «Si pasas, pasas. Pero si suspendes, no hay problema. Tú sabes que siempre nos tendrás y que siempre tendrás tu casa. Tan sólo vuelve sana y salva».

Sus palabras me parecieron extrañas y la seriedad de su cara era muy inusual. «¿Dudas de mí?», dije. «¿Qué es lo que está pasando?».

«Simplemente no olvides lo que te he dicho», dijo. «Vuelve a casa».

No era en absoluto el tipo de cosas que uno quiere oír antes de una gran prueba, pero cuando llegué al instituto había apartado de mi mente las enigmáticas palabras de ánimo de mi padre considerándolas, sencillamente, como un torpe intento de mostrarme su amor. A fin de cuentas, él era un hombre.

Sin embargo, cuando empecé a hacer el examen, las cosas fueron todavía más extrañas. El examen final estaba dividido en varias partes, con una prueba diferente para cada asignatura. Por lo general, los estudiantes hacían un descanso después de haber terminado cada parte, pero la directora decidió llamarme la primera para cada asignatura. Exhausta, al final le dije lo que pensaba.

«Camarada Directora», dije. «¿Puedo al menos tomar un respiro entre exámenes?».

«No», respondió secamente.

Su brusca respuesta me inquietó. ¿Por qué insistía tanto en examinarme de una asignatura detrás de otra sin pausa? ¿Estaba intentando agobiarme para que suspendiera? Respiré hondo y recé pidiendo ayuda de lo alto. Nadie impediría que me graduara después de todas las dificultades que había pasado. Me dispuse puse a terminar las pruebas con determinación, daba igual lo rápido que me llegaran.

Cuando terminé, la directora corrigió mi examen a una velocidad inusitada. «Has aprobado», dijo. «Te puedes ir a casa».

Estaba contentísima. A pesar de todas las dificultades, ¡me graduaría! Pero quería quedarme y ver cómo les iba a mis compañeros. Era muy probable que quisieran celebrarlo en una cafetería después de clase. «Me gustaría esperar aquí hasta que todos terminen», dije, sin pensar que sería un problema.

La directora se inclinó hacia delante y me miró. «Vete a casa», dijo duramente y con tal convicción que, de inmediato, me di la vuelta y me fui.

Me sentía un poco herida en mis sentimientos, pero me dije a mí misma que no dejaría que su brusquedad me fastidiara. Quizá estaba teniendo un mal día. Recé por ella tal como Nuestra Señora me había enseñado a hacer. Tú no sabes qué cruces la gente debe soportar, había dicho. Cuando llegué a nuestro apartamento, me sentía mucho mejor. De hecho, estaba feliz.

«¡He aprobado!», exclamé mientras entraba por la puerta. «¡Me voy a graduar!».

Mis padres me miraron con sorpresa, ninguno de los dos dijo una palabra, y luego se miraron el uno al otro. No era precisamente la felicitación que había estado esperando. Entonces me pidieron que me sentara. Sus semblantes parecían estar desencajados por un día de estrés y preocupación.

«¿Es sobre el primo que murió?», pregunté. «Estoy bien, de verdad. Ni siquiera le conocía».

«No, querida», dijo mi madre. «Es sobre el instituto».

De repente me inquieté. ¿Había olvidado algo la directora mientras corregía mi examen? ¿Había aprobado de verdad?

«Ayer la policía fue a tu instituto», dijo mi padre.

Y me explicó que la policía le había dicho a la directora que debía impedir que yo aprobara el examen final. Entonces le preguntaron cuándo se suponía que lo debía hacer para presentarse en el instituto a esa hora.

«No puedo recordar la hora», les respondió. «Hay demasiados chicos».

«Infórmenos tan pronto como lo sepa», dijo uno de los policías y se fueron.

La directora estaba angustiada sobre cómo manejar la situación. No le parecía justo que yo suspendiera, pues no tenía culpa alguna.

Pero sabía que desafiar a la policía significaba poner su profesión en riesgo y manchar su reputación en el Partido Comunista. En el vocabulario político de aquel tiempo, habría sido etiquetada como un «factor subversivo» y habría sido condenada al ostracismo por sus colegas. Finalmente habló con su hija, que también trabajaba como educadora, y le explicó la situación.

«Mirjana es una buena chica, honesta, que ha hecho todo como debía», dijo la directora. «Nunca ha sido problemática. Me dolería frenar su futuro, pero ¿Qué elección tengo?».

Su hija lo pensó un momento y dijo: «Madre, debes actuar según tu conciencia. Antes que nada eres una profesora, y un profesor está llamado a educar a los niños, no a trabajar en contra de ellos».

Después de hablar con su hija, decidió que valía la pena correr el riesgo e intentar protegerme. Por eso decidió llamar a mi padre y pedirle que se reuniera con ella.

«Si Mirjana no pasa», le dijo, «no es culpa suya, sino de ellos. Haré todo lo posible para ayudarla».

La directora le dijo a la policía que los estudiantes acabarían sus exámenes al final del día. Por eso me presionó para que terminara el mío y me fuera a casa antes que los demás; así pudo corregirlo y registrarlo como aprobado antes incluso de que la policía apareciera. En ese momento, ya sería demasiado tarde para que ellos se entrometieran.

Esta fue una de las muchas ocasiones en las que me di cuenta de la intervención de Nuestra Señora. A fin de cuentas, ¿por qué una serbia y comunista nada menos arriesgaría todo para ir en contra de la policía solamente por mí? La única explicación con sentido es la intervención divina.

Cuando por fin tuve el diploma de secundaria en mis manos,

todo lo que podía pensar era en las palabras que el ángel le dijo a María en la Anunciación: *Nada es imposible para Dios.*

Después de todos estos años todavía no sé si el primo de mi padre realmente murió o si todavía vive. Hay cosas que es mejor dejarlas como misterios.

Con el cardenal Cristoph Schönborn, arzobispo de Viena.

CAPÍTULO XVII

«Queridos hijos, hoy os llamo a una unión completa con Dios. Vuestro cuerpo está en la tierra, pero os pido que vuestra alma esté el mayor tiempo posible cerca de Dios».

(Del mensaje de Nuestra Señora del 2 de noviembre de 2008)

MIENTRAS LOS ÚLTIMOS jirones de la famosa niebla primaveral de Sarajevo se disolvían y daban paso al calor estival, por fin tenía tiempo para reflexionar sobre una cuestión que apenas había pasado por mi mente desde que empezaron las apariciones:

¿Qué tenía que hacer con mi vida?

Había estado tan centrada en acabar el instituto que no había pensado mucho en ello, pero ahora que había alcanzado mi objetivo, me enfrentaba a un futuro incierto. ¿Debería buscar un trabajo de cocinera como mi madre? Si sólo pudiera cocinar, pensé para mis adentros. Además, las horas eran arduas; ella volvía exhausta del trabajo.

Por otro lado, mi padre amaba su trabajo en el campo médico. Un tema que siempre me había interesado era la psicología y hubo una época en la que soñaba ser psicóloga. Me gustaba hablar con la gente y ayudarles con sus problemas, y sentía empatía hacia las personas que sufrían. Mi experiencia con los chicos problemáticos de mi instituto me demostró que la gente se sentía cómoda al compartir sus luchas más profundas conmigo. Por mi parte, sentía que era posible aliviar el sufrimiento hablando con la gente. Pero ser psicóloga era un sueño imposible. Para ser medico en Yugoslavia tenía que ser miembro del Partido Comunista, algo que nunca tomaría en consideración. Además, se necesitaba una educación superior al simple diploma del instituto y dudaba de que me aceptaran en una universidad dada mi mala reputación con el gobierno.

Pero había estado considerando otra opción, una en la que, como en el trabajo de mi madre, podría servir a la gente y, como en el trabajo de mi padre, podría tener la oportunidad de marcar la diferencia en la vida de las personas.

Podría ser monja.

Cuando las apariciones empezaron, mucha gente me preguntó si tenía pensado entrar en la vida religiosa como habían hecho otras videntes. Me dijeron que Lucía, de Fátima, había entrado en las Carmelitas y que Bernardette, la vidente de Lourdes, había entrado en la orden de las Hermanas de la Caridad después de aprender a leer y a escribir en la escuela del hospicio dirigida por las monjas.

Saber esto me consoló y me preocupó a la vez. ¿Se requería de mí entrar en la vida religiosa por el hecho de haber visto a Nuestra Señora? ¿Se decepcionaría la gente si tomaba un camino distinto? No era la única que me preguntaba esto. Al poco tiempo de empezar las apariciones, los seis videntes estábamos en Medjugorje y le preguntamos a la Virgen qué deseaba ella para nuestras vidas futuras.

«*Seguid vuestros corazones*», nos dijo. «*Es decisión vuestra lo que hagáis. Si entráis en la vida religiosa, entonces deseo que sea visible que yo estaba con vosotros. Y si decidís tener una familia, entonces deseo que vuestra familia sea ejemplo para otras familias*».

Este fue uno de los raros momentos en que Nuestra Señora nos dio un consejo personal, pero es evidente en sus palabras su deseo de respetar nuestro libre albedrío, uno de los dones más maravillosos de Dios. Nuestra Señora nos recuerda que la oración y el ayuno pueden ayudarnos a tomar mejores decisiones.

Aunque nos dijo que siguiéramos nuestros corazones, mi corazón estaba demasiado confuso con todas las emociones que rodeaban a las apariciones para darme una señal clara. Habría hecho cualquier cosa por Nuestra Señora y en los primeros tiempos de las apariciones me tomaba muy en serio cualquier cosa que me dijera la gente. Si decían que una vidente debía ser monja, entonces era muy simple: me haría monja.

Un día estaba cenando con mi familia cuando mi padre me preguntó si sabía qué tipo de trabajo quería hacer después de acabar el instituto, o si quería inscribirme en la universidad. Seguramente estaba preocupado porque no había hablado para nada sobre mi futuro desde que empezaron las apariciones, mientras que antes cada semana tenía una nueva aspiración profesional.

«Voy a ser monja», dije.

Mi padre casi se atraganta y a mi madre se le cayó el tenedor. «¿Tú?», dijo Miro con una risita. «¿Una monja?».

«Bueno, soy una vidente», respondí.

«¿Pero estás segura, cariño?», me preguntó mi madre.

«Sí, creo que sí», dije.

«Mi hermana, Sor Mirjana», dijo Miro, riéndose de manera histérica. «¡Sor Hermana!».

Mi padre le dirigió a mi hermano «la mirada» y Miro cerró la boca, pero no mejoró la situación, su risa descontrolada salía ahora en pequeños resoplidos. Mi padre fulminó con la mirada a Miro y esperó a que parara. Entonces se giró y me miró.

«Mirjana», dijo, y se detuvo un rato largo como si buscara las palabras. «¿Por qué no lo piensas tranquilamente? Una decisión como ésta, que es para toda la vida, no debe tomarse a la ligera. Quizá debas acabar el instituto primero y después ver si realmente la vida religiosa te está llamando. Reza y no digas que es tu decision final hasta que no estés segura de lo que quieres. Eres aún joven y es normal estar indeciso».

Sabía en lo más profundo de mi corazón que él tenía razón, sobre todo cuando me dijo que rezara por ello. Hasta ese momento sólo había repetido las palabras «voy a ser monja» en mi cabeza, sin pensar lo que realmente estaba diciendo. Era como si intentara encajar en lo que las personas querían que dijera, sin seguir lo que realmente sentía mi corazón. Mi padre me ayudó a darme cuenta de que había obviado la parte más importante: el discernimiento a través de la oración.

Por lo tanto, decidí rezar por esta intención, para que Dios me mostrara el camino y para que la Virgen me dijera qué quería de mí. Pensé que a través de la oración podría recibir algún tipo de confirmación sobre mis planes, pero no oí la llamada para ser religiosa. Al contrario, mi deseo de tener una familia no hacía sino que aumentar. Cuando era pequeña, soñaba con ser esposa y madre. Si ser una vidente significaba que tenía que entrar en un convento, ¿Por qué Dios había puesto la familia en mi corazón?

Aunque estaba dividida en mi interior sobre lo que tenía que hacer, finalmente decidí, por lo menos, solicitar el ingreso en la Universidad de Sarajevo. Hojeando la lista de las carreras universitarias, buscaba una que me permitiera interactuar con la gente sin sacrificar mis creencias. El título *Economía del Turismo* me intrigó inmediatamente. Bajo el comunismo no teníamos muchas oportunidades de comunicarnos con gente de otros países. El gobierno nos blindaba cuidadosamente del mundo exterior, sobre todo de los países donde la gente vivía en libertad.

Cuando empezaron las apariciones y los primeros peregrinos extranjeros vinieron a Medjugorje, yo quise saber todo acerca de ellos: cómo hablaban, lo que comían, todo lo que perteneciera exclusivamente a su cultura. Aprender de las distintas nacionalidades también parecía encajar a la perfección con el papel de Nuestra Señora como madre de todas las naciones. Incluso si nunca conseguía un trabajo en el sector del turismo, podía ampliar mi visión del mundo eligiéndolo como materia de estudio. Además, me podría ayudar en mi papel de vidente.

Cuando investigué más a fondo este programa de estudios, me decepcioné cuando supe que no podía inscribirme inmediatamente. Sarajevo había sido elegida para acoger los Juegos Olímpicos de Invierno de 1984, en menos de un año, convirtiendo a Yugoslavia en el primer país comunista que recibía dicho honor. Por este motivo, cualquier estudio relacionado con el turismo tenía lista de espera. El gobierno esperaba que grandes multitudes procedentes de todo el mundo vinieran a Sarajevo para los juegos, y las preparaciones ya estaban en marcha. Los nuevos edificios transformaron la ciudad a gran velocidad.

Pero no todo estaba perdido. Descubrí que podía elegir un programa de estudios distinto y, posteriormente, cambiar a mi preferido. Supe que los requisitos para entrar en la Facultad de Agricultura eran menos exigentes, lo que tenía sentido. Una gran parte de la economía de Yugoslavia dependía de la agricultura, por lo que el gobierno quería tener el mayor número posible de expertos en agricultura. Tal vez dejarían que incluso una «fanática religiosa» como yo cursara estos estudios.

Presenté mi solicitud y recé: *Dios celestial, si me aceptan, sabré que es tu voluntad.* Y luego intenté olvidarme de ello. No quería entusiasmarme por algo que, probablemente, sería una decepción. Estaba segura de que no me aceptarían, y mis pensamientos se dirigieron de nuevo a la vida religiosa. Cada vez que me visualizaba como una monja, mi mente se distraía, en cambio, con imágenes de maternidad y vidafamiliar.

Al final del verano, con mi vida en una encrucijada borrosa, estaba más confundida que nunca. Las expectaciones para que yo entrara en un convento hicieron que me cuestionara continuamente mi discernimiento. Finalmente decidí transformar los mensajes de Nuestra Señora en acción para estar segura de que el Cielo me oía. Me encerré en nuestro apartamento durante cinco días, rezando y ayunando. Necesitaba desesperadamente una solución y esperaba que una medida tan drástica me diera una. Durante esos cinco días sólo comí pan y agua y rogué a Dios que me revelara qué quería de mí. Al final, mi deseo de tener una familia era más fuerte que nada y sentí que me había dado una respuesta clara.

Cuando me di cuenta de esto, volví a estar en paz. Finalmente entendí que Dios no me llamaba a la vida religiosa. Si quería que fuera una monja, todo lo que Él tenía que hacer era ponerlo en mi corazón. En aquella época, yo no tenía deseos o sueños particulares, por lo que habría abrazado cualquier cosa que Dios me hubiera pedido o que me hubiera inspirado a hacer. Sin embargo, la decisión de no ser una monja sólo eliminaba una posibilidad de mi vida. Seguí pidiendo a Dios que me guiara según su voluntad, no la mía.

«¡Mirjana!», me llamó mi madre al cabo de unos días. «¡Tienes una llamada!».

Era Marko llamando desde Herzegovina. «¡Voy a la ciudad!», Me dijo: «Voy a ir a la Universidad de Sarajevo. Empiezo en otoño».

Marko ya había hablado en el pasado de estudiar en Sarajevo, por lo que no estaba sorprendida. Se había inscrito a la universidad en 1982, después del instituto, pero luego la dejó para completar el servicio militar obligatorio en la Armada yugoslava. El gobierno exigía un año de servicio militar de cada joven sano del país.

Ahora que ya había cumplido con su deber, Marko estaba deseando seguir con su educación. Había sido aceptado en la Facultad de Agricultura de Sarajevo la misma en la que yo había presentado mi solicitud y viviría con su hermano Željko, en Sarajevo. ¿Venía a Sarajevo para estar más cerca de mí? No lo pensé mucho, aunque sabía que yo le gustaba bastante. De hecho, todo Medjugorje lo sabía. Yo veía a Marko sólo como un amigo muy cercano.

Supe por Marko que otra gente joven de la región de Medjugorje estaba planeando ir a la Universidad de Sarajevo. Sería bonito tener unos cuantos amigos católicos cerca, pero nunca soñé con ir a clases con ellos. Estaba segura de que la policía había interceptado mi solicitud y me los imaginaba tirándola a la basura mientras se reían con placer.

Unos días más tarde recibí una carta de la Universidad de Sarajevo. La abrí con reticencia, esperando encontrar el rechazo a mi solicitud, pero la palabra *Aceptada* atrajo mis ojos inmediatamente. Casi no podía creerlo. ¡Iba a ir a la Universidad!

La famosa fuente Sebilj en Baščaršija, el casco antiguo de Sarajevo.

CAPÍTULO XVIII

«Bienaventurados seréis cuando os injurien y os persigan y digan con mentira toda clase de mal contra vosotros por mi causa.».

(Jesús en el Evangelio de Mateo 5, 11)

LAS CLASES EMPEZARON en la universidad en septiembre de 1983. Recuerdo el orgullo en los ojos de mi padre y quizá incluso alguna lágrima, cuando salí de nuestro apartamento mi primer día de clase. Ninguno de nosotros había pensado que ese momento llegaría alguna vez.

«Te quiero», dijo, abrazándome un rato más largo de lo normal.

«Tengo que irme, papá», dije, liberándome de sus brazos. «Llegaré tarde».

Se quedó de pie en la puerta de nuestro apartamento mientras yo esperaba en el pasillo que llegara el ascensor.

«¿Quieres que te acompañe a clase?», preguntó.

«¡Papa, ya no soy una niña pequeña!».

«Ya sé que no lo eres», dijo con tristeza.

En ese momento me hubiera gustado correr hacía él para darle un beso, pero el ascensor se abrió de repente. Aún así, no quería dejarle allí con el ceño fruncido. «Además», dije, dando un paso dentro del ascensor, «todavía llevas puesto el albornoz».

Semiró y soltó una risa. «Así soy yo», dijo.

«¡Adiós, papá! Te quiero» El ascensor se cerró en mi cara.

«Te quiero», dije en voz baja, pero para entonces ya estaba un piso más abajo.

La Universidad de Sarajevo estaba dividida en diversas facultades o secciones, distribuidas por toda la ciudad. Caminar por primera vez dentro del gran e imponente edificio de la Facultad de Agricultura era, al mismo tiempo, excitante e intimidante. Respiré profundamente. A pesar de los obstáculos, lo había logrado, había cumplido uno de mis mayores deseos. Sin embargo, no podía atribuirme todo el mérito; haber sido aceptada era un milagro, y a estas alturas Dios probablemente estaba cansado de que le diera las gracias a cada instante.

Cuando me senté en el aula, me preguntaba si los profesores y los estudiantes habrían leído algo sobre mí en los periódicos, o si la policía les había puesto en antecedentes. Al final me convencí a mí misma de no preocuparme. Éste era un lugar de estudios superiores. Incluso si los estudiantes y la facultad sabían quién era, con un poco de suerte serían lo suficientemente abiertos de mente para acogerme sin tener en cuenta las convicciones personales.

En parte era verdad. Los estudiantes en la universidad eran maravillosos. Todos parecían felices de estar allí y deseosos de aprender, lo que era un absoluto contraste con mi anterior instituto, donde muchos de los estudiantes trataban sus tareas escolares como si fueran una enfermedad contagiosa. Pensaba a menudo en mis compañeros del instituto y me preguntaba dónde estarían y qué estarían haciendo. Esperaba ver algunos de ellos en la universidad, pero nunca los vi.

El tamaño de las clases en la universidad era mucho mayor que en el instituto y los profesores hablaban con autoridad y seguridad. Desde el inicio me sentí a gusto con ellos y prestaba atención en cada lección. Estar en un ambiente académico animado me motivaba a intentar volver a ser la excelente estudiante que una vez fui.

Por desgracia, mi seguridad no duró.

Un día escuché de pasada a unos profesores hablando sobre sus planes de visitar la región de Medjugorje, pero no iban en peregrinación. Iban a comprar vino. Los ricos suelos, el sol abundante y las antiguas técnicas viticultoras de las zonas montañosas de Herzegovina producían uno de los mejores vinos de Yugoslavia. Una muestra del producto local era esencial para los profesores de agricultura, pero parecía que siempre estaban más interesados en el vino que en otros cultivos.

Sentí una gran inquietud. Si todavía no sabían quién era, se enterarían por la gente que les vendería el vino. Todo el mundo en y alrededor de Medjugorje sabía que estaba yendo a la Universidad de Sarajevo y les entusiasmaría compartir esta noticia con un visitante de la ciudad. De todas formas, las clases iban bien y yo intentaba no pensar en ello.

Los estudiantes de la universidad procedían de toda Yugoslavia, pero yo socializaba sobre todo con los que venían de Medjugorje: gente como Marko y su hermano, Željko, su primo Mario y un joven alegre llamado Rajko, al que le gustaba cantar y bromear. Rajko había estado saliendo con Ivanka desde antes de que las apariciones empezaran y a menudo nos sorprendía a todos declarando su amor por ella con una canción espontánea. Éramos felices y nos reíamos, y era un bonito cambio tener amigos que no tenían miedo de ser vistos conmigo. Nos divertíamos juntos, rezábamos juntos e íbamos juntos a misa en la iglesia de S. Antonio donde, de pequeña, había recibido la catequesis.

Fue por esas fechas que mi familia y yo recibimos una triste noticia de Medjugorje: Jaka, la madre de Jakov, había muerto. El tío Filip, el hermano de mi padre, se llevó de inmediato a Jakov a su casa. Nuestra familia se aseguró de que Jakov supiera que podía contar con nosotros y acudir en busca de nuestra ayuda si necesitaba algo.

Sentí una extraña sensación de paz con todo esto. Era triste para Jakov pero, al mismo tiempo, sabía que él todavía tenía a Nuestra Señora y que la veía cada día. Pude entender a Jakov mejor que nadie en nuestra familia. Viviendo en la tierra, por lo general uno está apegado a cosas del mundo, lo que es completamente normal, pero cuando llegas a conocer el Cielo, miras el mundo de un modo diferente. Entiendes que la vida en la tierra es sólo temporal y que la muerte no es un final.

El 2 de marzo de 2016, Nuestra Señora dijo: «*Liberaos de todo lo que os ata solamente a las cosas terrenas y permitid que lo que es de Dios modele vuestra vida a través de la oración y el sacrificio*»

Jakov sabía que su madre había pasado al mundo futuro y que él la vería de nuevo un día, porque nadie se queda en este planeta para siempre.

Consciente de estas cosas, con el tiempo fue capaz de aceptar su muerte. Por lo menos seguía recibiendo la visita diaria de la Madre del cielo.

En mi primer año en la universidad, la policía me acosaba con menos frecuencia, probablemente porque mis apariciones diarias habían terminado. Pero se aseguraban de que supiera que estaban siempre vigilando. Todavía nos molestaban a mi familia y a mí en casa y los interrogatorios seguían siendo tan horribles como siempre; pero, en cierto modo, ya me había acostumbrado a todo eso. Cada vez que me llevaban para interrogarme, seguía mi rutina de orar en silencio y de hablar lo menos posible.

Un día, la policía me notificó que debía renunciar de nuevo a mi pasaporte. Esto me frustró porque hacía poco tiempo que me lo habían devuelto. Marko se ofreció a acompañarme a la comisaría para apoyarme. Era reacia a involucrarle en mis problemas con el gobierno, pero él insistió. Entonces, los dos entramos en la comisaría y nos acercamos al mostrador.

«Me han dicho que tengo que entregar mi pasaporte», dije. «Soy Mirjana Dra».

«Sé quién eres», interrumpió el policía. «Entrégamelo».

Cuando lo estaba sacando de mi cartera, Marko dijo: «Camarada Oficial, ¿Es realmente necesario? ».

Me quedé helada de miedo. El policía fulminó a Marko con la mirada y dijo: «¿Quien demonios eres tu?».

«Soy su novio», dijo Marko.

«¿Estás loco? », susurré a Marko, y le entregué rápidamente al policía mi pasaporte.

«Lo siento. Es simplemente un amigo de fuera de la ciudad». Agarré a Marko por el brazo y le saqué de allí.

«¿Qué pasa? », dijo Marko.

Nos detuvimos delante de la comisaría. «Primero», dije, «No puedes hablar con la policía de este modo. No tienes ni idea de lo que pueden hacerte. Y segundo, ¡Tú no eres mi novio! ».

Marko sonrió. «De acuerdo», dijo. «Lo siento».

Marko y su hermano venían a menudo a nuestro apartamento. Mis padres acogían a los chicos y cocinaban comidas caseras para ellos, dado que estaban tan lejos de su familia. Marko además venía a estudiar conmigo pues los dos estábamos haciendo agricultura. Mi padre estaba impresionado con Marko. «Es instruido, es guapo», solía decir mi padre después de que Marko se fuera. «¡Que buen muchacho!».

«Quizá deberías casarte con él», bromeé.

En el transcurso de ese año, sin embargo, me encontré que hacía siempre los planes con Marko. Se unía a mi familia en la misa dominical de la iglesia de la Santísima Trinidad, cerca de nuestro apartamento. En nuestro tiempo libre solíamos hablar durante horas en una de las cafeterías del centro de la ciudad y, en los días más calurosos, paseábamos al lado del río o hacíamos un picnic en un parque. Disfrutaba de la compañía de Marko y empezaba a echarle de menos cuando hacía tiempo que no nos veíamos. Antes de que fuera consciente de ello, llegó a ser natural cogerle de la mano cuando caminábamos juntos. Y fue cuando me di cuenta: en realidad Marko *era* mi novio.

No hubo un momento particular en el que supe que Marko era el indicado. Todo sucedió gradualmente. Fue insistente; de hecho, lo había sido durante muchos años. Pero más que nada, siempre podía contar con él. Me consolaba en los momentos de mayor sufrimiento. Cuando la policía me llevó de vuelta a la fuerza a Sarajevo, me llamaba por teléfono a menudo sólo para saber cómo estaba. En el periodo que contemplaba la posibilidad de ser monja, nunca intentó persuadirme de lo contrario. Y cuando se mudó a la ciudad, estaba pendiente de mí. Me di cuenta que realmente yo le importaba y mi corazón empezó a abrirse a él poco a poco. Un chico con menos paciencia probablemente hubiera renunciado hacía años. Desde el primer momento que vi a Nuestra Señora, estaba consumida por las apariciones y abrumada con incontables emociones. Entre la complejidad de mis experiencias místicas y el estrés de los constantes interrogatorios, no había tenido tiempo para enamorarme. Y, sin embargo, de alguna manera me enamoré.

Me di cuenta de que Marko era exactamente el tipo de joven que siempre había deseado encontrar. Y él había estado delante de mí todo el tiempo. Desde que le conocía siempre había sido maravilloso y amable, y, lo más importante, era creyente. Nunca tuve que enseñarle cosas sobre la fe y la oración; éstas ya eran el centro de su vida. Después de que las apariciones empezaran, ayunaba con regularidad y hacía numerosas peregrinaciones caminando desde Mostar a Medjugorje, y desde que se mudó a vivir a Sarajevo, iba a misa cada tarde. No mucho tiempo después de que empezáramos a salir juntos, Marko vino una noche a cenar conmigo y con mi familia. Ya le había dicho a mi madre lo de nuestra relación, pero todavía no le había contado nada a mi padre. Durante la noche, Marko y mi padre hablaron y bromearon como siempre. En un momento dado, sin embargo, Marko puso su mano sobre la mía y mi padre le miró sospechosamente. No dijo nada hasta que Marko se fue.

«¿Que ha sido eso?», preguntó mi padre.

«¿Que ha sido el que?», dije yo.

«La *mano*».

Mi madre sonrió. «Mirjana y Marko ahora están saliendo juntos, querido».

Los ojos de Miro se agrandaron. «¡Mirjana tiene novio!», se burló.

«¿Salir juntos?», dijo mi padre, con el ceño fruncido.

«Bueno…», tartamudeé.

«¡Pense que ibas a ser monja!», dijo Miro.

«Pero, ¿Marko?», continuó mi padre. «No es suficientemente bueno».

«Papá», dije, «pensaba que Marko te gustaba».

Miro empezó a imitar el sonido de los besitos, pero mi padre le puso fin con una mirada.

«Bueno, por supuesto», dijo mi padre. «Pero, *¿salir juntos*? No, no es lo suficientemente bueno para mi Mirjana».

Mi padre enseguida identificó todo tipo de defectos en Marko, pero sabía que en realidad no lo decía en serio. Su reacción fue incluso algo entrañable; mostraba cuán profundamente me amaba. Había crecido y, como un padre cariñoso, estaba luchando por aceptarlo. Sin embargo, su recelo no duró mucho; al final nos dio su bendición y empezó a tratar a Marko como si fuera su hijo.

En febrero de 1984, con los Juegos Olímpicos a punto de empezar, Sarajevo salía de una metamorfosis. El gobierno había pasado meses cambiando estratégicamente la estéril tristeza comunista de la ciudad por una fachada inspirada en las metrópolis libres de Occidente. A las autoridades les apremiaba presentar a Sarajevo como una ciudad europea moderna y la única forma de hacerlo era disimulando la verdad y a través de falsas ilusiones. De repente, mirar a mi ciudad era como ver un monstruo con una máscara; sabía lo horrible que era la cara que había debajo de la máscara, pero no tenía prisa de volver a verla de nuevo.

Todos disfrutamos la sensación de libertad mientras duró, a pesar de su artificialidad. Por ejemplo, con el comunismo, sólo había un tipo de chocolate en nuestras tiendas, hecho en Yugoslavia. Pero el día antes de la ceremonia de apertura de las Olimpiadas las repisas se llenaron, de repente, con todo tipo de productos europeos y estadounidenses, incluso con más tipos de chocolate de los que nunca pude imaginar. Tuvimos acceso a cosas que el Telón de Acero nunca antes había permitido que pasaran. Había plátanos, refrescos extranjeros, nuevos tipos de caramelos y tentempiés dulces y salados. Cada día en su camino de casa al trabajo, mi padre compraba todas las cosas exóticas que podía cargar, y nuestro apartamento pronto estuvo lleno de comida. Miro y él se atiborraban por las noches.

Sabíamos que, en realidad, los productos no habían sido traídos a la ciudad para nosotros. Eran para los visitantes, y ni siquiera necesariamente para que los consumieran los visitantes. Simplemente eran parte de la máscara.

Pero por mucho que las autoridades locales quisieran presentar a Sarajevo como una ciudad moderna, no todo fue sobre ruedas. En lo que se podía haber descrito como símbolo de las ideologías de los regímenes del pasado, la bandera olímpica fue izada por error boca abajo durante la ceremonia de apertura en el estadio. La embarazosa metedura de pata no sólo fue vista por la gente de Sarajevo, sino que fue retransmitida por todo el mundo, y se habló de ello en los medios de comunicación durante muchos días. No fue el tipo de atención mediática que los comunistas esperaban.

Las preparaciones y la seguridad superaron a la policía durante las Olimpiadas, lo que me dio un alivio temporal de su vigilancia y me dio la oportunidad de ganar mi primer sueldo. Muchos de mis compañeros de la universidad cogieron un trabajo temporal relacionado con los juegos, así que envié una solicitud y fui contratada para guiar a un pequeño grupo de turistas italianos que visitaban la ciudad para las Olimpiadas. Otra chica y yo les dimos la bienvenida a su llegada, les mostramos su alojamiento y les llevamos a hacer un tour a pie por *Baščaršija*. La nieve era tan abundante que mis botas se mojaban continuamente y no les pude hacer todas las preguntas que hubiera deseado porque tenía que comportarme de modo profesional, pero estaba emocionada de recibir mi primer sueldo. La experiencia también me motivó a aprender italiano.

Estaba tan ocupada con mis estudios y mi nuevo trabajo que no pude ver nada de los Juegos Olímpicos, pero todos en la ciudad hablaban de ellos. La excitación que nos rodeaba era estimulante. Cuando Jure Franko ganó una medalla de plata, la primera medalla para Yugoslavia de los Juegos Olímpicos de invierno, las ovaciones se escucharon por todo Sarajevo. Franko se convirtió en un héroe nacional.

En cierto modo, las Olimpiadas de Sarajevo se consideraron como un triunfo para el gobierno yugoslavo y sus aliados más cercanos porque los países comunistas ganaron la mayoría de las medallas. Rusia se llevó a casa veinticinco medallas y Alemania del Este veinticuatro. Por el contrario, Estados Unidos ganó sólo ocho y Austria, que por lo general solía vencer, consiguió solamente una. Al final de los Juegos, las autoridades ya se habían olvidado de la bandera izada boca abajo; sentían que habían mostrado al mundo que el comunismo estaba allí para quedarse.

Pero la gente de Sarajevo no sólo había probado el chocolate extranjero por primera vez. También había experimentado la libertad y quería más.

El padre Slavko Barbarić se convirtió en una de las figuras más amadas en Medjugorje.

CAPÍTULO XIX

«Hijos míos, no olvidéis que no estáis en este mundo por vosotros mismos y que yo no os llamo aquí sólo por vuestro bien».
(Del mensaje de Nuestra Señora del 2 de noviembre de 2011)

DESPUÉS DE LOS Juegos Olímpicos, mi experiencia en la universidad empezó a deteriorarse.

Como temía, mis profesores de la Facultad de Agricultura supieron de las apariciones, ya sea por sus excursiones vinícolas a Herzegovina o por la policía. Para ser profesor de la universidad era necesario pertenecer al Partido Comunista, y muchos era activos en política. Cuando descubrieron que en su ambiente había un «factor subversivo», buscaron mejorar su estatus en el Partido Comunista amargándome la vida.

El Señor es mi pastor, rezaba en silencio en la clase.

Sus tácticas eran sutiles. Lo primero que observé fue a unos cuantos de mis profesores de pie en el pasillo, mirándome fríamente y susurrando entre ellos cuando yo pasaba. En la clase me hablaban groseramente, pero a los otros estudiantes les trataban con respeto. Y aunque estudiaba mucho para los exámenes, los profesores me calificaban por lo bajo. Mis notas empezaron a bajar y pronto me di cuenta de que nunca superarían sus prejuicios hacia mí.

Por prados de fresca hierba me apacienta. Hacia las aguas de reposo me conduce.

En cuanto me fue posible, seguí mi plan original y cambié mi plan de estudios al de Economía del Turismo. Esperaba que el cambio me diera un nuevo inicio, con nuevos profesores que tal vez fueran amables conmigo. Pero eran peores que los anteriores. Durante las clases intentaba ignorar sus solapadas y continuas mofas y centrarme, en cambio, en mis estudios. Pero en casa lloraba en el baño todas las noches.

Conforta mi alma; me guía por senderos de justicia, en gracia de su nombre.

A medida que se acercaba mi decimonoveno cumpleaños, estaba cada vez más impaciente por ver a Nuestra Señora de nuevo. El 18 de marzo de 1984, mis amigos más cercanos y los miembros de mi familia se reunieron en nuestro apartamento. Rezamos juntos hasta que la Virgen apareció. Como siempre, olvidé todos mis problemas terrenales durante el hermoso encuentro y lloré profusamente cuando se fue.

«¿Qué ha dicho? », me preguntó mi madre cuando recobré mis sentidos.

«Nos ha impartido su materna bendición», dije. «Y me ha dicho que volverá este año de nuevo para darme más detalles sobre los secretos».

La promesa de no tener que esperar todo un año para verla de nuevo, me llenaba de alegría. De hecho, en los dos años siguientes se apareció en diversas ocasiones, además de la aparición anual en mi cumpleaños, a veces de modos que no me esperaba: podía oír su voz dentro de mí, pero no verla. Más tarde supe que éstas se conocen como locuciones. Estas experiencias no eran menos extraordinarias y conmovedoras que las apariciones regulares. Su poética voz resonaba dentro de mí y parecía como si estuviera abrazando mi alma. Durante las locuciones a veces me guiaba en la oración, me daba mensajes o ampliaba los secretos. Mi conocimiento del futuro seguía preocupándome, sobre todo porque tenía muchas preguntas al respecto.

Fue también en 1984 cuando Nuestra Señora empezó a dar mensajes semanales a la parroquia de Medjugorje a través de la vidente Marija. El primero de estos mensajes es del 1 de marzo de 1984 y empieza con estas palabras: «¡Amados hijos! He elegido esta parroquia de un modo especial y quiero guiarla».

Una vez a la semana, Nuestra Señora rogaba a la gente de la parroquia a rezar, ayunar, confesarse y los otros principios fundamentales de sus mensajes. Sus palabras simples y directas permitían que la gente comprendiera los mensajes sin la ayuda de teólogos o eruditos de la Biblia. Era como si Nuestra Señora fuera una profesora y los parroquianos sus alumnos, una «escuela de amor», como la definió el párroco. Estaba preparando a la gente de Medjugorje, parece ser, para algo más grande. «*Mi Hijo y yo tenemos un plan especial para esta parroquia*», dijo en uno de sus mensajes.

Pero la Virgen advertía continuamente a la parroquia diciendo que el diablo estaba enfadado; en uno de los mensajes semanales dijo: «*Estos días Satanás quiere frustrar mis planes*». De manera similar, una vez me dijo que Jesús combate por cada uno de nosotros, pero que el diablo intenta interferir. El diablo, advirtió, merodea por donde estamos nosotros y nos coloca trampas; intenta dividirnos y confundirnos para que nos detestemos y nos entreguemos a él. Hay una batalla espiritual invisible en acto a nuestro alrededor, pero Nuestra Señora está aquí para ayudarnos.

En uno de sus mensajes, Nuestra Señora dijo: «*Deseo tomaros de la mano y caminar con vosotros en la batalla contra el espíritu impuro*».

Aunque yo raramente hablaba del demonio, puedo afirmar con total certeza que existe. Lo vi una vez. Todo lo que diré es que fue la experiencia más terrorífica de mi vida y que el amor hizo que desapareciera. En ese momento aprendí que nada en este mundo es comparable a su fealdad y a su odio hacia Dios; pero al contrario del poder de Dios, el suyo es limitado.

Según los exorcistas, Satanás no es una especie de dios malo que lucha contra el Dios de lo bueno. Es, en cambio, un ser que Dios creó como bueno, pero que se transformó en malo cuando rechazó a Dios. Considerando que el orgullo es su distintivo, la gente humilde que confía en Dios es más fuerte que cualquier diablo. Como dijo la Virgen en uno de sus mensajes: «*Con el amor que viene de la humildad, vosotros llevaréis la luz allí donde gobiernen la oscuridad y la ceguera*».

Mi terrible encuentro con el diablo también me enseñó algo de sus tácticas. El diablo intenta convencerte que seguir a Dios conduce sólo al sufrimiento y que vivir según las enseñanzas de Jesús te quitará la libertad. En cierto modo, transformarse en un creyente *sí* que requiere que uno abandone ciertas libertades: la libertad de autodestruirse, por ejemplo, o la libertad de mentir y robar. Hay una gran diferencia entre el libre albedrío y la voluntad de Dios. Uno es un don, la otra es una elección. Cuando confiamos en Dios, entonces somos libres en Él, y éste es el único tipo de libertad que lleva a la vida eterna.

No quiero darle al diablo ninguna importancia. Siempre ha estado debajo de los pies de Nuestra Señora y creo que debemos dejarle allí.

Él sólo tiene el poder que queramos darle, y únicamente podemos dárselo mediante nuestro libre albedrío. Pienso que esto es verdad tanto desde un punto de vista personal, como colectivo para la humanidad. Pero si Jesús y la Bienaventurada Madre son el centro de nuestras vidas, entonces el diablo no puede hacer nada para dañarnos. El amor siempre triunfa.

«*Cada vez que vengo a vosotros, mi Hijo viene conmigo, pero también Satanás*», dijo una vez la Virgen.

Medjugorje fue el objetivo de sus ataques desde el principio. No podía soportar ver a tanta gente rezando, yendo a misa, confesándose y convirtiéndose sin tratar de hacer algo. Pero a diferencia de lo que ocurre en las películas, no llega como una criatura grotesca que acecha en la oscuridad. Ataca a través de las personas que han permitido que reine en sus corazones. La gente, sin saberlo, acepta su influencia con las elecciones que toma en la vida. La mayoría no se da cuenta de lo fácil que es acabar bajo su control. Ésta es una de las razones por las que Nuestra Señora enfatiza la importancia de la oración. Si Dios reina en nuestro corazón, entonces no hay espacio para nada malo.

A medida que mi primer año en la Universidad de Sarajevo llegaba a su fin, sentí también que estaba siendo atacada. Había aprobado los diez exámenes requeridos ese año a pesar del creciente acoso al que estaba sometida por la facultad. Cada vez que me presentaba en un examen, por ejemplo, veía a los profesores discutiendo algo entre ellos y entonces se volvían todos hacia mí y me miraban fijamente con la intención de ponerme nerviosa.

Casi todo el verano estuve consumida por la preocupación. Me aterraba volver a mi segundo año en la universidad y el conocimiento de mi futuro seguía atormentando mis pensamientos. No me sentía cualificada para manejar tamaña responsabilidad y temía acabar teniendo una crisis nerviosa. En uno de mis momentos más difíciles recé: «Mi Señor, ¿cómo pudiste confiarme una tarea como ésta? ¿Qué viste en mí? ¿No ves que no puedo hacerlo? ». Pero entonces, al darme cuenta de que estaba cuestionando el plan de Dios, dije: «Perdóname, sabes que en el fondo de mi corazón no era mi intención decir lo que he dicho. Pero necesito tu ayuda».

El 15 de agosto de 1984, Fiesta de la Asunción, estaba absorta en la oración cuando oí dentro de mí la voz familiar de Nuestra Señora. Me dijo que aparecería el 25 de agosto de ese año, por lo que me preparé con oración y ayuno. Ese día vino y estuvo dieciocho minutos. Verla seis meses después de la aparición anual era como tener dos cumpleaños en un año. Me habló de los secretos, aclarando los detalles de cómo se desarrollaría todo y preparándome para mi papel. Volvió a aparecer el 13 de septiembre de 1984 y me dijo la fecha en la que debería dar los detalles del primer secreto al sacerdote. Saber esto alivió mi angustia y me dio fuerzas para seguir adelante.

Cuando pensaba en qué sacerdote debería elegir para revelarle los secretos, siempre me venía a la mente uno en particular. Era el padre Petar Ljubičić, un franciscano alto con gafas de cristales gordos y una acogedora sonrisa, que prestaba su ministerio con los pobres. Si se encontraba con gente necesitada, les alimentaba y acogía. Si veía un huérfano, le encontraba un hogar. Su corazón estaba abierto a los que sufrían y siempre quería dar esperanza a la gente. Le respetaba y me identificaba con su compasión. Siempre estaba disponible para mí cuando necesitaba hablar con un sacerdote, por lo que era natural que sintiera que él era el adecuado.

Pero cuando llega el momento, todo depende de la voluntad de Dios y no de la mía. Aunque siempre quise que fuera padre Petar al que le revelara los secretos, no necesariamente tenía que ser así. ¿Qué pasaría si el Papa los pidiera? También él es sacerdote y nunca podría decirle que no al Santo Padre.

Finalmente sentía paz respecto a los secretos, pero cuando las clases empezaron ese otoño de 1984, las pequeñas molestias del curso anterior se multiplicaron hasta convertirse en un esfuerzo conjunto para aplastarme. Con sus constantes injurias e insultos, algunos de los profesores parecían querer forzarme a abandonar. Su mezquindad parecía inútil en comparación con todo lo que Nuestra Señora me había revelado sobre el más allá. Yo era como un pequeño país atacado por una alianza de superpotencias. Decidí abandonar.

Me sentí triste y liberada a la vez. Cuando les expliqué a mis padres la situación, aceptaron mi decisión con amor y comprensión y Marko me dio su apoyo total y un hombro sobre el que llorar.

Pero dejar la universidad no significaba dejar de aprender. Incluso cuando la frecuentaba, siempre sentía que los estudios eran para mi educación personal. Un baluarte del ateísmo como Yugoslavia no ofrecería muchas oportunidades de hacer carrera a una vidente, fuera o no licenciada. Decidí ser mi propia profesora. Leía durante horas en nuestro apartamento: novelas históricas como *Gordana*, de nuestro autor croata Marija Jurić Zagorka, libros sobre poesía de Europa del Este, libros académicos que tenía de la universidad, y todo lo que pudiera encontrar.

También rezaba mucho. A través de la oración me di cuenta de que un título universitario no me haría una persona más feliz o mejor. Nuestra Señora me enseñó que la alegría y la bondad sólo venían de Dios y que no había nada más valioso en este mundo que un corazón puro.

Tal vez la vida me habría llevado por un camino distinto si hubiera acabado la universidad, pero nunca me preocupé por esto.No me imagino estar en un sitio diferente a donde estoy ahora.

Y, desde luego, seguía teniendo a Nuestra Señora. Mi vida giraba alrededor de Medjugorje, lo que hizo que dejar la universidad me resultara más fácil de lo que hubiera sido para otra persona. Un resultado positivo de abandonar la facultad fue que las presiones de la policía amainaron. Pude incluso retirar mi pasaporte. Quizá pensaron que habían ganado, o que ya no era una amenaza. A pesar de todo, sabía que seguían vigilándome.

La otra ventaja de no estar en la universidad es que podía ir a Medjugorje con más frecuencia. Mis visitas empezaron a ser más regulares y más largas. Empecé, de nuevo, a pasar mis veranos allí. Marko volvía a casa en verano para ver a su familia. Su tío, Slavko Barbarić, un sacerdote franciscano, estaba en ese momento destinado en Medjugorje.

El padre Slavko era un hombre enigmático e interesante. Doctor en pedagogía religiosa, licenciado en psicoterapia, la primera vez que vino a Medjugorje fue para examinarnos a nosotros, los videntes. Cuando concluyó que no mostrábamos signos de alucinaciones o engaño, el escepticismo del padre Slavko se convirtió rápidamente en creencia. La primera vez que le vi no me impresionó; parecía una personalidad más bien fría cuando hablaba a los peregrinos. Pero Medjugorje le cambió y empezó a transformar la parroquia. Se preocupaba por los peregrinos y organizó el programa de oración de la iglesia. Subía a la Montaña de la Cruz y a la Colina de las Apariciones cada día, rezando el rosario y recogiendo la basura que habían dejado los turistas descuidados. A veces incluso tocaba el órgano de la iglesia. Se consagró a Nuestra Señora y yo empecé a quererle.

Medjugorje necesitaba un sacerdote como el padre Slavko. En 1985 el pueblo ya era un destino importante de peregrinación. Cada semana un equipo de televisión o un grupo de científicos venían a documentarse sobre nosotros y a estudiarnos, y el pueblo estaba siempre lleno de visitantes de todo el mundo. Muchos de ellos se alojaban en las casas de las familias del lugar, que a menudo no cobraban nada.

Donde la mayoría de la gente veía amabilidad, los comunistas veían oportunidad. Incapaces de detener las apariciones o de evitar que la gente viniera, estudiaron un enfoque nuevo: empezaron a construir hoteles y tiendas de regalo alrededor de la iglesia e impusieron una tasa muy elevada en el pueblo. Si no podían destruir Medjugorje, entonces al menos sacarían provecho de ello.

De vuelta en Sarajevo, mi familia, Marko y algunos de mis amigos se reunieron con nosotros en nuestro apartamento para mi aparición anual el 18 de marzo de 1985. Cumplía veinte años. Nuestra Señora apareció justo después de las cuatro de la tarde y estuvo conmigo quince minutos. Hablando sobre los no creyentes, a los que ella llama «*quienes aún tienen que experimentar el amor de Dios*», me dijo: «*También son mis hijos y sufro por ellos porque no saben lo que les espera si no se convierten a Dios*».

Entonces me pidió que me uniera a su oración por ellos y me guió en la oración del *Padre Nuestro* y del *Gloria* dos veces. Cuando acabamos de rezar, deploró la codicia que se estaba instaurando en el mundo y en Medjugorje y dijo: «*Pobres aquellos que buscan tomar todo de los que vienen y bienaventurados los que dan*».

Rezamos también por esta intención. Entonces me dio nuevos detalles sobre los secretos. Le dije que tenía muchas preguntas que hacerle; de hecho, varias personas me habían dado un total de treinta preguntas. Sonrió y me dijo que no me preocupara, porque me daría el don de conocer las respuestas cuando llegara el momento de responderlas.

En ese momento me pareció extraño, pero luego encontré una directiva similar en el *Evangelio de Mateo* (10, 19-20), cuando Jesús dice: «No os preocupéis de lo que vais a decir o de cómo lo diréis; en aquel momento se os sugerirá lo que tenéis que decir, porque no seréis vosotros los que habléis, sino que el Espíritu de vuestro Padre hablará por vosotros».

Después de bendecir todos los objetos religiosos de la habitación, Nuestra Señora señaló el rosario que tenía en la mano y dijo: «*Uno no debe tener el rosario en la casa como si fuera un ornamento, como hace mucha gente*».

Me explicó cómo rezar de manera adecuada el rosario, que me pidió que compartiera con todos. Y, justo antes de que la aparición acabara, todos los presentes se unieron a mí en la oración de la *Salve Regina*. Cuando se fue y después de que me hubiera recuperado, me di cuenta de lo que había dicho la Virgen acerca de responder a las preguntas, primero a las pocas personas en la habitación y, después, a los que no habían estado presentes. Me sorprendí por la sabiduría de mis respuestas, aunque era plenamente consciente de que no era mío el mérito.

Esta aparición fue única porque prometió volver al día siguiente, el 19 de marzo. Ese día había cuatro personas conmigo: mi padre, mi madre, Miro y Marko, y la aparición duró siete minutos. Nuestra Señora me habló de los secretos y rezamos juntas de nuevo.

Casi dos meses después, recibí noticias sorprendentes desde Medjugorje. Ivanka había tenido su última aparición diaria el 7 de mayo de 1985. La noticia se difundió rápidamente en el mundo, encendiendo nuevamente el miedo y la especulación acerca de la inminencia de los secretos, pero tuve cuidado en no decir nada que pudiera alimentar las llamas. Faltaban muchos años todavía para el tiempo de los secretos.

Después de darle a Ivanka el décimo secreto, Nuestra Señora prometió aparecérsele de nuevo el 25 de junio de cada año, aniversario de la primera aparición. Instó a Ivanka a no sentirse como si hubiera hecho algo mal y la consoló diciendo: «*El plan que tenemos mi Hijo y yo, tú lo has aceptado con todo tu corazón y has completado tu parte. Sé feliz porque soy tu madre y te amo con todo mi corazón*».

Y entonces, justo antes de irse, la Virgen dijo «*Ivanka, la gracia que tú y los otros habéis recibido, nadie en la tierra la ha recibido hasta ahora*».

Ivanka y yo fuimos las primeras videntes que vimos a Nuestra Señora y ahora éramos las primeras en dejar de tener las apariciones diarias. Lo sentí por Ivanka, porque entendía su dolor y tristeza. Mis apariciones diarias habían acabado dos años y medio antes y aún sentía el vacío en mi corazón. Sabía que no había nada que pudiera decir o hacer para ayudar a Ivanka; sólo mediante la oración y el ayuno ella podría aceptarlo.

Mis locuciones continuaron a lo largo de 1985. Cada una me preparaba un poco más para mi futuro papel. Ese año también oí la voz de Nuestra Señora durante la Fiesta de la Asunción. Me pidió que compartiera su mensaje con el mundo: «*Os he estado llamando a la conversión en estos últimos cuatro años*», dijo. «*Convertíos antes de que sea demasiado tarde*».

Algunas personas se alarmaron ante las palabras «*demasiado tarde*», como lo estaban cuando la Virgen dijo a la gente que no esperaran una señal. Cuando la señal llegue, les dijo, será demasiado tarde para algunos para convertirse. Pero ahora, mirando todo esto a través del alcance de la historia, pienso en cuanta gente ha muerto desde aquel tiempo. Si los que fallecieron estaban esperando que la señal apareciera antes de convertirse, para ellos ha sido demasiado tarde.

«Pero, ¿qué significa cerca' para los profetas? », dijo una vez el padre Slavko. «Como escribió Pedro: 'Con el Señor un día es como mil años y mil años como un día'.Debemos tener cuidado y no pensar en fechas, en días. La conversión siempre es urgente. Es peligroso esperar».

Hasta el 4 de junio de 1986 tuve más apariciones y locuciones extraordinarias. Ese día Nuestra Señora se apareció durante varios minutos. Me dijo que sería la última de las apariciones extraordinarias en relación con los secretos, porque ya me había explicado todo lo necesario. Entendí que ya no la volvería a ver hasta el año siguiente, el 18 de marzo. Aunque estaba triste, también me sentí agradecida por el tiempo extra que había tenido con la Bienaventurada Madre.

El padre Slavko estaba conmigo ese día y más tarde me preguntó por qué había llorado tanto durante la aparición. Le expliqué que Nuestra Señora a veces me mostraba escenas de lo que tenía que suceder.

«Los avisos a la humanidad son muy serios y a veces son difíciles de soportar», le dije. «Pero a pesar de las dificultades y la severidad que he visto, me siento fuerte con Nuestra Señora. Una poderosa fuerza dadora de vida proviene de ella».

Al año siguiente, 1986, Ivanka de nuevo compartió una noticia que se difundió rápidamente en el mundo: ella y Rajko se casaban. Estaba feliz por ellos. La boda se celebró en Medjugorje el 28 de diciembre de 1986, fiesta de la Sagrada Familia, cuando los católicos celebran el sacramento del matrimonio y la santidad de la paternidad y maternidad honrando a Jesús, María y José al mismo tiempo.

Marko y yo fuimos a la boda. Los otros videntes también. El día empezó con una bella ceremonia en la iglesia de Santiago, seguida por una animada fiesta que duró hasta bien entrada la noche, hasta el día siguiente, para ser exactos. Los croatas siempre han amado las bodas, algo muy evidente en nuestras tradiciones. Por ejemplo, todos los invitados desfilan por la ciudad en los coches tocando las bocinas mientras van desde el lugar de la ceremonia al del banquete. Cuando alguien se casa en Medjugorje, todo el pueblo lo sabe.

Nunca había visto a Ivanka tan guapa, y tan feliz, como en el día de su boda. Le sonreí desde el otro lado del salón y ella me devolvió la sonrisa. Antes de las apariciones habíamos compartido una amistad especial y ahora, como videntes, nuestra unión era aún más profunda. Recé en silencio a Dios para que bendijera su matrimonio con años llenos de alegría. Y con hijos también. Me reí pensando en Ivanka persiguiendo a una versión más pequeña de ella misma.

En ese instante vi que Marko me miraba.

«¿Qué?», le dije.

Marko sonrió. «Nada», respondió. La banda musical, de repente, entonó una canción y los invitados se reunieron en un círculo para bailar la danza típica croata conocida como *kolo*. Marko no pudo resistirse. Me guiñó un ojo y corrió a unirse al baile.

Conocer a Juan Pablo II fue como ver a un santo en vida. (Foto de Arturo Mari/ L'Osservatore Romano)

CAPÍTULO XX

«Si esta idea o esta obra es de los hombres, se destruirá. Pero si es de Dios, no conseguiréis destruirles. No sea que os encontréis luchando contra Dios».

(Hechos de los Apóstoles 5, 38-39)

QUIZÁ NO TE parezca posible para alguien que ve a la Bienaventurada Madre ser impresionada por alguien más, pero en julio de 1987 conocí a un santo en vida. El encuentro tuvo un efecto duradero.

Fui a Roma invitada por un sacerdote italiano. Italia en sí misma era una maravilla. La historia era fascinante. Era fácil imaginarse a los gladiadores luchando en el Coliseo y a los emperadores dirigiéndose a sus súbditos en el Foro Romano. Pero los incontables lugares santos de la «Ciudad Eterna» fue lo que más me conmovió. Explorar las antiguas catacumbas cristianas me hizo apreciar la resistencia y la valentía de los primeros miembros de mi religión. Contemplar la Capilla Sixtina y los altos techos de basílicas como la de Santa María la Mayor me mostró las sorprendentes hazañas que pueden llevar a cabo los hombres de fe. Orar ante las tumbas de los santos y mártires, y estar en un lugar donde tanta gente ha vivido y ha muerto antes de mí, me hizo reflexionar sobre los constantes avisos de Nuestra Señora respecto a la brevedad de la vida en la tierra.

Ser una peregrina en una tierra extranjera tambien me dio una nueva perspectiva de las experiencias de los peregrinos que venian a Medjugorje. Y justo cuando pensé que mi viaje no podía ser mejor, acompañamos a un grupo de jóvenes croatas a ver al Papa Juan Pablo II en el Vaticano, el miércoles 22 de julio.

Los primeros rayos de sol habían alcanzado la enorme cúpula de la Basílica de San Pedro cuando llegamos aquella mañana. Llegar pronto nos ayudó a ponernos en primera fila para la audiencia del Papa que iba a celebrarse en la Plaza de San Pedro. Al cabo de un rato, empezaron a llegar miles de peregrinos.

La multitud estaba eufórica cuando el Papa salió. Caminó entre la gente, bendiciéndola. Cuando pasó donde estaba nuestro grupo, puso su mano sobre mi cabeza y me bendijo. Todo terminó antes de que me diera cuenta. Me quedé allí de pie, sonriendo, entusiasmada por haber recibido mi primera bendición papal. Pero como el Papa seguía allí, el sacerdote italiano que me acompañaba dijo en voz alta: «¡Santo Padre, ella es Mirjana de Medjugorje!». El Papa se detuvo, retrocedió y alargó el brazo para bendecirme de nuevo. Me quedé helada. El azul intenso de sus ojos parecía penetrar mi alma. Incapaz de pensar en algo que decir, incliné mi cabeza y sentí el calor de su bendición. Cuando se fue de nuevo, me giré hacia el sacerdote italiano y le bromeé: «Ha pensado que necesitaba una doble bendición». Los dos nos reímos.

Esa misma tarde, cuando llegué a nuestro alojamiento, mareada aún por la experiencia, me impactó recibir una invitación personal del Papa. Pedía que fuera a verle la mañana siguiente en privado a Castel Gandolfo. Estaba tan emocionada que casi no pude dormir esa noche. ¿Cómo sería nuestro encuentro? ¿Qué diría? Las preguntas se agolpaban en mi mente. Me calmaba un momento y luego, de repente, recordaba: ¡*Mañana estaré con el Papa!* Y así fue toda la noche.

Al día siguiente llegué a Castel Gandolfo justo antes de nuestro encuentro, programado a las 8 de la mañana. Ubicada a unos 42 kms al sudeste de Roma, la villa fortificada ha sido la residencia papal de verano durante siglos. Encaramado en una colina aireada, rodeado de jardines y olivares, el Palacio Papal se asoma al lago Albano, cuyas aguas son casi tan azules y llamativas como los ojos de Juan Pablo II.

Un hombre trajeado me acompañó hasta el jardín de la residencia. Cuando vi al Santo Padre que ya me estaba esperando me eché a llorar.

Me miró y me sonrió. Su mirada estaba llena de cordialidad y amor, y sentí que estaba en la presencia de un hombre santo, un verdadero hijo de la Bienaventurada Madre. Por entonces, ya había empezado a reconocer algo especial en los ojos de las personas que amaban a Nuestra Señora, una ternura que sólo la Madre puede transmitir. Lo vi en el Papa Juan Pablo II de una manera más fuerte de lo que lo había visto jamás en otra persona.

El Papa me indicó que me sentara con él. Tenía que convencerme a mí misma que no estaba soñando. Siempre había pensado que un encuentro con el Papa era algo inalcanzable para una persona insignificante como yo. Pero ahí estaba yo. Quería saludarle, pero estaba tan nerviosa que no conseguía formar una frase.

El Papa amablemente me estrechó la mano. «Dzien dobry», dijo.

No podía entenderle. ¿Estaba tan excitada que mis oídos me estaban jugando una broma? ¿Había un corto circuito en mi cerebro?

«Dziękuję za przybycie», dijo.

Estaba avergonzada. Tenía tenía la oportunidad única en la vida de encontrarme con el Papa y no tenía ni idea de lo que él estaba diciendo. Sus palabras parecían similares al croata, pero no pude descifrarlas. Pronto me di cuenta de que estaba hablando en polaco. Las lenguas eslavas como el croata y el polaco comparten muchas palabras en común, por lo tanto él quería ver si nos podíamos comunicar en nuestras lenguas nativas. Por desgracia no funcionaba, pero recordé que había otro lenguaje que los dos conocíamos.

«Santo Padre», dije. «Possiamo parlare in italiano? ».

Sonrió y asintió. «Sì. Bene, Mirjana, bene».

Hablamos sobre muchas cosas, algunas puedo compartir, otras no, pronto me sentí muy a gusto en su presencia. Habló con tanto amor que podría haber hablado con él durante horas.

«Por favor, pide a los peregrinos de Medjugorje que recen por mis intenciones», dijo.

«Lo haré, Santo Padre», le aseguré.

«Sé todo sobre Medjugorje. He seguido los mensajes desde el principio. Por favor, dime qué sientes cuando Nuestra Señora se aparece».

El Papa escuchó con atención mientras describía lo que

experimentaba durante las apariciones. En alguna ocasión sonrió y asintió delicadamente con la cabeza.

«Y cuando ella se va», concluí, «siento mucho dolor y todo lo que puedo pensar en ese momento es cuándo la veré de nuevo».

El Papa se inclinó hacia mí y dijo: «Cuida bien de Medjugorje, Mirjana. Medjugorje es la esperanza del mundo entero».

Las palabras del Papa parecían como una confirmación de la importancia de las apariciones y de mi gran responsabilidad como vidente. Estaba sorprendida por la convicción de su voz y por cómo brillaban sus ojos cada vez que decía la palabra Medjugorje, sin mencionar lo bien que pronunciaba el nombre del pueblo, que siempre ha sido tan divertidamente difícil de pronunciar para los extranjeros.

«Santo Padre», dije. «Me gustaría que pudiera ver a toda la gente que va allí y reza».

El Papa giró su cabeza y miró hacia el este, lanzando una mirada pensativa: «Si no fuera Papa», dijo, «hubiera ido a Medjugorje hace tiempo.»

Nunca olvidaré el amor que irradiaba el Santo Padre. Lo que sentía estando con él es parecido a lo que siento cuando estoy con nuestra Señora y mirar sus ojos era como mirar los de ella. Después, un sacerdote me dijo que el Papa se había interesado por Medjugorje desde el inicio, porque justo antes de que nuestras apariciones comenzaran había estado rezando para que Nuestra Señora se apareciera de nuevo en la tierra.

«No puedo hacerlo todo yo solo, Madre», rezaba. «En Yugoslavia, Checoslovaquia, Polonia y muchos otros países comunistas la gente no puede practicar libremente su fe. Necesito tu ayuda, querida Madre».

Según este sacerdote, cuando el Papa supo que Nuestra Señora se había aparecido en un pequeño pueblo de un país comunista, de inmediato pensó que Medjugorje había sido la respuesta a sus oraciones.

El profundo amor del Santo Padre por la Bienaventurada Madre viene desde su infancia. Karol Wojtyla tenía sólo nueve años cuando su madre murió. El padre de Karol lo llevó a un santuario mariano cerca de su casa en Polonia. Estando delante de una estatua de la Virgen, su padre dijo: «La Bienaventurada Madre te cuidará hasta que te reúnas con tu madre en el Cielo».

La fe de Karol le sostuvo durante los tiempos de sufrimiento y persecución. Cuando los nazis invadieron Polonia, él decidió entrar en un seminario clandestino, sabiendo que sería encarcelado o asesinado si lo cogían. La guerra terminó y fue ordenado sacerdote en el Día de Todos los Santos, el 1 de noviembre de 1946.

Vivir como sacerdote en Cracovia después de la guerra era difícil y peligroso; Polonia había sido tomada por los comunistas. Como una persona de fe viviendo bajo un régimen ateo podía entenderlo.

El padre Wojtyla prestaba especial atención a los jóvenes adultos y a menudo se los llevaba a hacer senderismo por las montañas, donde rezaban juntos, celebraban la misa y hablaban sobre su fe, lejos de los ojos vigilantes del gobierno. Para protegerlo de los comunistas, sus estudiantes le llamaban «Tío». Bajo la ocupación turca, los croatas llamaban a sus sacerdotes «Tíos» por la misma razón.

La devoción del padre Wojtyla hacia la Bienaventurada Madre continuó creciendo mientras era sacerdote.

«Ya estaba convencido de que María nos lleva a Jesús», dijo, «pero en ese tiempo también comencé a darme cuenta de que Cristo nos lleva a su Madre. Se puede incluso decir que tal como Cristo en el Calvario señaló su madre al discípulo Juan, así la muestra a todos los que se esfuerzan por conocer y amarle a Él».

Uno de los amigos más cercanos del Papa reveló, después, que el padre Wojtyla visitó al Padre Pío en 1947. El reconocido y místico estigmatizado confesó al joven sacerdote y le dijo: «Un día llegarás al puesto más alto en la Iglesia».

Cuando el padre Wojtyla fue nombrado cardenal, creyó que el vaticinio del Padre Pío se había cumplido. Pero Dios tenía planes aún más grandes para él. Fue elegido Papa en 1978, el primero no italiano en ocupar la cátedra de Pedro en 455 años. Dirigiéndose por primera vez a las multitudes desde el balcón de la Plaza de San Pedro, el Papa Juan Pablo II dijo que, aunque tenía miedo de aceptar la responsabilidad del papado, lo haría «en espíritu de obediencia al Señor y total fidelidad a María, nuestra Santísima Madre».

Eligió el lema papal de Totus Tuus ,en latín «Todo Tuyo»,como referencia a su completa consagración a la Bienaventurada Madre. Y justo un mes antes de que me encontrara con él, Juan Pablo II consagró oficialmente el año 1987-1988 como Año Mariano, diciendo: «Oh María, queremos que tú brilles en el horizonte de nuestra era mientras nos preparamos para el tercer milenio de la era cristiana».

«Pero, ¿el centro no deberia ser Jesus?», me preguntó un día un peregrino.

«Absolutamente», respondí. «Y ésta es exactamente la razón por la que Nuestra Señora viene».

En sus mensajes, Nuestra Señora nunca ha dicho: «Ven a mí y yo te dare» Por el contrario, sólo ha dicho: «Ven a mí y yo te guiaré a mi Hijo y él te dará»

La Bienaventurada Madre, como todos los demás, debe rezar a Dios para alcanzar lo que ella desea. Es por eso que la llamamos intercesora, porque intercede por nosotros delante de Dios. Incluso la oración del *Ave María*, que tiene sus raíces en la Biblia, implora su intercesión con las palabras *Ruega por nosotros pecadores, ahora y en la hora de nuestra muerte.*

Los creyentes han venerado a la Virgen María desde los inicios de la cristiandad. Uno de sus primeros títulos, *Theotokos*, significa «la que ha engendrado a Dios» en griego. Y a lo largo de los siglos, los santos han ensalzado su amor por la Bienaventurada Madre. Algunos de ellos fueron acusados de poner demasiada atención en ella en vez de Jesús, pero ellos han visto el importante papel de María en la historia humana. Sabían que su misión divina era guiar a la gente a su Hijo, lo mismo que había hecho cuando vivía en la tierra.

«María es la mujer más importante en la historia», dijo el padre Tomislav Pervan, un párroco en Medjugorje. «Por su Fiat, su «Sí» al Ángel, entró en la historia humana y cambió el curso del mundo. Desde el principio ha estado y está involucrada en los acontecimientos más importantes de la historia y de la salvación. Por lo tanto, cuando sea y donde sea que se ha aparecido o se esté apareciendo, ha sido por una razón especial».

«Nunca tengáis miedo de amar mucho a la Bienaventurada Virgen», dijo San Maximiliano Kolbe, un sacerdote franciscano que se presentó voluntariamente para morir en lugar de un desconocido en el campo de concentración de Auschwitz. «Nunca podrás amarla a ella más de lo que Jesús la amó».

San Agustín, un famoso pecador que experimentó una profunda conversión, habló de María como algo parecido a una nueva Eva. «Por la caída», decía, «un veneno pasó a la humanidad a través de una mujer, y por la Redención, se dio la salvación a los hombres también a través de una mujer».

Santa Madre Teresa de Calcuta explicó su amor por María en términos sencillos. «Si alguna vez te sientes angustiado durante el día», decía, «Llama a Nuestra Señora. Simplemente di esta sencilla oración: *María, Madre de Jesús, por favor, sé una madre para mí ahora.* Debo admitir que esta oración nunca me ha fallado».

Otros santos usaban el humor para describirla. «Sólo después del Juicio Final María descansará», decía San Juan María Vianney. «Desde ahora hasta entonces, está muy ocupada con sus hijos».

Y usando una rara, pero efectiva metáfora de pescadores, Santa Catalina de Siena decía: «María es el más dulce anzuelo, elegida, preparada y dispuesta por Dios, para pescar los corazones de los hombres».

El Papa Juan Pablo II definió el papel de la Bienaventurada Madre en la salvación. «María, la primera de los redimidos», dijo, «Brilla ante nosotros como una lámpara que guía el camino a toda la humanidad, recordándonos el final al que la persona está llamada: la santidad y la vida eterna».

Por supuesto, las personas que dijeron estas cosas eran todos miembros de la Iglesia católica. Pero incluso el precursor del protestantismo, Martín Lutero, expresó su respeto por Nuestra Señora. En uno de sus sermones dijo: «La veneración de María está inscrita en lo más profundo del corazón humano».

Lutero también la llamó la «mujer más alta y la gema más noble en la cristiandad después de Cristo» y la describió como «Nobleza, sabiduría y santidad personificadas».

Incluso miembros de denominaciones protestantes que se enfocan casi exclusivamente en la Biblia pueden quedarse sorprendidos al conocer que la Biblia en realidad dice bastante sobre la Bienaventurada Madre. De hecho, explica con claridad quién fue ella y quién es.

El Papa Juan Pablo II resumió el relato bíblico sobre la Bienaventurada Madre diciendo: «De María aprendemos a rendirnos a la Voluntad de Dios en todas las cosas. De María aprendemos a confiar incluso cuando parece que toda esperanza se ha ido. ¡De María aprendemos a amar a Cristo su Hijo y el Hijo de Dios!».

En el comienzo de la Biblia, Génesis 3, 15, se habla de una mujer cuyo retoño pisaría la cabeza de la serpiente. Y en Isaías 7, 14, el nacimiento virginal fue claramente predicho: «Pues bien, el Señor mismo va a daros una señal: He aquí que una doncella está encinta y va a dar a luz un hijo, y le pondrá por nombre Emmanuel».

Después de que las apariciones comenzaran, leer la Biblia se convirtió en una nueva experiencia. Llegar a conocer a alguien que en realidad ya era mencionada en los Evangelios dio vida a los acontecimientos. Personalmente prefería leer el Nuevo más que el Antiguo Testamento. Tenía problemas para reconciliar la imagen de Dios enfadado y celoso, como a veces se muestra en los libros más antiguos, con el Dios de misericordia que había llegado a conocer a través de las apariciones.

Cuando era pequeña, en la catequesis representaban a Dios como un juez enfadado. La Bienaventurada Madre me enseñó de modo distinto: que Dios es nuestro padre que nos ama mucho y que, a través del amor, intenta siempre ayudarnos a cambiar. De hecho, es la razón por la que Él nos ha enviado a su Bienaventurada Madre. Todo lo que sucede en Medjugorje es el resultado del amor de Dios.

El Nuevo Testamento a menudo habla de este amor, especialmente en los pasajes relacionados con María.

En el Evangelio según San Lucas (1, 26-28), vi que se describía a María como la «llena de gracia» incluso antes de la Encarnación: «Al sexto mes fue enviado por Dios el ángel Gabriel a una ciudad de Galilea, llamada Nazaret, a una virgen desposada con un hombre llamado José, de la casa de David; el nombre de la virgen era María. Y entrando, le dijo: 'Alégrate, llena de gracia, el Señor está contigo'».

Puede sonar extraño, pero quizá María podría ser descrita también como una vidente: ella vio un ángel del Cielo y se comunicó con él. El saludo del ángel se convirtió en la primera frase del *Ave María*, y la siguiente línea de la oración procede de Lucas 1, 41, donde Isabel, la madre de Juan el Bautista, ve a María y siente que su bebé salta dentro de su seno: «¡Bendita eres entre las mujeres», exclamó Isabel, «Y bendito es el fruto de tu vientre!».

Como Jesús dijo, cada árbol es conocido por sus frutos. Si Jesús fue el fruto del seno de María, entonces, ¿Qué se puede decir sobre el árbol del cual Él procede? Quizá la respuesta se hace más clara en el Evangelio según San Lucas (1, 46-49), donde encontramos la fuente de otra querida oración conocida como el *Magníficat.* Aquí María expresa su agradecimiento a Dios y parece reconocer su gran papel en el futuro de la humanidad. «Engrandece mi alma al Señor y mi espíritu se alegra en Dios mi Salvador», dice, «porque ha puesto los ojos en la humildad de su esclava, por eso desde ahora todas las generaciones me llamarán bienaventurada. Porque ha hecho en mi favor maravillas el Poderoso, Santo es su nombre».

En referencia a las bodas de Caná, donde Jesús realizó su primer milagro a petición de su madre, el Papa Juan Pablo II dijo una vez: «María se coloca entre su Hijo y la humanidad en el realismo de sus deseos, necesidades y sufrimientos». Cuando el Papa Juan Pablo II introdujo los Misterios Luminosos del Rosario en 2002, el Milagro de Caná era uno de ellos. Las instrucciones de la Bienaventurada Madre a los sirvientes justo antes de que Jesús convierta el agua en vino, «Haced todo lo que él os diga», son todavía hoy igual de significativas.

Y en Lucas 2, 34, Simeón predice cómo los sufrimientos de María estarían unidos a los sufrimientos de Jesús, cuando dijo:

«Éste está puesto para caída y elevación de muchos en Israel, y para ser señal de contradicción, ¡Y a ti misma una espada te atravesará el alma! , a fin de que queden al descubierto las intenciones de muchos corazones».

La predicción de Simeón se hace realidad cuando el Hijo de María es arrestado, torturado y crucificado. Juan 19, 26 cuenta el momento desgarrador cuando Jesús, sabiendo que estaba a punto de morir, confía María a su discípulo Juan: «Jesús, viendo a su madre y junto a ella al discípulo a quien amaba, dice a su madre: 'Mujer, ahí tienes a tu hijo.' Luego dice al discípulo: 'Ahí tienes a tu madre.' Y desde aquella hora el discípulo la acogió en su casa».

Y finalmente, el libro del Apocalipsis, escrito por San Juan en Patmos después de haber tenido una vision, parece confirmar el papel de María como la Reina del Cielo. «Una gran señal apareció en el Cielo», escribe. «Una Mujer, vestida del sol, con la luna bajo sus pies, y una corona de doce estrellas sobre su cabeza».

La mujer, escribe Juan, estaba a punto de dar a luz a un hijo varón «Que iba a regir todas las naciones».

El «Gran dragón rojo» esperaba que el hijo de la mujer naciera para devorarlo, pero «Su hijo fue arrebatado hasta Dios y hasta su trono».

Juan entonces escribe que la mujer en su visión huyó al desierto, a un lugar preparado por Dios, pero el gran dragon rojo» la serpiente antigua, el llamado Diablo y Satanás, el seductor del mundo entero», continúa persiguiéndola. El dragón, dice, está enfadado porque sabe que su tiempo en esta tierra es corto.

De manera interesante, el libro final de la Biblia parece confirmar lo que predice el primer libro: la mujer está todavía en enemistad con la serpiente. Esta parte de la visión de San Juan concluye con lo que podía también ser visto como una representación de la persecución de los cristianos: «Entonces el dragón despechado contra la mujer, se fue a hacer la guerra al resto de sus hijos, los que guardan los mandamientos de Dios y mantienen el testimonio de Jesús».

Como es bien sabido, San Juan Pablo II dijo: «¡No tengáis miedo! ». La Biblia claramente nos dice que Dios triunfará, así que, en lugar de preocuparnos por el futuro, en realidad sólo hay una pregunta que necesitamos hacernos a nosotros mismos: ¿De parte de quién estoy?

El padre Milan Mikulić preside nuestra boda (arriba).
Yo con mi padre, mi madre y mi hermano (abajo).

CAPÍTULO XXI

«¿De qué sirve, hermanos míos, que alguien diga: «Tengo fe», si no tiene obras? Tú crees que hay un solo Dios. Haces bien. También los demonios lo creen y tiemblan».

(De la Carta de Santiago 2, 14.19)

1987 RESULTÓ SER un año «Mariano» también para mí, y no únicamente porque vi al Papa.

Toda mi familia fue corriendo a Medjugorje cuando supo que la abuela Jela estaba muriéndose. Hacía tiempo que estaba enferma. Estuvimos con ella la última semana de su vida y soportó el dolor sin quejarse. En sus últimas horas, tumbada en la cama con el rosario entre sus manos, decía: «Oh, mi Madre, oh, mi Madre» reiteradamente. Murió en paz.

Ver morir por primera vez a un ser querido me afectó profundamente, pero era evidente que el alma de la abuela Jela ya no estaba dentro del cuerpo que yacía ante mí. A través del rosario ella había dedicado su vida a pedir a la Virgen que rezara por ella en la hora de su muerte, por lo que estaba segura que mi abuela ya estaba mirando el mismo rostro hermoso que yo deseaba ver cada día.

Cuando volvimos a Sarajevo, un extraño y a la vez familiar sentimiento empezó a crecer en mi corazón y durante los últimos días de julio quise estar sola. Parecía como si mi espiritualidad creciera. El simple hecho de meditar sobre Dios me daba mucha paz y, cuando rezaba, sentía que estaba en el Cielo. Me recordó cómo me sentía los días anteriores a la primera aparición.

Pero, ¿por qué? ¿Qué estaba a punto de suceder?

Mi respuesta llegó el 2 de agosto de 1987. Mis padres estaban trabajando ese día y mi hermano estaba en el colegio, por lo que me encontraba sola en casa. Alrededor de las cuatro de la tarde sentí la presencia de Nuestra Señora. Me arrodillé en mi habitación y ella se apareció al instante. Verla fue una maravillosa sorpresa.

Me dijo que mi misión era «*rezar por los que no creen, los que no conocen aún el amor de Dios*».

Cuando le pregunté quiénes eran estos «no creyentes», me respondió: «*Todos los que no sienten a la Iglesia como su casa y a Dios como su Padre*». Añadió: «*No los llames no creyentes, porque incluso diciendo esto los estás juzgando. Debes pensar en ellos como tu hermano y tu hermana*».

La Virgen me dijo que volvería el día 2 de cada mes para rezar conmigo por mi misión. De repente, todo era claro; incluso el peor de los sufrimientos formaba parte de un plan más grande. Crecer entre no creyentes en Sarajevo, ir a colegios comunistas, tener que esconder mi fe, ser perseguida por la policía. todo había sido una especie de preparación. Incluso ser expulsada y ser enviada a un instituto para delincuentes fue una bendición porque me ayudó a entender la misión que Nuestra Señora me pediría más tarde.

De repente me arrepentí de haberme quejado por mis dificultades, porque sólo a través de ellas pude ver a «quienes no conocen el amor de Dios» como mis hermanos y hermanas.

«*No te puedes considerar una verdadera creyente*», dijo Nuestra Señora, «*si no ves a Cristo en cada persona que encuentras*».

A principios de ese año, en enero de 1987, Nuestra Señora dejó de dar los mensajes semanales a Marija y a partir de ese momento se los dio sólo el 25 de cada mes. Cuando empezó a venir a verme el día 2 de cada mes, sólo me daba mensajes ocasionalmente, pero con el tiempo se convirtieron en una parte regular de sus visitas. Observé que Nuestra Señora terminaba los mensajes a Marija con las palabras: «*Gracias por haber respondido a mi llamada*». A veces terminaba sus mensajes del 18 de marzo con una frase igual o similar; pero los mensajes del día 2 de cada mes terminaban únicamente con un «*Gracias*». Tal vez era un mensaje dentro de otro mensaje, uno para la gente a la que más deseaba llegar.No podemos sólo rezar y ayunar y luego pensar que, *he respondido a su llamada*. La oración y el ayuno que nos pide deben llenarnos de amor.

Durante las primeras apariciones de los días 2 del mes de 1987, Nuestra Señora me enseñó una oración especial, que ella y yo seguimos rezando juntas hoy en día. Es una oración por los que no conocen aún el amor de Dios. No puedo revelar todavía muchos detalles sobre esta oración porque está vinculada a los secretos, pero puedo decir que es una oración continua como el rosario. Pero es también distinta al rosario. De hecho, nunca rezo el rosario con la Virgen porque ella no se lo reza a sí misma. En cambio, esta oración especial, sus palabras, están dirigidas a Jesús. Un día el mundo podrá conocer toda la oración, pero sólo cuando Nuestra Señora me permita revelarla.

Al revés de lo que ocurre con mis apariciones anuales, que durarán mientras yo viva, no sé cuánto tiempo durarán las apariciones del día 2 de cada mes. No obstante, después de casi treinta años, sigue viniendo. Durante las apariciones del día 2 a veces veo lágrimas en el rostro de la Virgen. Ella ama a sus hijos más de lo que podemos imaginarnos y llora por todos los que se pierden. Si vierais sus lágrimas sólo una vez, estoy segura de que dedicaríais vuestra vida a rezar por sus intenciones.

Cuando Nuestra Señora nos pide que la ayudemos, no sólo me lo pide a mí o a los otros videntes. Se lo pide a todos. Dice que nuestras palabras solas no pueden cambiar a los que no creen. Únicamente podemos marcar una diferencia con nuestras oraciones y ejemplo, y sólo si tenemos amor en nuestros corazones.

«*Queridos hijos*», dijo. «*Cuando rezáis por ellos, rezáis por vosotros y por vuestro futuro*».

Todas las cosas horribles que pasan hoy en día en nuestro mundo están causadas por quienes no conocen el amor de Dios. Pero no necesariamente habla de los ateos. Por desgracia, mucha gente que piensa en sí misma como religiosa tampoco conoce Su amor.

«Un no creyente no es sólo alguien que se define sin dios o que dice que no sabe si Dios existe», dijo el padre Slavko. «Según esta intención, un no creyente es también alguien que dice que 'cree' y que conoce la

Palabra de Dios, pero que no vive según ella y no hace el bien. Esta 'fe' es, realmente, conocimiento que no está imbuido de amor».

Y la Biblia está de acuerdo. El apóstol Pablo escribió: «Si hablara las lenguas de los hombres y de los ángeles, pero no tengo amor, no sería más que un metal que resuena o un címbalo que aturde. Si tuviera el don de profecía y conociera todos los secretos y todo el saber; si tuviera fe como para mover montañas, pero no tengo amor, no sería nada» (1 Cor 13, 1-2).

Igualmente Nuestra Señora no quiere que vayamos por ahí predicando a los otros. Quiere que hablemos, pero con nuestras vidas y no con nuestras bocas. Ella pide a los creyentes vivir como ejemplo de personas que conocen el amor de Dios. De este modo, los que no creen pueden ver el efecto del amor en nosotros.

«*La única paz verdadera*», dijo Nuestra Señora, «*es la que da mi Hijo*».

Todos están hambrientos de paz, pero la mayoría la busca en los lugares equivocados. Sólo Dios da la paz. Puedes tener millones de dólares, pero sin Él eres un indigente. Puedes vivir en una mansión, pero sin Él eres un vagabundo. No importa lo que puedas adquirir, nunca estarás satisfecho porque piensas que la paz está a la vuelta de la esquina. Mucha gente cree: «Si pudiera ganar más dinero, sería más feliz». Pero la paz nunca está a la vuelta de la esquina. Está justo delante de ti y para encontrarla sólo tienes que arrodillarte y pedir.

Por esto ha venido la Reina de la Paz. Si vives sus mensajes, entonces estarás caminando con Jesús. Básicamente ella repite lo que está escrito en los Evangelios, pero de una manera más sencilla.

«Las revelaciones extra-bíblicas, en general, no aportan nuevas verdades», escribió el padre Ljudevit Rupčić, «sino sólo un reconocimiento mejor de las verdades reveladas en la Biblia».

Dejad que ella os guíe al amor. Con el tiempo, otros verán en vosotros lo que están buscando, incluso si no saben que lo están buscando, y vuestra paz se difundirá a la gente que os rodea.

Según Nuestra Señora, los que nos llamamos a nosotros mismos creyentes debemos recordar que tenemos una gran responsabilidad. Una noche, durante la misa en Medjugorje, tenía un terrible dolor de espalda, algo de lo que he sufrido durante años. La iglesia estaba llena, como de costumbre, pero observé que había un pequeño espacio libre en uno de los bancos, en medio de un grupo de peregrinos italianos. Esperando poder descansar la espalda, me senté, pero uno de los italianos me gritó.

«¡Levántate! », dijo. «¡Es nuestro banco! ¡Hemos llegado los primeros! ».

«Lo siento», dije. Me levanté rápidamente y me quedé de pie en el lateral.

Más tarde, una de sus amigas se reunió con el grupo y me reconoció como una de las videntes. Cuando se lo dijo a los otros, se levantaron y me ofrecieron todo el banco. Sonreí y les di las gracias, pero permanecí de pie.

Siempre me rio cuando pienso en su reacción, pero, al mismo tiempo, sirve como moraleja. Imaginad que yo fuera una persona que no creyera y que entro por primera vez en una iglesia para ver qué está pasando. Si soy «acogida» de este modo, ¿Volveré a entrar en una iglesia? ¿Y de quién sería la responsabilidad?.

En cierto modo, creo que todos somos no creyentes. Nadie puede decir en verdad: «Soy un buen creyente y hago todo lo que Dios quiere». Todos cometemos errores. Pero es importante que lo intentemos y, si queréis ser un ejemplo, si deseáis demostrar que tenéis fe y amor, entonces tenéis que sonreír. Tenéis que reír y bromear. Si estáis siempre nerviosos, si sentís siempre miedo o estáis serios, un no creyente dirá: «No es distinto de los demás. ¿Por qué tendría que cambiar y ser como él? ».

«La paz empieza con una sonrisa», dijo una de las grandes creyentes de nuestro tiempo, Madre Teresa, que nació en Yugoslavia y se dice que seguía los mensajes de Medjugorje.

Y los más importante, nunca debemos juzgar ni criticar. Cuando Nuestra Señora nos pide que recemos por los que no creen, quiere que la emulemos. Primero, debemos sentir amor por ellos, para considerarlos nuestros hermanos y hermanas menos afortunados que nosotros por no conocer el amor de Dios. Sólo entonces podremos rezar por ellos; en caso contrario, nuestra oración será ineficaz, incluso hipócrita.

«La primera y la última intención de nuestras oraciones tiene que ser pidiendo la gracia de amar a Dios y a nuestro prójimo con nuestro corazón», dijo el padre Slavko. «Si vuestro corazón no está impregnado y totalmente imbuido con amor divino, nada de lo que hagamos tendrá valor, y no seremos felices. El que reza pidiendo la gracia para amar, reza por la felicidad y la paz para sí, para su familia y para toda la humanidad».

Y si seguimos el ejemplo de Nuestra Señora, entonces nuestra paz será evidente para todos los que nos rodean, que desearán conocer su origen. Hace tiempo vino a Medjugorje un cardenal del Vaticano y me dijo: «¿Sabes por qué estoy aquí? ».

«Porque Nuestra Señora te hizo venir», le dije. Y quería decir lo que dije. Ella había dicho que nadie que sabe de la existencia de Medjugorje lo sabe por accidente.

El cardenal sonrió. «Tal vez tengas razón. Pero no tenía intención de visitar Medjugorje hasta hace poco. Sabes, hay una iglesia cerca del Vaticano donde veo siempre a unos cientos de italianos reunidos una vez al mes rezando durante horas. No podía entender qué les mantenía allí durante tanto tiempo. Así que un día pregunté. Dijeron que eran frutos de Medjugorje y que se reunían allí para replicar el programa de oración nocturna de Medjugorje. Esto me interesó lo suficiente como para venir y ver lo que está ocurriendo aquí. Y estoy feliz de haberlo hecho».

Su ejemplo silencioso animó al cardenal a visitar Medjugorje.

«Cuando volváis a casa», les digo a los peregrinos, «Resistid a la tentación de decir a todos lo que habéis vivido. En cambio, centraros en vivir los mensajes de Nuestra Señora y cuando la gente vea los cambios que se han obrado en vosotros, os preguntarán sobre ello».

Nuestra Señora una vez dijo que deseaba presentarnos a todos como un hermoso ramo de flores para su Hijo. Continuará llorando mientras haya una sola persona en el mundo que no crea. Por eso necesitamos rezar. Pero cuando lo hagamos no tenemos que hacerlo pidiendo lo que nosotros deseamos: Dios sabe todo lo que hay en nuestros corazones y Él conoce lo que es bueno para nosotros a largo plazo, hablando desde un punto de vista eterno, desde luego. Debemos rezar por nuestros hermanos y hermanas. Cada vez que rezamos por alguien que no cree, lo que hacemos es, fundamentalmente, secar una lágrima en el rostro de la Virgen.

Nuestra Señora también dio a los otros videntes mensajes para sus misiones. A Vicka y Jakov les pidió que rezaran por los enfermos; a

Ivanka por las familias; a Marija por las monjas y las almas del Purgatorio y a Ivan por los sacerdotes y los jóvenes. Cuando el tío de una amiga mía enfermó, llamó a Jakov y le preguntó:

«Sé que rezas por los enfermos. ¿Rezarás por mi tío? ».

«Claro», respondió Jakov y rezó por él esa noche.

La mañana siguiente mi amiga llamó a Jakov de nuevo.

«Gracias por rezar por mi tío», le dijo.

«¿Está mejor? », pregunto esperanzado Jakov.

«Bueno, falleció ayer por la noche».

Varios meses más tarde tuve una gripe ligera. Cuando Jakov me vio estornudando me dijo: «No te preocupes, Mirjana. Rezaré por ti».

Meneé la cabeza. «Olvídate de que incluso existo. Sé lo que le sucede a la gente por la que rezas».

Siempre hemos bromeado sobre ello, pero claramente la oración de un vidente no es más «especial» que la de otra persona. Dios nos escucha a todos con el mismo «volumen». Él escucha a todos. El hecho de que veamos a la Virgen no significa que nuestras oraciones son prioritarias.

Creo que cada persona en el planeta tiene una misión especial. A través de la oración descubrimos el plan de Dios para nuestras vidas. Del mismo modo que yo estaba preparada para mi misión, pensad en vuestras pruebas, experiencias y sueños, y preguntaros: ¿Qué misión está preparando Dios para mí?

A la misma hora en que estaba recibiendo mi oración para la misión, mi misión terrena estaba tomando forma. Hacía años que Marko y yo éramos novios y sabía que quería pasar el resto de mi vida con él. Él sentía lo mismo; lo sentía desde que tenía cinco años. Su persistencia me recordó al Principito y su flor: «Es el tiempo que dedicas a tu rosa lo que hace que tu rosa sea tan importante».

Con más de veinte años, Marko era guapo y amable, pero lo que realmente me atraía de él era su fe. Siempre estaba a mi lado, con un rosario en la mano, durante las apariciones, y Dios había sido el centro de nuestra relación desde el principio.

En 1988 estábamos impacientes por casarnos, pero ninguno de los dos tenía un sueldo fijo. Yo tenía 23 años. Empezar una vida juntos parecía imposible, por lo que decidimos esperar hasta que uno de los dos tuviera trabajo. Rezamos por ello durante el año siguiente.

Un día, un hombre de negocios me preguntó si quería trabajar como administrativa en su agencia de viajes de Medjugorje. Dije que sí sin ni siquiera pensarlo o sin preguntar cuál era el sueldo. Estaba demasiado excitada para ocuparme de los detalles. Llamé a Marko y le dije: «¡Ahora podemos casarnos!».

Ese día marcó el inicio de nuestro compromiso. Cuando la gente le pregunta a Marko cómo me pidió en matrimonio, siempre me río y dijo: «Él no lo hizo. ¡Yo se lo propuse!».

Las reacciones a nuestro compromiso fueron diversas. Los amigos y familiares de Sarajevo me instaron a no casarme demasiado joven, pero la gente de Medjugorje, donde las parejas se casan antes, veía las cosas de modo distinto. Me dijeron que «había cogido el último tren».

Mis padres estaban orgullosos de mí por mi trabajo. Sabían que sería difícil que yo encontrara trabajo en Sarajevo a causa de mi reputación «anti-gobierno». Me fui de casa en la primavera de 1989 y me mudé a una casa que habían construido en Bijakovići para su jubilación. Empecé a trabajar enseguida. Mis tareas principales incluían papeleo, facturación y recibir a los visitantes. Cada vez que entraban peregrinos, jugaba haciéndome la pregunta: ¿Me reconocerán o no? Era feliz cuando no lo hacían.

Era maravilloso estar con tantos creyentes, de vuelta donde todo había empezado ocho años antes. Volví a relacionarme con el tío Šimun, la tía Slava, mis primos, amigos y los otros videntes. El pueblo había cambiado bastante desde 1981: las tiendas se alineaban en la calle principal, el campo alrededor de la iglesia de Santiago era un paseo pavimentado y pequeños hoteles ocupaban la mayoría de los campos de tabaco.

Marko y yo empezamos a planificar nuestra boda para el 16 de septiembre de ese año. Queríamos una boda tradicional. Si teníamos que vivir en Medjugorje, sabíamos que era importante hacerlo todo según las costumbres locales. Me fijé en lo que hacían las otras chicas del pueblo cuando se casaban e intenté hacer lo mismo.

Obviamente, me sentía nerviosa la noche anterior a la boda, pero mi padre era un caos emocional. Él y mi madre habían estado una semana con nosotros para ayudar con los preparativos. Cada vez que me hablaba mi padre se echaba a llorar y casi no podía mirar a Marko.

«Si no es bueno contigo», decía delante de Marko, «entonces vuelve a casa con tu padre, ¿ vale?».

Esa noche, ya tarde, estaba sentada con mi madre cuando un golpe en la puerta nos sobresaltó. Abrimos la puerta y había unos peregrinos italianos. Una mujer me entregó un bello ramo de flores.

«Sería un honor para nosotros si mañana llevas este ramo», me dijo.

De repente me di cuenta de que Marko y yo habíamos estado tan ocupados preparando la boda que nos habíamos olvidado de un detalle importante: encargar mi ramo de novia. En un pueblo pequeño como Medjugorje, los arreglos florales había que encargarlos con tiempo. No había floristerías cerca para comprar uno en el último momento. Al día siguiente me hubiera sentido desconsolada al darme cuenta del error.

«¡Gracias, gracias!», dije llorando. Abracé con fuerza a los italianos. «¡No sabeis lo que esto significa para mi!».

Los italianos se quedaron sorprendidos y encantados con mi reacción. Debieron pensar que *realmente* me gustan las flores, pero yo sólo estaba sobrecogida al ser testigo de otro ejemplo de cómo Dios siempre sabe lo que necesitamos, a veces incluso antes de que nosotros lo sepamos.

Una típica boda de Herzegovina empieza con una comida organizada por los padres de la novia en su casa, pero nuestra casa era demasiado pequeña para todos los invitados, por lo que mis padres organizaron el evento en un club de caza cerca de Čitluk. El día, por fin, había llegado. El aroma de romero llenaba el aire. Según nuestra costumbre, un ramo de romero se regalaba a cada invitado, que se lo colgaba como un ramillete. Participó casi toda mi familia, incluso gente que yo no había visto en años. Los otros videntes también vinieron y me desearon felicidad y bendiciones.

Después de la comida llegué a la iglesia de Santiago vistiendo mi traje de novia. El aire fresco del otoño finalmente daba una tregua después del calor del verano y Medjugorje estaba llena de peregrinos. Mientras subía por las escaleras de la iglesia vi a decenas de personas haciendo fotos y corriendo hacia mí. En cualquier parte del mundo una novia vestida con su traje de boda es un bonito espectáculo, pero para algunos peregrinos que estaban en Medjugorje ese día, ver una de las videntes con su traje de novia era imposible de resistir. Me encontré rodeada de repente y sin posibilidad de moverme. Me tocaban, me besaban, me abrazaban y algunos de ellos empezaron a cortar trozos de mi vestido de novia.

«Trae suerte», me dijo una mujer italiana mientras quitaba un lazo. Empecé a llorar.

«Por favor, no lo haga», dije.

Por suerte algunos de los invitados vieron lo que estaba pasando y rápidamente me escoltaron hasta la iglesia. Respiré hondo y cuando vi a Marko con su esmoquin me tranquilicé de inmediato y me ilusioné por la nueva vida que nos esperaba.

El padre Milan Mikulić vino desde los Estados Unidos para oficiar la ceremonia. Nativo de Proložac, un pequeño pueblo cerca de Medjugorje, el padre Milan hacía años que ejercía su ministerio en Portland, Oregon.

Cuando Marko y yo le conocimos unos años antes durante una de sus visitas a Medjugorje, ambos sentimos una conexión inmediata. El padre Milan nos dijo: «Cuando os caséis, tenéis que venir a verme a América».

En esa época, viajar por el mundo parecía tan inverosímil que bien podría habernos invitado a ir a la luna, pero ahora estábamos emocionados de tener al padre Milan en nuestra boda.

Marko y yo nos arrodillamos ante el altar durante la misa. En su homilía, el padre Milan describió cómo Nuestra Señora nos había dejado la libertad de elegir nuestro estado de vida. «Mirjana está dando su respuesta afirmativa con la que quiere servir a Dios en el matrimonio», dijo. «Ha elegido a Marko Soldo como su compañero para toda la vida, para vivir los mensajes de Nuestra Señora con él».

Siguiendo la tradición de Herzegovina, el padre Milan nos entregó un crucifijo bendito. Mientras Marko y yo intercambiábamos nuestros votos, pusimos nuestras manos sobre la cruz, una encima de la otra y entonces la besamos antes de besarnos nosotros. Mirjana Dragićević era ahora Mirjana Soldo.

Después de la boda, hubo un gran banquete en un hotel de Čitluk.

Mi padre, con los ojos llenos de lágrimas, le dio la mano a Marko y dijo: «Finalmente otra persona puede llevarla de paseo».

Ambos se rieron y abrazaron. Entonces mi padre se dirigió a mí y me dijo: «Cuida de mi hijo».

«Bueno, ahora estoy obligada a hacerlo», dije sonriendo.

Marko, obviamente, se pasó la mitad de la noche cantando y bailando. Mientras miraba como cantaba con los otros hombres del pueblo, me sentí agradecida por tenerle en mi vida. Su personalidad extravertida era el complemento perfecto a mi introversión y supe que formaríamos un gran equipo.

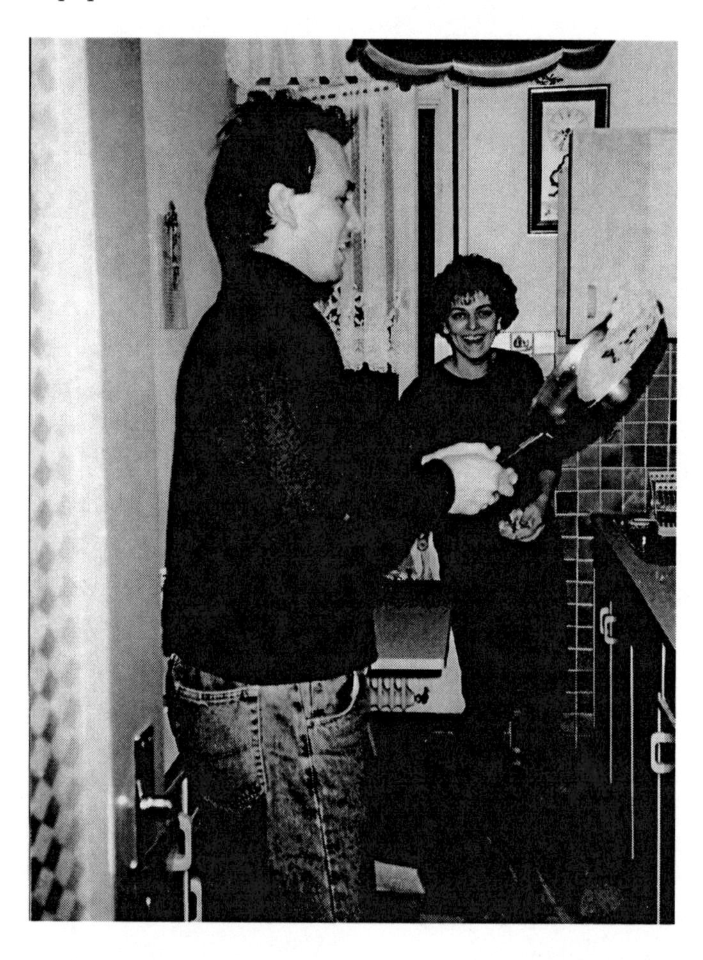

Marko hace una palačinka, la palabra croata para panqueques.

CAPÍTULO XXII

«Deseo que se alejen la oscuridad y la sombra de muerte que quiere envolveros y confundiros».

(Del mensaje de Nuestra Señora del 18 de marzo de 2014)

DESPUÉS DE QUE Marko y yo nos casáramos, vivimos con sus padres en su casa en Ograđenik, un pequeño pueblo cerca de Medjugorje, en la carretera hacia Široki Brijeg. Con siete miembros de la familia compartiendo dos habitaciones, vivir con la familia de Marko fue un desafío. Pero era nuestra única opción en aquel momento, y la emoción de estar recién casados nos ayudó a transformar cada inconveniente en diversión y risas.

Unos meses antes, el hermano de Marko, Željko, también se había casado, y él y su mujer estaban con nosotros en la casa. El hermano menor de Marko, Stjepan, también vivía allí. Stjepan había crecido y era un joven guapo y alegre. Era un poco más alto que Marko y tenía una humildad y delicadeza poco corriente para una persona de su edad. Me pedía constantemente que le hablara sobre las apariciones y yo era feliz haciéndolo.

Al cabo de un tiempo, Marko y yo decidimos mudarnos a la casa de mis padres en Bijakovići. La casa era pequeña, pero disfrutamos la soledad y por fin sentimos que teníamos un lugar al que llamar hogar. Pusimos nuestro crucifijo nupcial en la pared como un recordatorio permanente de nuestros votos sacramentales. Rezábamos juntos cada noche y tomábamos el café juntos cada mañana.

Se me hacía extraño tener algunas cosas que no se me permitía compartir con él, pero nunca dejé que mi conocimiento del futuro mandara en nuestras decisiones.

«Cada mujer tiene al menos un secreto que nunca cuenta a su marido», bromeaba Marko, «pero mi esposa tiene otros diez».

Uno de nuestros sueños era tener hijos. La casa de mis padres era demasiado pequeña para tener una familia y sabíamos que no podríamos estar allí para siempre, así que pedimos un préstamo y empezamos a construir una casa algo más grande al lado de la de mis padres.

Marko y yo nos estabilizamos en nuestra nueva vida juntos. Él supervisaba la construcción de nuestra casa y yo continuaba trabajando en la agencia de viajes. También compartía mi testimonio con los peregrinos que venían a Medjugorje en número cada vez mayor. Normalmente les hablaba desde la entrada de nuestra casa. A veces había cientos de peregrinos en el jardín, llenando la calle.

Después de hablar siempre me hacían muchas preguntas, desde las más simples ¿Qué pide Nuestra Señora de nosotros? hasta aquellas que no tenía permitido responder¿Cuándo serán revelados los secretos? Aunque mis preguntas favoritas eran aquellas que podía responder con una broma y una sonrisa.

Un día, una mujer de Irlanda levantó la mano. «Sé que tú ves a María, pero ¿Has visto alguna vez a un angel?».

«Sí, por supuesto», dije, tratando de mantenerme seria. «Veo uno cada mañana cuando me lavo la cara delante del espejo».

Todos se rieron y vi que se me devolvía el amor de Dios en cientos de sonrisas. Muchos peregrinos llegaban con caras sombrías, quizá esperando recibir de mí un mensaje muy serio o apocalíptico, pero estaba decidida a mostrarles lo que había aprendido de Nuestra Señora: que Dios es amor. Y el amor debe hacerte feliz.

Durante otra conversación, un estadounidense levantó su mano y dijo: «Nuestra Señora nos pide que ayunemos a pan y agua cada miércoles y cada viernes. Pero suelo beber una taza de café por las mañanas. ¿Está bien que todavía me tome el café?»

«Sí», respondí, e hice una pausa para mirar a los ojos esperanzados de todos los estadounidenses. Entonces, sonreí y dije: «Siempre que te lo bebas antes de que Nuestra Señora se levante y te vea».

Algunas preguntas, sin embargo, eran extrañas, incluso críticas. Tratar con esos peregrinos me ayudó a ser más paciente, y me mostró que incluso algunas personas que se consideran creyentes todavía no han conocido realmente el amor de Dios.

«Si los secretos se realizarán¿por qué te casaste?», preguntó un hombre con un tono acusador en su voz. «Si ves a Nuestra Señora, ¿no crees que debías haberte hecho monja?».

Lo sentí por él, como lo siento por cualquier persona que se queja o critica. ¿Cómo podemos juzgar a aquellos que casi no conocemos? ¿Y quién de nosotros puede decir que conoce a alguien verdaderamente? Sólo Dios tiene derecho a juzgar. Cuando alguien me critica, en mi mente sé que debe haber otra razón para ese comportamiento. Pienso en cuán infeliz debe ser esa persona que quiere herir a otros, y trato siempre de responder a las críticas con una broma y una sonrisa.

«Bueno, hay un valor en el sufrimiento», dije al hombre, con una sonrisa en mi rostro. «¿Qué mejor modo de llegar a conocer el sufrimiento que teniendo un marido?».

Todos se rieron, especialmente las esposas que había entre la multitud y el hombre que hizo la pregunta no pudo evitar el sonreír.

«Pero para responder a tu pregunta de un modo más serio», añadí, «quizá el hecho de que no nos hemos hecho monjas ni curas, y que ninguno de nosotros es perfecto después de haber visto a Nuestra Señora, hable menos de nosotros y más sobre el amor de Dios para todos Sus hijos. Él nos ama a pesar de nuestras imperfecciones».

Algunas personas también olvidan que el matrimonio es un sacramento. Alimentar el amor entre el marido y la mujer y tomar parte en la creación acogiendo nuevas vida en el mundo es una cosa preciosa y santa. En algunos casos, sin embargo, el matrimonio es el camino más difícil; ningún matrimonio está libre de discusiones, y quien diga lo contrario no está diciendo la verdad. Las discusiones ocurren, pero lo importante es abstenerse de palabras que ofendan.

Como cualquier pareja casada, Marko y yo teníamos de vez en

cuando pequeñas y estúpidas peleas, pero estábamos determinados a evitar las palabras hirientes en nuestra relación. Respetábamos las diferencias de cada uno y poníamos a Dios en primer lugar. Nuestra fe nos ayudaba a pasar por alto los desafíos humanos que a menudo suceden entre las personas. Además, cada vez que Marko y yo no estábamos de acuerdo, siempre bromeaba que iría a confesarme con su tío, el padre Slavko. Cuando Marko y yo reíamos, era imposible estar enfadados.

A mitad de la construcción de nuestra casa teníamos una gran deuda, pero nos sentíamos ricos porque teníamos amor y paz. Dábamos constantemente gracias a Dios por lo que teníamos y nunca pedíamos más. Me acababan de dar mi salario mensual en la agencia de viajes cuando entró un señor en la oficina y me contó una triste historia. Él, su mujer y sus tres niños habían sido desahuciados de su casa. No tenían nada para comer ni sitio dónde ir. Lloré mientras le escuchaba y me imaginé a mí misma en su situación.

«Rezaré por ti y por tu familia», dije, y luego le di el sobre con toda mi paga mensual dentro. «Esto te ayudará».

El hombre juntó sus manos en signo de agradecimiento.

«Gracias», dijo.

«No, por favor, no me des a mí las gracias. Gracias a Dios». Pero después que se fue, me invadió un sentimiento de pánico y pensé: ¿Qué acabo de hacer?

Me sentí bien por ayudarle, pero me di cuenta que no recibiría otra paga hasta el mes siguiente. Quizá esta vez mi compasión había ido demasiado lejos. Me preocupaba que había hecho algo irresponsable dándole al hombre todo, especialmente en esa etapa en que Marko y yo estábamos luchando a nivel económico. ¿Cómo pagaríamos las facturas de ese mes? ¿Y cómo se lo iba a decir a Marko?

Ahora, ¿qué pasará con nosotros?, recé.

Recordé las palabras de Jesús en la Biblia: «Gente de poca fe, ¿Por qué os preocupáis?».

Las palabras resonaban como ciertas; *estaba* preocupada. Según los estándares de este mundo, era una loca e imprudente por hacer una donación caritativa tan grande por un capricho. Pero también había comenzado a ver que la naturaleza más genuina de la fe cristiana invita a hacer acciones que desafían el status quo.Si realmente creemos, entonces no deberíamos temer nunca de ser demasiado «cristianos», en especial cuando esto implica ayudar a los otros. Aunque nuestros cerebros pueden gritar en contra de ser demasiado altruistas, estamos llamados a escuchar a nuestros corazones.

Pensé en el Evangelio de Marcos (12, 41), que cuenta cómo una viuda dio dos pequeñas monedas en el tesoro del templo mientras que otras personas daban cantidades mucho mayores. Jesús reunió a sus discípulos y les dijo: «Os digo de verdad que esta viuda pobre ha echado más que todos los que echan en el arca del Tesoro. Pues todos han echado de los que les sobraba, ésta, en cambio, ha echado de lo que necesitaba, todo cuanto poseía, todo lo que tenía para vivir».

Para cambiar el mundo, una fe tibia y un amor poco entusiasta nunca serán suficientes; en estos tiempos complicados, nuestra fe tiene que ser radical y nuestro amor ilimitado. Debemos esforzarnos por tener nuestros pies en la tierra, pero nuestros corazones en el Cielo. No siempre es fácil de hacer. Como Jesús dijo al joven que le preguntó sobre la vida eterna: «Si quieres ser perfecto, vende cuanto tienes y dáselo a los pobres, y tendrás un tesoro en el cielo. Luego, ven y sígueme».

Pero el joven, que tenía muchas posesiones, se fue triste. Jesús había mostrado al joven cómo ser *perfecto*, y la perfección es prácticamente inalcanzable para cualquier ser humano. Pero mientras continuemos luchando por la santidad, estamos en el camino correcto. Pequeños actos de bondad pueden ser preciosos para Dios, y cada persona en este planeta puede llegar a ser un santo si lo desea.

Sin embargo, mientras me dirigía hacia casa después de haber dado todo mi salario mensual, me preocupaba que Marko pudiera quedarse decepcionado cuando se lo dijera. No llevábamos mucho tiempo casados y no quería hacerle sufrir debido a mi desenfrenada empatía. Aquella noche en la cena me senté dando golpecitos con mi tenedor en el plato, demasiado nerviosa para comer.

«¿Qué pasa?», dijo Marko.

«He dado la paga del mes a un hombre sin casa», dije, incapaz ni siquiera de mirarle a los ojos. «De verdad que lo siento. Parecía tan triste y».

«Está bien», dijo Marko.

Levanté la mirada. «¿De verdad?».

«Dios lo quería. No te preocupes. Sobreviviremos de nuevo este mes, lo mismo que hicimos el mes anterior. Y veamos el lado bueno, ayunar no será difícil si no podemos comprar mucha comida».

Los dos nos reímos y pasamos el resto de la noche pensando modos creativos para subsistir el siguiente mes. La gente en Herzegovina se ayudaba mutuamente; la tradición de compartir comidas caseras y buenas cosechas había sido parte de la vida de la región durante siglos, y su generosidad había aumentado después de que empezaran las apariciones. Aunque la gente aquí no tenía mucho, lo que tenía lo daba con el corazón. Cuando los primeros peregrinos empezaron a llegar, mi tío colocó una mesa delante de su casa, sobre la cual ponía uvas, higos secos, agua y vino, con una nota escrita a mano que decía: *Si estás cansado, hambriento o sediento, por favor, ¡coger lo que quieras!*

El mes pasó a base de risas, alegría y abundancia de productos locales. Qué afortunada era por haberme casado con un hombre cuyos pensamientos y sentimientos eran tan parecidos a los míos. Nuestra compatibilidad era claramente un fruto del intento de vivir los mensajes de Nuestra Señora. La oración y el ayuno abrieron nuestros corazones para ser más comprensivos y nos permitió ver el valor de dar. Jesús conocía el valor; Él dio su vida por nosotros. Pero hay muchas otras maneras de dar. Podemos pasar el tiempo con una persona sola, cocinar un plato para una familia hambrienta, enseñar a un niño cómo orar o ayudar a alguien económicamente. Es más importante dar con buenas razones y no porque alguien me dice que debo o porque haciéndolo puedes deducirlo de tus impuestos. A los ojos de Dios, la única razón para dar que tiene un valor real es el amor.

Al final de 1989, Medjugorje estaba prosperando como lugar de peregrinación. A veces se podían ver cientos de sacerdotes confesando fuera, en el campo alrededor de la iglesia, por eso se añadieron veinticinco confesionarios nuevos para responder a la demanda. La multitud había dejado pequeña la «gran» iglesia de Santiago, así que la parroquia construyó un altar fuera que se abría en abanico desde la parte de atrás de la iglesia, y un área de oración al aire libre con aproximadamente cinco mil asientos. El plan de Dios para la parroquia estaba llegando a cumplimiento. El padre Slavko, inspirado por los mensajes de Nuestra Señora, organizó una fiesta para jóvenes la primera semana de agosto. Cientos de jóvenes venidos de todas partes del mundo celebraron su fe juntos.

Además quedó claro que Medjugorje tenía una disposición geográfica ideal como santuario. Los principales puntos de lo que era la experiencia de peregrinación, la Colina de las Apariciones, la Montaña de la Cruz y la iglesia de Santiago, formaban un triángulo equilátero casi perfecto en un mapa. Todo estaba a poca distancia caminando. Un famoso artista llamado Carmelo Puzzolo hizo a mano quince relieves en bronce representando los misterios gozosos, dolorosos y gloriosos del rosario y la parroquia los colocó en la Colina de las Apariciones. Hizo también catorce relieves en bronce representando las Estaciones del Vía Crucis, y aquellas fueron colocadas a lo largo del empinado camino que lleva hacia la Montaña de la Cruz.

En los primeros días de las apariciones, Nuestra Señora dijo: «*La cruz también estaba en el plan de Dios cuando fue construida*», refiriéndose a la construcción de la cruz de cemento situada en lo alto de la montaña en 1934. Dios tenía claramente un plan para Medjugorje desde mucho tiempo antes de que Nuestra Señora se apareciera por primera vez. En una década, el pequeño pueblo se había transformado en un santuario de oración donde aquellos que abrían sus corazones podían encontrar lo divino.

Los peregrinos subían la Colina de las Apariciones para rezar el rosario y arrodillarse ante la cruz de metal que señalaba el lugar de la primera aparición. Allí se encontraban con su Madre.

En la Montaña de la Cruz recordaban los sufrimientos de Cristo rezando las Estaciones del Vía Crucis y aguantando el dolor físico al subir el empinado y accidentado camino. Allí se encontraban con Jesús.

Y en la iglesia de Santiago, con sus corazones y sus mentes que empezaban a abrirse, purificaban sus almas con la confesión y participaban en el programa de oración de la tarde. Allí se encontraban con su Padre.

Viviendo en tal oasis de paz uno no se podía imaginar que el resto de Yugoslavia estaba a punto de estallar por los disturbios. El régimen comunista amenazaba con atacar en cualquier momento como un animal acorralado. Cada día rezaba por la paz.

Justo después del comienzo de la siguiente década, el padre Milan Mikulić nos reiteró, a Marko y a mí, su invitación para que visitáramos su parroquia en Portland, Oregon, y así difundir el mensaje de Medjugorje en los Estados Unidos y poder tener algo parecido a una luna de miel. Los vuelos y los gastos estaban cubiertos. Marko y yo rezamos sobre esto y el 30 de enero de 1990 cruzamos el océano Atlántico en un jumbo.

América era un mundo diferente. Lo que había visto en las películas y en las revistas no me prepararon para ir allí de verdad. Había demasiado de *todo* gente de todo tipo y color, tiendas enormes vendiendo productos que nunca hubiera pensado que existían, autopistas llenas de coches y edificios que parecían tocar el cielo. Cuando hablé en una conferencia Mariana, estaba sorprendida por el número de gente que me reconocía. Muchos de ellos decían que habían seguido los mensajes de Medjugorje desde el inicio.

Estaba deseosa de vivir América como la había visto representada en las películas. Así que, tan pronto como Marko y yo tuvimos un tiempo libre, salimos y probamos nuestro primer perrito caliente y después fuimos a hacer compras. En cuanto entramos en un centro comercial nos quedamos mirando con asombro el apabullante número de tiendas. Cuando entramos en la primera, una tienda de ropa, la dependienta se acercó a nosotros con una radiante sonrisa. «¡Bienvenidos», dijo. «¿Cómo están hoy?».

Me quedé estupefacta y le susurré a Marko en croata: «Me ha reconocido, vámonos a otra tienda».

Cuando entramos en la siguiente tienda, el dependiente nos saludó del mismo modo. «¡Hola! ¿Cómo están?».

Al final me di cuenta que el ¿Cómo están? era sencillamente el saludo típico en América, mientras que una persona en Yugoslavia sólo plantearía una pregunta como esa a alguien que conociera. Los estadounidenses en realidad tienen un gran corazón y, dondequiera que íbamos, la gente nos colmaba de amabilidad, en especial en la parroquia de Santa Brígida, donde el padre Milan ejercía su ministerio. Él organizó todo para que estuviera allí el 2 de febrero de 1990 y tener la aparición mensual. Una gran multitud rezaba el rosario en la iglesia mientras yo esperaba a Nuestra Señora en una capilla contigua. Cuando apareció habló de cosas serias y el padre Milan me dijo luego que me había balanceado hacia atrás varias veces, como si un gran viento me empujara. Sin embargo, yo no recuerdo que me moviera.

Nuestra Señora me dio un mensaje para el mundo y cuando la aparición terminó, repetí sus palabras al padre Milan en croata y él las leyó en inglés.

En su mensaje, Nuestra Señora explicaba que quería mostrarnos el camino para la vida eterna y que nos pedía ser buenos ejemplos para aquellos que no creen. «No tendréis felicidad en esta tierra», dijo, «ni tampoco vendréis al Cielo si no tenéis un corazón puro y humilde, y si no cumplís los mandamientos de Dios». También nos pidió que aceptáramos nuestros sufrimientos con paciencia, añadiendo: «Debéis recordar con cuanta paciencia Jesús sufrió por vosotros. Dejadme que sea vuestra Madre y vuestra conexión con Dios, para la Vida Eterna. No impongáis vuestra fe a aquellos que no creen. Mostrádsela con vuestro ejemplo y rezad por ellos, hijos míos».

Expliqué al padre Milan que Nuestra Señora se refería al sacramento de la confesión cuando nos pide que «reconciliemos y purifiquemos» nuestras almas. El padre Milan transmitió mis palabras a la multitud y, al poco tiempo, estaba inundado de peticiones para confesarse.

Marko y yo volvimos a casa, a Medjugorje, el 5 de febrero. Nuestra visita a Portland fue el primero de muchos otros viajes a los Estados Unidos y a otros lugares lejanos del mundo. Sabiendo cómo Nuestra Señora lloraba por todos los que en el mundo no habían conocido el amor de Dios, estaba deseosa de compartir el mensaje de Medjugorje con el mayor número de personas posible. Y era emotivo ver los frutos de Medjugorje en tantos lugares alrededor del mundo.

Experimenté mi siguiente aparición anual el 18 de marzo de 1990. Ese mismo día la Alemania del Este comunista tuvo sus primeras y únicas elecciones libres en la historia. Un partido llamado la Unión Demócrata Cristiana subió al poder e inmediatamente buscó la reunificación con Alemania Occidental. El Muro de Berlín había caído sólo algunos meses antes, una conmovedora imagen para cualquiera que sufría bajo el comunismo, incluida la gente de Yugoslavia.

Por esa época empecé de nuevo a sentirme extraña. Sin embargo, esta vez era diferente. De repente me sentía cansada todo el día. Mi humor podía cambiar en un instante sin ningún motivo. Me sobrevenían ataques repentinos de náusea que desaparecían igual de rápido que llegaban. Y, lo más extraño de todo, desarrollé un antojo insaciable por ćevapi, un plato de carne picada a la parrilla que era popular en Sarajevo, pero que era imposible de encontrar en Medjugorje en aquel tiempo.

Cuando le dije a mi madre cómo me sentía, gritó de alegría: «¡Es maravilloso!».

Estaba asombrada. «¿Cómo puedes decir eso? ¡Me siento fatal!».

Se rio. «Mirjana, ¡estás embarazada!».

Estaba en lo cierto. Cuando se lo dije a Marko, se iluminaron sus ojos y me abrazó. «¡Vamos a tener un bebé!», decía una y otra vez. En los siguientes nueve meses, me trataba como una muñeca delicada y me regañaba cuando intentaba hacer muchas cosas. Incluso una tarde condujo todo el camino hasta Mostar para una emergencia ćevapi.

Marko y yo nunca hablamos sobre los posibles nombres para el bebé porque ya sabía lo que iba a ser. Incluso antes de casarnos, tuve un sueño clarísimo en el cual daba a luz a una niña y le ponía el nombre de Marija, el nombre croata para María. Pero durante mi embarazo, desde las abuelas hasta los doctores me decían que iba a ser un niño. Cada vez que escuchaba a alguien que me lo decía, sentía como si me dieran una bofetada en la cara.

Tiene que ser una niña, pensaba. *Tiene que ser Marija.*

Estar embarazada en Herzegovina, donde los cuentos de las viejas se toman en serio, requiere una paciencia extrema. Un cuento dice que si la madre embarazada tiene un antojo por algo rojo, como cerezas o vino, y toca su piel, entonces su antojo se quedará grabado para siempre en el bebé como una marca de nacimiento. Sabía que era un cuento, pero me descubrí poniendo mis manos a un lado cada vez que pensaba en fresas, y eso era a menudo.

Mi familia nos visitó en los días cercanos a la fecha del parto. Cuando mi padre me vio con mi gran vientre de embarazada, rompió a llorar con una mezcla de sonrisas y sollozos. Me abrazó con cuidado como para no tocar mi estómago. «Voy a ser abuelo», dijo gimoteando.

Miro, que tenía dieciséis años y era ya tan alto como nuestro padre, dijo que estaba deseando ser tío. También él estaba seguro de que el bebé era un niño y tenía todo tipo de planes para enseñarle cosas de chicos. Era tan extraño para mí pensar que Miro iba a ser tío, como lo era pensar que mi padre iba a ser abuelo. Parecía que había pasado poco tiempo desde que vi a mis padres que traían a Miro del hospital a casa cuando nació.

Marija Soldo vino al mundo el 9 de diciembre de 1990 con la cabeza llena de pelo. Marko y yo ya habíamos sido testigos de muchos milagros en nuestras vidas, pero nada comparado con el nacimiento de nuestra hija. Llevamos a Marija a casa y asumimos nuestros nuevos papeles de madre y padre. Nuestras vidas estaban plenas y saboreamos cada acontecimiento, desde su primera sonrisa hasta sus primeros dientes.

Nuestra casa estaba llena de paz, aunque por desgracia, el resto del país no.

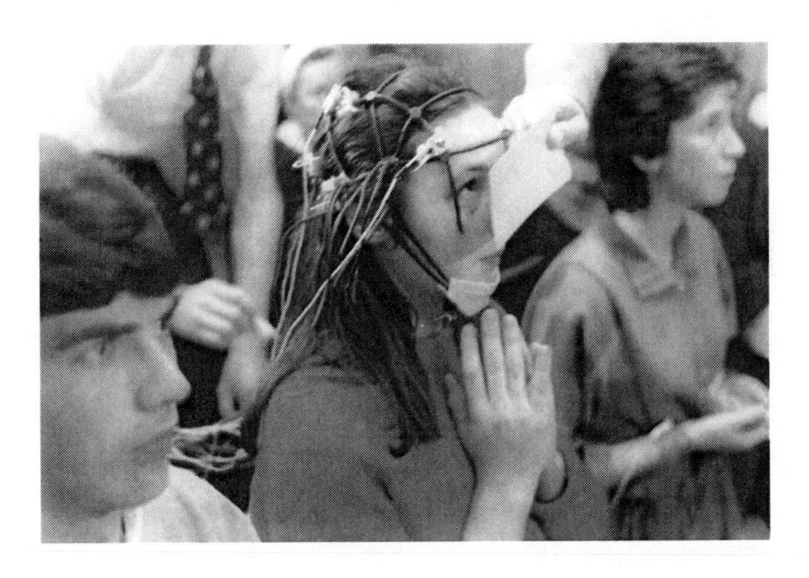

Doctores y científicos vinieron de todas partes del mundo para estudiarnos a nosotros seis. Aquí, Ivanka está sometida a una prueba científica durante la aparición.

CAPÍTULO XXIII

«Cuando te confrontas con un abismo de mal, la única respuesta es un abismo de amor».

(Del Papa San Juan Pablo II)

MARÍA ES LA Madre de la Iglesia, por lo que, cuando aparece en la tierra, como ha hecho a lo largo de los siglos, el Vaticano toma nota e investiga.

Nuestra hija, Marija, nació en la fiesta de uno de los primeros videntes. En 1531, Juan Diego tuvo una serie de apariciones en una colina de México. Nuestra Señora de Guadalupe, como es conocida, se proclamó a sí misma «la Madre del verdadero Dios que da la vida» y dejó su imagen en la tilma[1] de Juan Diego. Cuando el obispo local vio la milagrosa imagen, que representaba a la Virgen coronada con doce estrellas, vestida de sol y con la luna bajo sus pies como está descrita en el libro del *Apocalipsis*, construyó una iglesia en su honor. Como resultado de las apariciones, millones de nativos se convirtieron al cristianismo.

En 1555, veintitrés años después de la quinta y última aparición, la Iglesia aprobó las visiones de Juan Diego. El Vaticano ha estado estudiando nuestras apariciones desde el principio. La comisión más reciente, establecida por el Papa Benedicto XVI en 2010, completó su investigación en 2014, bajo el Papa Francisco. Pero nunca me he preocupado por la aprobación del Vaticano porque sé lo que veo. Confío en el plan de Dios y he depositado todo en las manos de Nuestra Señora. Simplemente me centro en mi misión.

Como dijo el padre Slavko una vez: «Con el tiempo sucederá, silenciosamente como la primavera, y Medjugorje será aceptada».

Mientras tanto el plan de Nuestra Señora continua desplegándose.

Es importante para la Iglesia ser cauta, pues muchas supuestas apariciones resultaron ser falsas. Nuestra Señora nos advirtió que hay falsas apariciones en el mundo y que la gente tiene que tener cuidado para que no la engañen. Algunos supuestos videntes han venido incluso a hablar conmigo. Siempre me he preguntado por qué querían contarme sus experiencias. Si en verdad habían visto a Nuestra Señora, ¿Qué más necesitaban? A veces podía asegurar que estaban mintiendo, pero no me enfrenté a ellos. En cambio, recé para que se dieran cuenta que estaban cometiendo un pecado grave. Sus supuestos mensajes, muchos de los cuales predecían calamidades y un futuro terrible, claramente no eran de Nuestra Señora.

Jesús, en el Evangelio de San Mateo (7, 15-16) dice: «Cuidado con los falsos profetas; se acercan con piel de oveja, pero por dentro son lobos rapaces. Por sus frutos los conoceréis».

Cuando los peregrinos me preguntan sobre estos «videntes», les digo que nunca confíen en alguien que difunda el miedo, porque la fe que viene del miedo no es verdadera fe, y que Nuestra Señora no quiere que la gente ame por miedo.

El 2 de agosto de 2006 Nuestra Señora dijo: «El camino a la paz lleva exclusiva y únicamente a través del amor».

Muchas apariciones históricas culminaron en algún tipo de señal dejada para el mundo. Guadalupe tuvo la imagen en la *tilma*. En Lourdes surgió una fuente milagrosa. En Fátima hubo el Milagro del Sol. Y en Medjugorje, Nuestra Señora prometió dejar una señal permanente.

Desde el principio de las apariciones, los católicos del mundo insistieron para que la Iglesia diera una respuesta definitiva sobre Medjugorje. El 11 de abril de 1991, la Conferencia Episcopal Yugoslava emitió, por fin, un comunicado con las conclusiones de la comisión formada para investigar Medjugorje. Los obispos dejaron la decisión acerca del carácter sobrenatural de las apariciones abierta a futuras investigaciones, pero establecieron claramente que la gente podía seguir visitando Medjugorje. Incluso establecieron una comisión litúrgica y pastoral para ayudar a guiar la parroquia en su atención a los peregrinos.

Después de años de ser sometidos a hipnosis, pinchazos de agujas, monitores varios, detectores de mentiras e incluso a miles de preguntas psiquiátricas en un solo día, varios equipos médicos y cientícos establecieron que distintos hechos inexplicables nos sucedían al principio de cada éxtasis. Nuestros ojos se dirigían al mismo punto simultáneamente y el movimiento del ojo cesaba. Cuando hablábamos con Nuestra Señora, nuestras laringes se detenían y no se detectaba ningún sonido, pero otros aspectos del habla permanecían intactos. Y éramos prácticamente inmunes a cualquier tipo de sonido alto que explotara en nuestro oído o a luces brillantes ante nuestros ojos.

Un neuropsicólogo describió a aquellos de nosotros que examinó como «parcial y significativamente desconectados del mundo exterior» durante nuestros éxtasis y «totalmente normales, relajados, bien integrados y felices» cuando no teníamos una aparición.

Otro médico, que había sido escéptico cuando oyó hablar por primera vez sobre las apariciones, concluyó en su informe que el fenómeno era «científicamente inexplicable». No encontró elementos de engaño o alucinaciones, y añadió: «Ninguna disciplina científica parece poder explicar estos fenómenos. Estaríamos dispuestos a definirlos como un estado de oración intensa y activa, parcialmente desconectada del mundo exterior, un estado de contemplación de una persona diferente que sólo ellos pueden ver, oír y tocar».

Desde luego, no necesitaba a un médico para que me dijera lo que estaba experimentando, o para tranquilizarme diciéndome que estaba sana y era honesta, pero entendí que los exámenes médicos eran importantes para otros.

Aunque el obispo de Mostar seguía expresando sus dudas acerca de nuestras apariciones, algunos miembros de la Conferencia Episcopal expresaron públicamente su apoyo a Medjugorje. El cardenal Franjo Kuharic, Arzobispo de Zagreb, describió las conclusiones de la comisión en una declaración. «Nosotros obispos», decía, «tras tres años de estudio por parte de la comisión, aceptamos Medjugorje como un lugar santo, como un santuario. Esto significa que no tenemos nada en contra si alguien venera a la Madre de Dios de un modo que esté conforme a las enseñanzas y creencias de la Iglesia.Sin embargo, se realizarán posteriores estudios. La Iglesia no tienen prisa».

Pero mientras el informe de la Iglesia abría las puertas a más peregrinos, el creciente conflicto en Yugoslavia las cerró. Miembros de la comisión para la nueva liturgia y la pastoral habían planificado reunirse por primera vez con el personal de la parroquia de Medjugorje el 27 de junio de 1991, pero este encuentro nunca tuvo lugar porque Croacia y Eslovenia proclamaron su independencia de Yugoslavia el 25 de junio de 1991, en el décimo aniversario de las apariciones de Nuestra Señora. Marcó el inicio de un periodo oscuro para la región.

A principios de ese año, el 18 de marzo de 1991, Nuestra Señora había aludido a las dificultades que nos esperaban cuando apareció a las siete y media de la tarde para mi aparición anual. Yo estaba en Medjugorje y había mucha gente presente.

Durante la aparición, me dio un mensaje para compartir con el mundo. Nos pidió que rezáramos para que «*fuéramos capaces de difundir la paz y el amor al prójimo, porque esto es más necesario que nunca para vosotros en este tiempo de lucha con Satanás*». Añadió: «*Sólo mediante la oración expulsaréis a Satanás y al mal que él trae consigo*».

Mientras ascendía al Cielo, vi a tres ángeles esperándola, algo que sólo había visto una vez antes, en agosto de 1981. Fue una aparición sorprendente y no sólo a causa de los ángeles: con Yugoslavia al borde de una guerra, sus palabras sobre la batalla contra el diablo parecían desconcertantemente proféticas.

No era la primera vez que nuestra parte del mundo se enfrentaba a una guerra.

Desde los primeros tiempos de la civilización, la región que rodea Medjugorje ha sido una encrucijada de civilizaciones. Antes que los eslavos se asentaran, procedentes del norte, en el siglo VII, esta tierra había sido el hogar de los Ilirios, los Griegos, los Romanos y otras tribus y pueblos. Antiguas ruinas, acueductos romanos y tumbas medievales llamadas *stećci* conforman el paisaje.

Tras la caída del Imperio Romano, la Península Balcánica se dividió aproximadamente en lo que hoy es la frontera entre Bosnia y Serbia. La parte occidental mantuvo sus raíces católicas romanas, mientras que la parte oriental mantuvo su fe ortodoxa bizantina. Posteriormente, en el siglo XV, el Imperio Otomano conquistó la región e introdujo el islam en esta mezcla. Cuando los cinco siglos de ocupación turca llegaron a su fin, fue reemplazado por el Imperio Austrohúngaro.

De toda esta mezcla surgieron nacionalidades distintas: croatas y eslovenos, que eran católicos romanos; serbios, que eran cristianos ortodoxos; y musulmanes, ahora llamados bosnios. A estos se añaden los montenegrinos y los macedonios. En conjunto, la gente de la zona es llamada eslavos del sur.

El Imperio Austrohúngaro gobernó la mayor parte de la región hasta la Primera Guerra Mundial, tras lo cual los eslavos del sur se unieron en lo que se conoce como el Reino de Yugoslavia. Pero las luchas de poder entre los distintos grupos étnicos dieron como resultado una serie de conflictos que se intensificaron severamente cuando empezó la Segunda Guerra Mundial. El bombardeo de Belgrado en 1941 por parte de Hitler, seguido por la invasión por tierra de Alemania, acabó con la rendición de Yugoslavia.

Un grupo de la resistencia bajo las órdenes de Josip Broz Tito, que quería convertir a Yugoslavia en un estado comunista, luchó contra los nazis. Al final, los partisanos de Tito vencieron y establecieron la República Federal Socialista de Yugoslavia, una federación comunista formada por seis repúblicas: Eslovenia, Croacia, Bosnia-Herzegovina, Serbia, Montenegro y Macedonia. Tito se autodenominó presidente del país y comandante supremo del ejército.

Consciente del desafío que planteaba la diversidad de Yugoslavia, Tito dijo: «Soy el líder de una país con dos alfabetos, tres idiomas, cuatro religiones, cinco nacionalidades, seis repúblicas, rodeado de siete países vecinos, un país en el que viven ocho minorías étnicas».

Mientras la república de Croacia estaba poblada principalmente por croatas y Serbia por serbios, la república de BosniaHerzegovina, en la que están situadas Sarajevo y Medjugorje, tienen una amplia población formada por musulmanes, croatas y serbios. En muchas ciudades hay mezquitas, iglesias católicas e iglesias ortodoxas, todas a poca distancia las unas de las otras.

El objetivo declarado de Tito era unir a los eslavos del Sur, pero su gobierno comunista era más represivo que unificador. Tras la muerte de Tito en 1980, los comunistas que le sucedieron tenían miedo de perder su control sobre la gente, y la gente tenía miedo de que el gobierno les persiguiera aún más. Siguió un periodo de revueltas y crisis económica.

Nuestra Señora empezó a aparecer un año después de la muerte de Tito, forjando un lugar de oración en una región que alguien había llamado *el polvorín del mundo*, en la encrucijada entre Este y Oeste, Cristiandad e Islam, comunismo y libertad. Las apariciones ciertamente tuvieron un efecto sobre el régimen.

Una gran parte del país abrazó los mensajes de Nuestra Señora y ciudadanos de toda Yugoslavia desobedecieron al gobierno y visitaron Medjugorje. Se sabe incluso de oficiales comunistas que se convirtieron y abandonaron el partido.

«El comunismo cae», dijo el padre Tomislav Pervan. «Ha sido conquistado con las oraciones, no con las armas o los tanques».

En 1990 los comunistas perdieron el poder en las primeras elecciones democráticas del país, excepto en Serbia y Montenegro, donde el presidente del Partido Comunista Serbio, Slobodan Milošević, y sus aliados ganaron. El comunismo estaba oficialmente muerto en Yugoslavia, pero no tuvimos oportunidad de alegrarnos. En su búsqueda del poder, Milošević cambió el comunismo por el nacionalismo serbio, ganando el control sobre el ejército yugoslavo y conspirando para transformar la mayor parte de la región en la «Gran Serbia», que incluiría toda Bosnia-Herzegovina y una gran parte de Croacia. Amenazó con «batallas armadas», lo que no era una amenaza superficial: dos días después de que Croacia y Eslovenia declararan su independencia, la armada yugoslava las invadió.

Recuerdo una de mis primeras apariciones en Sarajevo, cuando el padre Petar me pidió que le transmitiera una pregunta a Nuestra Señora. «Pregúntale si Croacia en algún momento será libre».

En ese momento no entendí sobre qué estaba hablando, pero transmití la pregunta.

«*Sí*», respondió ella, «*pero sólo después de mucho sufrimiento y dolor*». Entonces no le di mucha importancia, pero en 1990 tenía mucho significado.

El periodo que llevó a la guerra fue extraño. Un número de hombres y niños de la región, que habían sido llamados a enrolarse en el ejército yugoslavo, abandonaron el país porque no querían ser obligados a disparar a su propia gente. Tanques y vehículos acorazados desfilaban por el país. El ejército yugoslavo atacó Eslovenia primero, pero se retiró diez días después y dirigió su mirada a una presa más grande: Croacia.

En septiembre de 1991, Marko y yo decidimos llevar a nuestra hija Marija, que entonces tenía nueve meses, a visitar a nuestro amigo Antonio Cassano en su casa de Montemelino, Italia. BosniaHerzegovina estaba relativamente en paz, pero mientras viajábamos hacia la costa adriática de Croacia para coger el ferry a Italia, empezamos a ver unidades del ejército yugoslavo atrincheradas en las colinas a lo largo de la frontera croata.

«Esto no tiene buena pinta», dijo Marko.

Llegamos al ferry sin ningún problema, pero mientras el barco salía del puerto de Split, en Croacia, oímos que había barcos de guerra de la Armada yugoslava acechando en la costa. A la mañana siguiente, cuando llegamos a Ancona, la tripulación nos dijo que habíamos tenido la suerte, o no, de que nuestra travesía hubiera sido la última. La situación en Croacia era demasiado peligrosa para que la compañía del ferry corriera más riesgos.

Marko y yo nos quedamos de piedra. Estábamos desamparados en Italia con un bebé y una única maleta para los tres.

Como estaba programado, fuimos a ver a Antonio. Cuando le explicamos nuestra situación, dijo: «Mi casa es vuestra casa. No os preocupéis por nada. Quedaos todo el tiempo que necesitéis».

Estábamos agradecidos por su hospitalidad, pero no queríamos ser una carga para él demasiado tiempo. Antonio, que entonces estaba en la cincuentena, no estaba casado y vivía en una gran casa de piedra. Después de tantos años se había acostumbrado a vivir en soledad y en nuestros primeros días allí me sentía fatal cada vez que Marija lloraba por la noche u organizaba un lío con la comida.

Marko y yo pensamos en emprender la larga vuelta a casa en coche, pasando por Venecia, Eslovenia, el sur de Croacia y BosniaHerzegovina, pero al poco tiempo de nuestra llegada, la armada yugoslava desencadenó su furia en Croacia. Conducir a través de una zona de guerra no era una opción, sobre todo no con Marija, y estábamos horrorizados por lo que veíamos en las noticias. La ciudad de Vukovar fue asediada y destruida. Los aviones yugoslavos bombardearon los edificios gubernamentales de Zagreb. El fuego de artillería arrasó la ciudad vieja de Sarajevo, Patrimonio Cultural de la Unesco. En algunos lugares los civiles eran asesinados y enterrados en fosas comunes.

Marko y yo nos sentíamos impotentes viendo la destrucción de Croacia desde tan lejos, pero no podíamos quedarnos sentados y mirar. Empezamos a buscar ayuda y a enviarla a Croacia. Empezó a pequeña escala: una bolsa de material médico un día, una caja de ropa otro, pero a medida que se difundía lo que estábamos haciendo, las donaciones aumentaron rápidamente. Antonio nos dio permiso para usar su casa como almacén de material. Los italianos respondieron con generosidad, a veces enviando camiones enteros de material a casa de Antonio. Cuando la gente llegaba de lugares lejanos de Italia para donar material, Antonio les ofrecía comida y alojamiento y les daba las gracias en nombre del pueblo croata.

En contraste con la intranquilidad que se vivía en nuestro hogar, Montemelino, situado en lo alto de una colina, era un refugio tranquilo. La casa de Antonio se asomaba sobre las colinas de Umbria, un amplio mosaico de viñedos, pastos, olivares y bosques. A Marko y a mí nos gustaba llevar de paseo a Marija por la tarde para respirar el aire fresco del campo. Íbamos a misa al cercano *Santuario della Madonna di Lourdes*, la primera iglesia en Italia dedicada a Nuestra Señora de Lourdes. El sencillo exterior de esta iglesia de hace un siglo era nada comparado con su opulento y acogedor interior. El arqueado techo azul estaba salpicado de estrellas doradas. Pinturas representando a Jesús, la Virgen y los santos se alineaban en las columnas y las paredes.

El rasgo más sorprendente del santuario era su réplica de la gruta de Lourdes. Una estatua de Nuestra Señora nos miraba desde el nicho sobre la cueva, y la luz de su corona de estrellas se mezclaba con el titilar de las velas que iluminaban la gruta. Cuando rezaba allí, sentía la irresistible presencia de Nuestra Señora y un vínculo con la vidente Bernadette, cuya imagen colgaba de la pared. Me preguntaba si Bernadette había luchado con sentimientos de indignidad como yohacía.

Tres veces al día mañana, tarde y noche, las campanas de la iglesia tocaban la melodía *Madre Inmaculada*, el himno que se canta durante la procesión nocturna en Lourdes, Francia. La podía oír claramente desde la casa de Antonio y la tatareaba.

Inmaculada María, tus alabanzas cantamos. Tú reinas ahora en el Cielo con Jesús nuestro Rey.

Ave, Ave, Ave, María...

En el Cielo los bienaventurados tu gloria proclaman; en la tierra tus hijos invocan tu dulce nombre.

Ave, Ave, Ave, María...

Rezamos por nuestra Madre, la Iglesia sobre la tierra, y bendecimos, Santa María, la tierra de nuestro nacimiento.

Ave, Ave, Ave, María...

El último verso era especialmente adecuado, pues la *tierra de mi nacimiento* necesitaba ayuda desesperadamente de arriba.

Por suerte, las mal equipadas fuerzas croatas consiguieron ganar terreno a la poderosa armada yugoslava. En enero de 1992 se anunció el cese de hostilidades. Pero, al mismo tiempo, las tensiones aumentaban en BosniaHerzegovina. Llegaron a un punto de ebullición a finales de febrero, cuando el Parlamento bosnio declaró la independencia. Croatas y musulmanes estaban a favor de la decisión, pero los serbios querían seguir formando parte de Yugoslavia, y recibieron el apoyo del ejército yugoslavo.

A medida que pasaba el tiempo mi madre ansiaba venirnos a ver, sobre todo a su nieta. Finalmente pudo tomar un vuelo de Belgrado a Roma. Antonio le dejó una habitación al lado de la nuestra. Fue maravilloso tenerla con nosotros.

Mi padre y mi hermano se quedaron en nuestro apartamento de Sarajevo. Como las condiciones en Yugoslavia empeoraban les insté a quedarse allí, pensando que estarían a salvo. Después de todo, ¿quién dispararía a quién? Al crecer había visto a los miembros de las tres etnias viviendo como amigos y vecinos en la ciudad sin ningún problema.

Por desgracia, los tiempos habían cambiado.

Mis queridos amigos el Dr. Vittorio Trancanelli y su hija Alessandra.

CAPÍTULO XXIV

«Mis ojos y mi corazón estarán aquí, aun cuando no aparezca más».
(Del mensaje de Nuestra Señora del 18 de marzo de 1996)

LA PALABRA *MEDJUGORJE* significa entre las colinas, una referencia obvia a la Colina de las Apariciones y a la Montaña de la Cruz, contiguas a la parroquia. Pero en un sentido figurado, Medjugorje estuvo también situado entre las mayores montañas ideológicas del mundo. En la primera parte de 1992, estas montañas parecían estar a punto de colisionar unas contra otras.

Ante la amenaza de guerra inminente en Bosnia-Herzegovina, sentí la urgencia de poner los mensajes de Nuestra Señora en práctica más allá de lo que podía hacer sola. Durante la guerra, repetidamente nos invitó a rezar por la paz, así que le pedí a Antonio que me ayudara a empezar un grupo de oración.

Él estaba entusiasmado con la idea e invitó a todos los que conocía a venir y orar con nosotros cada miércoles a las 11 de la mañana. Transformó una sala de su casa en un santuario de oración con una pequeña estatua blanca de Nuestra Señora. En el primer encuentro esperábamos la presencia de unas pocas personas, por lo que nos quedamos sorprendidos cuando la sala se llenó rápidamente con unas cuarenta personas. Los que llegaron tarde tuvieron que rezar fuera.

Nuestra misión era rezar por aquellos que todavía no habían conocido el amor de Dios. Siempre rezábamos el rosario y leíamos versículos de la Biblia. Muchos de los que venían a rezar con nosotros habían seguido los mensajes de Nuestra Señora desde el principio. De manera particular me quedé impresionada por el Doctor Vittorio Trancanelli, un cirujano de la localidad, con sus cuarenta y tantos años, y su mujer, Rosalía, conocida como Lia.

Con su corazón bondadoso y su profunda fe, Vittorio proporcionaba asistencia médica gratuita a todos los necesitados. Poca gente sabía que también él sufría de problemas médicos serios porque nunca se quejaba ni dejaba que eso interfiriera con lo que él consideraba como su misión. Lia y él tenían un hijo biológico llamado Diego, pero, además, en su casa aceptaban a muchos niños de acogida y comenzaron una comunidad para mujeres con problemas que necesitaban un lugar libre y seguro para vivir. Incluso adoptaron una preciosa niña con síndrome de Down, Alessandra, después de que muriera su madre.

Me sentí unida a Alessandra apenas la conocí; nunca había visto a un niño tan lleno de amor y tan incondicionalmente feliz. Tenía también una fe profunda y, según parece, inherente. Cuando le dije que Nuestra Señora me había pedido rezar por los no creyentes, prometió unirse a mí en la misión. Incluso memorizó cómo decir las oraciones del *Padre Nuestro*, *Ave María* y *Gloria* en croata.

Viviendo tan cerca de Asís, Vittorio y Lia tenían una gran devoción a San Francisco y Santa Clara. Alessandra, de forma natural, compartía su gran entusiasmo; tanto que, de hecho, un día desapareció y cuando por fin la encontramos en el baño, se había cortado el pelo lo más corto posible para parecerse a Santa Clara.

Lia solía decirme: «Cuando baño a Alessandra, siento como si estuviera bañando a Jesús. Ella me llena de amor y fortalece mi fe».

El 18 de marzo de 1992, Vittorio, Lia, Alessandra y el resto de nuestro grupo de oración se reunió en casa de Antonio para acompañarme en mi aparición anual. Un equipo de una televisión italiana vino a grabar el acontecimiento. Con toda la incertidumbre que provoca el estar en exilio durante seis meses, cada encuentro con la Bienaventurada Madre me daba fuerzas y esperanza.

Alessandra se arrodilló a mi lado y juntó las manos exactamente como las mías mientras rezaba y esperaba. Nuestra Señora apareció de repente sobre la 1:50 de la tarde. Ella y yo rezamos el *Padre Nuestro* juntas tres veces, una por los enfermos, otra por aquellos que todavía no conocen el amor de Dios y otra por todos los presents, y luego recé la *Salve Regina* en su honor.

Me dio un mensaje para compartir con todos. «Queridos hijos», dijo de modo suplicante, «necesito vuestras oraciones ahora más que nunca. Os suplico que cojáis el rosario en vuestras manos ahora más que nunca. Agarradlo fuerte y rezad con todo vuestro corazón en estos tiempos difíciles. Gracias porque sois muchos los que os habéis reunido y porque habéis respondido a mi llamada».

«Sí», dije, «lo haremos, Madre».

Después de que se hubo ido, garabateé sus palabras en un trozo de papel y, al cabo de un rato, pude ponerme de pie delante de la gente. Eché un vistazo a todas las caras impacientes y leí en voz alta el mensaje en italiano. Cuando me acercaba al final, sin embargo, me quedé sin palabras al recordar la preocupación en el rostro de Nuestra Señora.

«No puedo seguir adelante», dije. «Lo siento».

Un rato más tarde, el equipo de televisión me entrevistó en un campo de hierba al lado de la casa de Antonio. «¿Por qué no has podido acabar de leer el mensaje?», preguntó el entrevistador. «¿De qué se trataba?».

«Cuando le dije a Nuestra Señora que rezaríamos», contesté, «tengo la idea de que ella es como un piloto que nos quiere llevar a todos arriba, a los cielos. Viene a mostrarnos la ruta que debemos tomar para llegar allí. Yo respondo en nombre de todos, 'Sí, lo haremos, Madre'. Las palabras simplemente salieron de mi corazón; las dije porque no puedo hacer de otra manera».

«La invitación a rezar por la paz se repite muchas veces. ¿Te pide la Virgen que reces por la paz en Yugoslavia o por otro conficto enmarcha?»

«Cuando Nuestra Señora vino a Medjugorje hace once años, se presentó a sí misma como la Reina de la Paz. Eso era un poco extraño para nosotros porque ya vivíamos en paz, como aquí en Italia, pero ahora sabemos por qué. Hemos rezado por la paz sólo un poco, no de modo distinto a cuando rezamos por algo más. Pero no creo que Nuestra Señora quiera de nosotros que recemos por la paz sólo en Yugoslavia. Quiere que recemos por la paz en la tierra. Para ella, Yugoslavia, Alemania, Italia y todos los otros países no existen. Desde su perspectiva, todos somos sus hijos en el mismo planeta, por lo tanto, debemos rezar por la paz en el mundo entero».

«Para nuestros espectadores que no entienden, ¿cómo puede uno orar?»

«Una oración sólo necesita que se haga con el corazón. Es sencillo. No debemos pensar que Nuestra Señora quiere de nosotros lo que no podemos hacer o no sabemos cómo hacer. Primero, debemos sentir a Dios como nuestro padre que siempre está cerca de nosotros y que nos ama. Sólo cuando nos sentimos así podemos orar. Debemos comenzar cada día con una oración, antes de ir a estudiar, a trabajar, lo que sea. Los padres deben orar con sus hijos. Pide la ayuda de Dios durante todo el día y agradécele cada pequeña bendición que recibes. Todo viene de Dios».

«Así que descubrir la fe es una gran victoria. Se puede simplemente decir un Ave María y tener fe. ¿En qué momento podemos decir con claridad que temenos fe?».

«Cuando sentimos en nuestros corazones que amamo a Dios más que a nada o a nadie en este planeta. Entonces es cuando podemos decir que tenemos fe. Y cuando hacemos todo lo que Nuestra Señora nos invita a hacer cuando rezamos el rosario, cuando vamos a la Santa Misa, cuando confesamos nuestros pecados cada mes, cuando ayunamos los miércoles y los viernes. Entonces, podemos decir que tenemosfe».

Como respuesta a sumensaje, nuestro grupo de oración se reunió para rezar el rosario justo después de la aparición. Ese mismo día en Lisboa, Portugal, no muy lejos de Fátima, los tres líderes representantes de los musulmanes, croatas y serbios de Bosnia-Herzegovina se encontraron y firmaron un acuerdo de paz Algunos esperaban que el acuerdo previniera una guerra por la división del país en etnias. Pero diez días después el acuerdo se rompió.

La armada serbio bosnia, apoyada por Milošević y la armada yugoslava, movilizó sus tropas para asegurar el territorio por toda Bosnia-Herzegovina. Parecía que su meta era causar el mayor sufrimiento posible. Los horrores eran inimaginables. El genocidio y las violaciones sistemáticas se generalizaron.

Empezamos a enviar las ayudas a Bosnia-Herzegovina, pero cuando las noticias italianas relataron que los serbios estaban rodeando Sarajevo, me asusté y no pude hacer nada. ¿Por qué les había dicho a mi padre y a mi hermano que se quedaran? Las fuerzas serbias, en su afán de destruir la armada musulmana, que tenía una fuerte presencia en Sarajevo, lanzaron bombas y misiles sobre la ciudad desde sus posiciones en las colinas que rodean la ciudad.

Llamé a nuestro apartamento de Sarajevo, pero la llamada no entró. Me imaginé lo peor. Pasé las siguientes tres horas caminando de un lado a otro, orando y llamando. Finalmente mi padre contestó.

Interferencias amortiguaban su voz. «¿Hola?», dijo. Su voz sonaba sin aliento.

«¡Oh, papá!», dije, y empecé a llorar. «He visto las noticias. Lo siento».

«No te preocupes en absoluto», contestó. «Nadie podia saberlo. Miro y yo estaremos bien».

Una serie de fuertes explosiones ahogaron la voz de mi padre.

«¿Papá? ¿Qué es eso?».

«Mirjana, tenemos que refugiarnos. Te quiero». Y colgó.

Sentí que no podía respirar. Miré a la pequeña Marija y me preguntaba si vería de nuevo a su abuelo y a su tío.

A medida que pasaban los días, veía la destrucción de Sarajevo en el telediario. No podía creer lo que estaba pasando en mi ciudad. Cada vez que veía un cuerpo tirado por la calle, rezaba para que no fuera mi padre o mi hermano. Casi no tenía fuerzas para abrazar a Marija, pero mi madre se mantuvo sorprendentemente tranquila; reía y jugaba con Marija, y nos aydaba a cuidarla. Por la noche, sin embargo, oía que mi madre escuchaba en su habitación los informes radiofónicos de las noticias de Sarajevo, y a veces la oía llorar. Sufría en silencio, como siempre había hecho.

Continué llamando a nuestro apartamento cada día, pero las llamadas entraban sólo de ven en cuando. Cuando lo lograba, podía oír las bombas y los disparos de fondo.

El edificio de nuestro apartamento estaba en el centro de la ciudad, donde tenían lugar las peores batallas entre las tropas musulmanas y las serbias. Una noche, una bomba alcanzó el exterior de nuestro apartamento, abriendo un gran agujero en la pared, pero por suerte, papá y Miro habían empezado a dormir en el hueco de la escalera, en el centro del edificio.

La siguiente vez que hablé por teléfono con mi hermano, noté que estaba exhausto. «Es terrible, Mirjana», dijo, «no puedo dormir».

Mi corazón sufría por él. «¿Por las bombas?», pregunté.

«No, ¡porque papá ronca muy fuerte! ¡Las bombas son silenciosas comparadas con él!».

Me reí, pero dentro de mí sabía que tenía que encontrar un modo para sacarlos de allí. Estarían mucho más seguros en Medjugorje; hasta ese momento, parecía estar a salvo de la guerra. Quería a Miro como si fuera mi propio hijo y me preocupaba que la armada serbia o musulmana le reclutara y le hiciera entrar en combate; la mayoría de los soldados de la guerra eran de su edad.

Mi padre me dijo que la armada musulmana había ido casi cada día a nuestro apartamento en busca de francotiradores serbios. Los soldados movían nuestros muebles y vaciaban nuestros armarios mientras buscaban, y Miro y papá lo volvían a poner todo en su sitio en cuanto se iban. Pero un día decidieron dejarlo tal cual.

Al día siguiente, cuando los soldados volvieron, uno de ellos miró el desorden y dijo: «Tíos, ¿por qué no ordenáis la casa un poco?».

Mi padre sonrió. «¡Porque sabemos que llegaréis de nuevo y destrozaréis nuestra limpieza!» Incluso en esos tiempos oscuros, papá nunca perdió su sentido del humor.

No pasó mucho tiempo hasta que él y Miro se quedaron sin comida. El asedio impedía que los suministros llegaran a la ciudad. De todas formas, era demasiado peligroso salir; los francotiradores mataban a cualquiera que, por desgracia, pasara delante de su punto de mira. El ayuno había enseñado a Miro y a papá cómo arreglárselas con poco, pero las punzadas del hambre pronto se hicieron sentir. Rezaron pidiendo ayuda.

Nuestra vecina, Paasha, que ahora era bastante mayor, un día vino a traer a mi padre comida enlatada. «Esto es para tu hijo y para ti», dijo.

«Gracias, Paasha», dijo mi padre, «pero no podemos coger tu comida».

«Tonterías. No te preocupes por mí. Miro sólo tiene diecisiete años y tiene que vivir».

Mi padre lo aceptó de mala gana, y Paasha continuó dándoles pequeñas cantidades de comida. Papá y Miro estaban agradecidos por su generosidad. Durante una guerra en la que parecía como si todos estuvieran en contra de todos, la bondad de Paasha brillaba en las tinieblas. Pero su sacrificio fue mayor de lo que mi padre y mi hermano supieron en ese momento: con pena supe, después, que Paasha había muerto de hambre durante la guerra.

En contraste con Sarajevo, en Italia había comida abundante, pero yo estaba siempre preocupada por lo que comerían mi padre y mi hermano. También me sentía culpable de comer cuando la gente en casa se moría de hambre. Perdí nueve kilos en pocos meses.

Como verdadero italiano, Antonio se preocupó seriamente cuando vio que apenas comía. Un día se sentó a hablar conmigo. «Quizá durante la próxima aparición debes pedir ayuda a Nuestra Señora», dijo. «¿No te ayudará?».

«Ella sabe», respondí. «Y no quiero ser desagradecida por el regalo de verla. ¿Cuánta personas están sufriendo en Sarajevo? Debo rezar como uno más».

Y mientras le miraba, de repente tuve una idea. «¡Ya sé! Rezaré a Antonio».

«¿Qué puedo hacer?».

Me reí. «Tú no. *San* Antonio. Nunca me ha fallado».

Mi devoción de toda la vida a San Antonio había ido creciendo desde que erapequeña.

Nacido en Lisboa, Portugal, en 1195, Antonio creció para llegar a ser un hermano franciscano. Admirado por su perspicaz predicación, usaba palabras sencillas para expresar verdades profundas, no como los mensajes de Nuestra Señora. Dijo una vez: «Lo que somos delante de Dios, eso somos y nada más».

Y, como la mayoría de los santos, tuvo una gran devoción hacia la Bienaventurada Madre. «María proporciona cobijo y fuerza para los pecadores», escribió.

Antonio consiguió su fama como el santo patrón de las personas y cosas perdidas después de que alguien le robara su libro de los Salmos en Bolonia. En aquel tiempo, los libros eran bastante escasos y de un valor incalculable, y él había escrito sus anotaciones y sermones en sus páginas. Antonio rezó para que pudiera encontrarlo, y sus oraciones fueron escuchadas cuando el ladrón arrepentido le devolvió el libro.

Antonio murió en Padua, Italia, el 13 de junio de 1231, y su fiesta se celebra cada año el mismo día en todo el mundo, incluso en el Santuario de San Antonio en Humac, a unos 13 km de Medjugorje. Los católicos de Herzegovina aman a San Antonio. Nosotros siempre decimos, bromeando, que es el único santo con el que puedes regatear.

Cada año en la vigilia de la fiesta de San Antonio, la gente que vivía en las inmediaciones de Humac salía de sus casas y caminaba toda la noche para llegar al santuario por la mañana. Hice la peregrinación con mis primos cuando era joven. Fuimos descalzos como penitencia extra y rezamos y cantamos himnos bajo las estrellas. No estaba acostumbrada a caminar tanto en Sarajevo siempre cogía el tren o el autobus y mis pies sangraban cuando llegamos al santuario. Pero estaba tan contenta de la peregrinación que no me di cuenta.

Miles de personas caminaron toda la noche y llenaron las calles de Humac al amanecer. Después de la misa en el santuario, recé la Corona de San Antonio mientras caminaba alrededor de su estatua en la iglesia, como hacían muchos otros peregrinos. Cuando terminé la oración sentí que mi peregrinación se había completado, y me reuní con todos en la calle para comer cordero asado. Sabiendo que habíamos hecho algo por Dios, estábamos llenos de alegría y libres de otras preocupaciones; pero no sabíamos cómo volveríamos a casa.

Con mi padre y mi hermano ahora atrapados en una situación aparentemente sin esperanza, me arrodillé y pedí a San Antonio que intercediera. «Hagamos un trato», recé. «Por favor, ayúdales a salir de ésta sanos y salvos. Si lo logran, rezaré tu corona cada día durante el resto de mi vida, y ayunaré en tu honor cada martes». Y luego añadí: «Pero si no salen, olvida todo esto».

No me había dado cuenta de lo adecuada que era la Corona de San Antonio para la situación de mi padre y de mi hermano hasta que la recé aquella noche. La corona es como un rosario que consiste en trece grupos de tres cuentas. En cada una de las tres cuentas, se reza un *Padre Nuestro*, *Ave María* y *Gloria*. Y por cada grupo de trece cuentas, se reza y medita sobre una intención específica relacionada con San Antonio:

«San Antonio, tú que resucitaste los muertos, reza por aquellos cristianos ahora en su agonía y por nuestros queridos difuntos».

«San Antonio, liberador de los cautivos, líbranos del cautiverio del mal».

«San Antonio, protegido por María, aparta los peligros que amenazan nuestro cuerpo y nuestra alma».

Días más tarde, el hermano menor de Marko, Stjepan, nos llamó. En aquel momento se estaba preparando para unirse a otros croatas para defender los pueblos cercanos. Antes de la guerra, la armada yugoslava confiscó todas las armas de la región, así que lo jóvenes estaban yendo al frente con nada más que pequeños rifles de caza y unas pocas balas y rosarios colgados en sus cuellos.

«Sé que te puede sonar extraño», me dijo Stjepan, y después se rió. «Bueno, quizá no lo será para *ti*. Un hombre de Austria llegó hace poco al pueblo diciendo que había tenido un sueño en el que el arcángel Gabriel le dijo que sacara de Sarajevo un autobús lleno de gente».

Sonaba extraño, pero ¿quién era yo para juzgar las visiones de otra persona? Quizá el viaje del autobús podía ser una respuesta a mis oraciones. Por otro lado, sabía que tendría que pasar por los peligrosos controles serbios para salir de la ciudad. ¿Y cómo se suponía que le diría a mi padre que cogiera un autobús con un desconocido que aseguraba recibir las órdenes de un ángel?

Cuando llamé a nuestro apartamento, la reacción inicial de mi padre fue la que esperaba. «¡Mirjana, eso sería como cometer un suicidio! Están matando a todos ahí afuera».

Pero mi hermano no estaba de acuerdo. «Yo voy», dijo. «No aguanto estar aquí más tiempo. Tengo hambre».

Mi padre no le podía dejar irse solo. «Si tú vas, yo voy».

Stjepan organizó todo para que el hombre austriaco se encontrara con ellos y en junio de 1992, cercano el día de la fiesta de San Antonio, Miro y papá se subieron, muy nerviosos, a un autobús con otras cincuenta personas de Sarajevo. Mientas el autobús recorría las calles desiertas y asoladas por la guerra de la que había sido nuestra hermosa ciudad, mi padre miraba a través de la ventanilla y lloró. Los edificios estaban en ruinas. Había escombros y cristales rotos esparcidos por las calles. Manchas de sangre empañaban las aceras.

«¿Qué han hecho?», se preguntó.

Cuando llegaron al límite de la ciudad, una unidad de la armada serbia obligó al autobús a detenerse en un control. Soldados canosos con barbas desaliñadas y armas automáticas se subieron al autobús. Miraron a cada pasajero con desconfianza y con una mirada penetrante de desprecio. Miro, temblando, escuchó un goteo y miró a su lado: los otros pasajeros estaban tan aterrados que uno de ellos había perdido el control de su vejiga.

Miro cerró sus ojos y rezó con todo su corazón. *Déjanos vivos. Líbranos del mal.* Cuando abrió sus ojos de nuevo, los soldados estaban saliendo del autobús. Momentos después, dejaron que el autobús pasara el control.

Justo en las afueras de Sarajevo, el autobús se detuvo en un pueblo donde una monjas sonrientes les esperaban para recibir a todos con comida y bebidas. Pero nadie probó bocado; en cambio, se sirvieron un trago de *rakija* y brindaron por la bondad de Dios. Casi no podían creer que habían salido vivos de Sarajevo.

Cuando papá y Miro llegaron a Medjugorje, mi madre valientemente dejó Italia y volvió allí tan pronto como le fue posible. Los chicos estaban demasiado delgados, dijo mi madre, pero estaba segura de que la comida casera les nutriría y les devolvería la salud. Aun así, la cocina de mi madre no pudo borrar sus recuerdos traumáticos de vivir en constante peligro. Una noche se desencadenó una violenta tormenta sobre Medjugorje mientras papá y Miro estaban durmiendo. Cuando el estampido del trueno les despertó sobresaltándoles, corrieron hacia el sótano y se refugiaron, pensando que estaban todavía en Sarajevo.

Al otro lado del Adriático, yo rezaba la Corona de San Antonio cada noche.

Durante la guerra, Medjugorje se convirtió en un centro de ayuda internacional y de ayuda humanitaria de las Naciones Unidas.

CAPÍTULO XXV

«Se pusieron a apedrear a Esteban, que repetía esta invocación: "Señor Jesús, recibe mi espíritu". Luego, cayendo de rodillas y clamando con voz potente, dijo: "Señor, no les tengas en cuenta este pecado"».

(Hechos de los Apóstoles 7, 59-60)

EN SEPTIEMBRE DE 1992, el cese de hostilidades en Croacia había traído una paz tensa y frágil, pero la guerra seguía asolando BosniaHerzegovina. A pesar del peligro, Marko y yo sentimos que teníamos que volver a Medjugorje. Me sentía mal por estar separada de nuestra familia y amigos. Supimos que un pequeño ferry zarpaba desde Italia en dirección a Croacia por una ruta más segura a través de las islas de Dalmacia. Después de orar por ello, decidimos volver a casa.

Sentía tristeza por dejar a Antonio. Marko y yo habíamos vivido con él durante un año y se había convertido en un hermano para nosotros. Esperaba que le gustara poder recuperar su soledad, por lo que me quedé sorprendida cuando vi lágrimas en sus ojos al darle la noticia de nuestra partida.

«Cuando llegasteis», dijo, «tengo que admitir que fue difícil tener de repente la casa llena. Rezaba cada noche a Dios para que me ayudara a acostumbrarme a vivir con una familia. Pero creo que recé demasiado bien, porque ahora pienso que no podré vivir sin vosotros tres».

«Siempre tendrás un lugar donde estar en Medjugorje», sonreí. «Somos tan ruidosos allí que te sentirás como en casa».

Mientras preparábamos nuestra partida, Antonio vino a decirnos: «Me voy con vosotros».

«¿Por qué harías algo así?», le pregunté.

«Os quiero tanto que no puedo dejaros ir solos».

Antonio se subió en el coche con nosotros y nos fuimos.

Volver a Croacia después de la travesía en ferry fue una experiencia estremecedora. La gente nos advirtió de las carreteras que teníamos que tomar para llegar a Medjugorje. Era más seguro viajar de noche, nos dijeron, y sólo con las luces apagadas.

¿Había sido un error volver? Abracé con fuerza a Marija y le rogué a Dios que nos protegiera.

Las pequeñas carreteras que llevaban a Herzegovina eran tortuosas y oscuras. Dejamos atrás una casa bombardeada, sus vigas carbonizadas parecían un gran esqueleto negro. Tuvimos que detenernos en varios puestos de control croatas, donde los soldados revisaron el coche. Pero la paz me inundó cuando vi la Montaña de la Cruz en medio de las torres gemelas de la iglesia de Santiago. Estábamos en casa.

Mi padre lloró cuando nos vio e inmediatamente tomó a Marija entre sus brazos. «¡Mi nieta!», dijo, besándola. «¡Qué grande está! ¿Cuánta pasta le habéis dado?».

La personalidad de mi padre seguía siendo la misma, pero el estrés de la guerra y el miedo por la vida de Miro le habían pasado factura. Su pelo estaba completamente gris, tenía los ojos cansados. Miro parecía sano, pero seguía teniendo pesadillas.

Antonio se quedó en Medjugorje un periodo y pasó mucho de su tiempo informándose de qué tipo de ayudas eran más necesarias. Volvió a Italia decidido a aumentar las ayudas.

Todos estábamos juntos y yo estaba en casa, pero una cosa seguía preocupándome: mi padre y Miro no habían traído los documentos importantes de Sarajevo porque no estaban seguros de volver con vida. Mis documentos podían reemplazarse, pero entreellos estaba el pergamino que Nuestra Señora me había entregado diez años atrás. Nunca imaginé que pudiera haber una guerra en nuestra ciudad, por lo que pensé que todo estaría a salvo allí, en el escritorio.

Medjugorje no había cambiado mucho. La gente tenía miedo y estaba preocupada, pero en general teníamos la esperanza de que Nuestra Señora nos ayudaría. El pueblo se había convertido en el centro de distribución de las ayudas que llegaban de otras partes del mundo. Gente que había venido antes en peregrinación, ahora arriesgaba su vida para traer provisiones a la región. Los estadounidenses enviaron contenedores llenos de ayudas que cruzaron el Atlántico. Las organizaciones de otras partes de Europa enviaban provisiones de manera regular. La gente de Italia, como Antonio, era especialmente generosa. Y un hombre joven llamado Magnus condujo un camión lleno de víveres y medicinas desde Escocia. Esta experiencia le hizo empezar uno de los grandes frutos de Medjugorje, una organización caritativa llamada *Mary's Meals* (Las comidas de María), que alimenta a miles de niños en todo el mundo.

El padre Slavko trabajó más que nunca durante la guerra. Además de supervisar el programa de oración de la iglesia para los relativamente pocos peregrinos presentes en el pueblo, también escribió libros, confesaba, ayuda a repartir las ayudas y subía la Colina de las Apariciones o la Montaña de la Cruz cada día. Estaba tan centrado en su trabajo que nunca se preocupaba de asuntos triviales y sus modestas necesidades eran evidentes en su ropa. Un día que le sorprendió la lluvia en la colina, vino a casa y pidió prestada una de las camisas de Marko. Me ofrecí a lavar la suya, que estaba mojada, y llevársela más tarde, pero cuando me la dio vi que estaba manchada y desgastada.

«Quédate con la camisa de Marko», le dije, «y tiraré ésta».

Sus ojos se abrieron como platos: «¿Estás loca? ¡Esa camisa me durará por lo menos otros diez años!».

En otra ocasión me reuní con el padre Slavko en el aeropuerto cuando íbamos a dar una charla en el extranjero. Llevaba ropa civil en lugar de su hábito franciscano y tuve que contener mi risa cuando vi su ridícula apariencia. Sólo la mitad de su camisa estaba remetida y los dobladillos de sus desgastados pantalones acaban más allá de sus talones. Me ofrecí a comprarle ropa nueva, pero me miró como si hubiera dicho algo absurdo. «Ya tengo ropa», dijo. «¿Por qué necesitaría ropa nueva?».

Sólo le interesaba trabajar para Nuestra Señora y difundir sus mensajes, que lo hacía sin descanso. Un día, durante una de sus frecuentes visitas a nuestra casa, tenía un aspecto particularmente cansado.

«Padre, estás agotado», dije. «Necesitas descansar».

«Descansaré cuando muera», bromeó.

Me reí. «No sé por qué, pero lo dudo. ¿Cuándo tienes tiempo para dormir?».

«Duermo unas cuantas horas cada noche y es suficiente. Hay mucho trabajo que hacer para el Señor».

«Sobre todo ahora». Le serví una taza de café. «Sabes, padre, estaba pensando, me gustaría echarte una mano con las ayudas humanitarias ahora que he vuelto a Medjugorje».

Asintió, acariciándose la barbilla. «Me pregunto, ¿Qué podemos hacer juntos que ayude a la mayoría de la gente?».

Miré a la pequeña Mirjana, que estaba jugando con un muñeco en el suelo. «Como madre, me gustaría ayudar a los niños».

El padre Slavko sorbió su café. «Sí, esta guerra ha dejado muchos huérfanos. Pensemos sobre ello y recemos para que Dios nos ilumine».

Innumerables niños habían perdido a sus padres en la guerra. La televisión mostraba imágenes de niños hambrientos de todas las edades sufriendo en las calles de Sarajevo, Vukovar y otros lugares. ¿Por qué se les debería negar el derecho a una infancia feliz porque unos supuestos adultos no podían resolver sus problemas pácificamente?

«Todos los adultos fueron niños una vez, aunque pocos lo recuerdan», dijo el Principito.

El padre Slavko amaba a los niños.Un día que Marko ,Marija y yo subimos la Colina de las Apariciones para rezar por los parroquianos, él entregó el micrófono a Marija y en broma le preguntó si quería guiar el rosario. No esperaba que lo hiciera, pero en su dulce voz de niña de tres años, dijo: «¿Quieres que lo rece en croata o en italiano?». El padre Slavkono podía dejar de reír.

Estaba claro por qué Nuestra Señora se dirigía a gente de todas las edades como «queridos niños» en sus mensajes, pero BosniaHerzegovina no era un parque de juegos. Era una zona de guerra y las atrocidades eran cada vez más depravadas, incluso demoniacas.

Al inicio de la guerra, los croatas y los musulmanes se unieron para defenderse de los serbios, pero en 1992 empezaron a luchar entre ellos. Una gran parte de la cercana Mostar quedó reducida a escombros, sus parques se convirtieron en cementerios y su puente histórico de cuatro siglos de antigüedad cayó destruido en el río Neretva. La lucha destruyó la iglesia franciscana, la iglesia ortodoxa y varias mezquitas. El palacio del obispo, con su colección de más de cincuenta mil libros, fue reducido a cenizas. El obispo, Mons. Žanić, pudo escapar por los pelos.

El padre Jozo era ahora el guardián del monasterio franciscano de Široki Brijeg. Pasaba la mayor parte del tiempo ayudando a las víctimas de guerra. En 1992 fue al Vaticano donde vio al Papa Juan Pablo II. Según el padre Jozo, el Papa le dijo apasionadamente: «Estoy con vosotros. Proteged a Medjugorje. ¡Proteged los mensajes de la Virgen!».

Con el frente a sólo unos cuantos kilómetros de distancia, no había electricidad, teléfono o agua corriente. Pero aunque Medjugorje estaba rodeada por la guerra, parecía que estábamos en una burbuja protectora. Lanzaban misiles y granadas de mortero al pueblo, pero explotaban en los campos. Según un periódico serbio, los aviones de guerra yugoslavos enviados para destruir Medjugorje no podían dejar caer sus bombas porque una «extraña niebla plateada» cubría su objetivo.

Había momentos que sentíamos que todo el mundo nos había abandonado, pero uno de mis héroes se aseguró que supiéramos que nos estaba apoyando. Durante el rezo del Ángelus en el Vaticano el 7 de marzo de 1993, el Papa Juan Pablo II habló de la guerra en BosniaHerzegovina y dijo: «¿Cómo es posible que en nuestro siglo, siglo de la ciencia y la técnica, capaz de penetrar los misterios del espacio, nos sintamos testigos impotentes de violaciones escalofriantes a la dignidad humana?».

Luego, como si parafraseara los mensajes de Nuestra Señora en Medjugorje, dijo: «Es necesario volver a Dios, reconocer y respetar las leyes de Dios. Pidamos a la Virgen Santa esta conciencia renovada. Su presencia materna, que nos amonesta, se ha hecho sentir muchas veces, incluso en nuestro siglo. Parece que quiere ponernos en guardia ante los peligros que se ciernen sobre la humanidad. María nos pide que respondamos a la fuerza oscura del mal con las armas pacíficas de la oración, el ayuno y la caridad».

Concluyó con un vehemente llamamiento: «En nombre de Dios, invito a todos a deponer las armas».

Aunque la paz aún no estaba próxima, mi aparición anual del 18 de marzo de 1993 nos trajo un consuelo momentáneo. «*Dadme vuestras manos*», dijo Nuestra Señora en su mensaje, «*para que yo, como Madre, pueda conduciros por el recto camino hacia el Padre. Abrid vuestros corazones. Dejadme entrar. Rezad, porque en la oración estoy con vosotros*».

El padre Slavko instaba constantemente a la gente de la parroquia y del mundo a rezar y ayunar por la paz.

Convocó la segunda Marcha por la Paz anual el 24 de junio de 1993. Un año antes, la primera marcha tuvo lugar de forma espontánea cuando un grupo de peregrinos caminaron desde Humac a Medjugorje para celebrar el aniversario de las apariciones el 25 de junio. Llevaban el Santísimo Sacramento y rezaron para que la guerra acabara pacíficamente.

A pesar de las cosas terribles que sucedían en el país, parecía que Nuestra Señora estaba trabajando en la retaguardia para ayudar a las víctimas de guerra. Un día, el padre Slavko vino más entusiasmado de lo que nunca le había visto. «Estaba subiendo la colina», dijo sin casi respiración.

«¿Cuándo *no* estás subiendo la colina?», le dije, sonriendo.

«Sí, pero esta vez tengo la respuesta».

«¿A qué?».

«El orfanato que vamos a construir».

El padre Slavko me contó que ese día había subido la Colina de las Apariciones específicamente para rezar pidiendo una respuesta a nuestro deseo de ayudar a los niños de la guerra. Salido de la nada, un extranjero se le acercó.

«Padre Slavko», dijo. «¿Está usted construyendo algo en este momento?».

Pensando que era una pregunta un tanto extraña, el padre Slavko respondió: «No. ¿Por qué lo pregunta?».

«Porque quiero ayudarle».

Resultó que el hombre era bastante rico y estaba conmovido por el sufrimiento que veía en la región. «¿Por qué no construyes algo para las necesidades de la gente?», dijo. «Te ayudo financiando el proyecto».

Esta era la respuesta que el padre Slavko necesitaba. Inmediatamente empezamos a concretar nuestra idea. Usando los mensajes de Nuestra Señora como esquema, concebimos un tipo distinto de orfanato: uno donde los niños se sintieran parte de una familia. En lugar de un edificio, sería más como una comunidad con muchas casas, una escuela y una capilla. En cada casa viviría un grupo de unos ocho niños, acompañados por una religiosa que sería como su «madre» y cuidadora.

Nuestro objetivo era sencillo: proteger y ayudar a los niños, asegurarles un techo, comida y conocimiento. Desde el principio, el padre Slavko y yo decidimos no llamarlo orfanato porque no queríamos que los niños se sintieran como huérfanos. Después de todo, no lo eran: cada uno de ellos tenía una Madre. Decidimos llamarlo la Aldea de la Madre porque estábamos seguros que Nuestra Señora estaría entre ellos cada día. Pero antes, teníamos que decidir dónde construirlo, por lo que empezamos a rezar para tener una respuesta.

A pesar de la guerra, Medjugorje seguía creciendo. Se difundió el rumor de que una monja de Italia, que trabajaba con drogadictos, estaba planificando construir un tipo de clínica para tratamientos de desintoxicación en Medjugorje. La mayoría de la gente en el pueblo era contraria a esta idea, no querían a drogadictos viviendo cerca de sus familias. Pero la madre Elvira perseveró y la Comunidad del Cenáculo se estableció en Bijakovići. La idea era simple y, por lo visto, tenía un gran éxito en Italia: los adictos vivían juntos en un ambiente de oración y trabajo, cambiando su estilo de vida para centrarla en Dios en lugar de en sí mismos.

«La medicina más efectiva para eliminar la drogadicción es la Eucaristía», dijo una vez madre Elvira. «No hay píldora que pueda darles la alegría de vivir y encontrar la paz en sus corazones».

El pueblo vio con aprensión cómo se establecían allí los miembros de la primera comunidad, pero haber crecido en Sarajevo me daba una perspectiva distinta: estos hombres jóvenes eran seres humanos que merecían el amor de Dios como cualquier otra persona. No eran menos merecedores porque hubieran caído. En ellos veía a mis amigos problemáticos del instituto y podía ver a Jesús. Siempre sonriente y llena de amor, la madre Elvira tenía una misión similar a la de Nuestra Señora:

quería transformar la desesperación en esperanza, el odio en perdón y la muerte envida.

Dios nos envió a Marko y a mí una nueva bendición durante la guerra. En 1993 supe que estaba de nuevo embarazada. Con toda la incertidumbre y caos que nos rodeaban, podría parecer un mal momento para tener un bebé, pero nuestra confianza en Dios anulaba todos los miedos. Nos gustaban los niños y nuestra intención era tener todos los que Dios nos enviara. Marija ya nos había traído más alegría de lo que pensábamos sería posible. Estaba encantada con lo del nuevo bebé. Deseaba una hermanita, incluso pienso que rezó por esta intención.

Siempre me he preguntado cómo le explicaría a ella las apariciones, pero como mi padre siempre decía, los niños son más listos de lo que pensamos. Un día, cuando Marija tenía aún pocos años, estaba jugando en su habitación con una niña de su edad. Oí que su amiga dijo en una linda y cantarina voz infantil: «¿Adivina? ¡Mi mamá conduce un coche!».

Marija se quedó en silencio un instante porque sabía que yo no conducía,pero entonces dijo: «Eso no es nada. ¡Mi madre habla con Nuestra Señora!».

En esa época Sarajevo era casi irreconocible en las imágenes que veía en latelevisión. La mayoría de los edificios estabano seriamente dañados o detruidos. Pensé en el pergamino y me pregunté si nuestro edificio de apartamentos seguiría aun en pie. Un batallón de las fuerzas de paz de las Naciones Unidas de España estaba estacionado en Medjugorje y un día me encontré con algunos de ellos que estaban a punto de ir a Sarajevo. Les pregunté si podían pasar por nuestro apartamento y traerme los documentos personales de mi familia. Aceptaron con alegría. Les expliqué dónde estaba el escritorio y en qué cajón podrían encontrar nuestro paquete de documentos. Sabía desde hace tiempo que sólo yo podía leer el pergamino, por lo que no me preocupaba el hecho de que vieran algo que tal vez no debieran ver.

Mi embarazo seguía adelante y esperábamos con impaciencia el nacimiento del nuevo miembro de la familia, pero justo antes de Navidad recibimos una trágica noticia: el hermano pequeño de Marko, Stjepan, había sido asesinado mientras distribuía las ayudas. Tenía sólo 22 años. Su muerte fue demasiado trágica para comprenderla, para nosotros y para todo el que le conocía. Pensaba que tendría mucho tiempo para agradecerle a Stjepan la ayuda que había dado a mi padre y hermano, pero ahora sólo se lo podía decir en la oración.

Marko estaba destrozado. Intenté consolarle hablándole de la paz en el Cielo y que Stjepan estaba ahora con Nuestra Señora, pero era difícil para ambos aceptar que ya no le volveríamos a ver, al menos no en nuestra vida terrena. Stjepan había muerto pocos días antes de la fiesta de San Esteban. Como el primer mártir cristiano cuyo nombre llevaba, la inquebrantable fe de Stjepan le llevó a arriesgar su vida por los otros.

Ante esta tragedia, lo único que podíamos hacer era rezar, pero era imposible no sentir amargura hacia quienes habían traído la guerra a la región. Luchaba por ver a Jesús en todos, como Nuestra Señora nos había pedido. Era fácil ver a las víctimas de la guerra como mis hermanos y hermanas en Cristo, pero ¿Y los asesinos?

«Porque si amáis a quienes os aman», dice Jesús en la Biblia, «¿Qué recompensa tendréis?».

Me arrodillé con la intención de rezar por Milošević y para que se me diera la gracia de mirarle como a un hermano y no como a un enemigo. Quería rezar para que Milošević viera sus errores y se conmoviera para que se acabara este derramamiento de sangre, pero cada vez que decía su nombre o pensaba en él, sentía una repulsa inmediata y no podia continuar.

«Jesús mío, ¿Por qué no intentas verte a ti mismo en él?» rezaba, pero luego continuaba: «Lo siento, perdóname».

Sin embargo, Jesús no empezó la guerra. Jesús no asesinó a gente inocente. Pero en cambio yo buscaba a Jesús en las acciones de Milošević. Debería haberle visto como un compañero niño de Dios, un hijo de Nuestra Señora y hermano de Jesús. aunque uno que camina en las tinieblas.

Sabía que Dios no habita donde no es bienvenido y hubiese lo que hubiese en el corazón de Milošević, parecía haber poco espacio para el amor. Pero también creía que si Nuestra Señora tuviera que usar una sola palabra para responder a cualquier pregunta que yo le hiciera, probablementesería: «*Reza*». Nuestras oraciones, decía, tenían el poder de cambiarlo todo. Este fue el principio de una de las más intensas luchas internas que he experimentado: perdonar lo imperdonable.

El 4 de febrero de 1994, sesenta y ocho personas fueron asesinadas y muchas más heridas cuando una granada de mortero cayó sobre una mercado lleno de gente en Sarajevo. Ver a mi padre y hermano vivos cada día en Medjugorje era como un milagro y daba siempre gracias a San Antonio por haberlos rescatado de la ciudad. Mientras seguía las noticias, me di cuenta que la mayoría de mis antiguos compañeros de clase probablemente no habían tenido suerte. Rezaba constantemente por ellos y por todos los afectados por la guerra, pero seguía sin poder rezar por Milošević y sus cómplices.

Mi barriga era especialmente grande cuando llegó el día de mi aparición anual, el 18 de marzo de 1994, pero a pesar de todo conseguí arrodillarme. Para mi sorpresa, Nuestra Señora estaba muy alegre y su mensaje estaba lleno de esperanza.

«*Hoy mi corazón está lleno de alegría*», dijo. Nos pidió que nos dejáramos guiar por ella y que rezáramos cada día. «*Habéis visto que con la oración todos los males son destruidos*», continuó. «*Recemos y esperemos*».

El mismo día, los líderes de los musulmanes y los croatas de BosniaHerzegovina se reunieron en Washington, D. C. Firmaron un acuerdo que terminó con los combates y creó la Federación de Bosnia-Herzegovina. Llegó una paz parcial, pero los serbios querían seguir luchando.

La memoria de los sufrimientos de Cristo tuvo un nuevo significado esa Cuaresma. Nuestros cuarenta días de ayuno y abstinencia nos unió con las víctimas de la guerra que no tenían nada para comer. Y las heridas de Jesús se reflejaban en las horribles imágenes que se mostraban en televisión. El Sábado Santo, 2 de abril de 1994, rezamos por la paz y nos consolamos momentáneamente con nuestra tradición de hacer *pisanice* huevos duros teñidos con tinte de cebolla y grabados con pequeñas hojas del jardín; pero la ausencia de Stjepan hizo que esa fuera una Pascuasombría.

El 19 de abril de 1994, dos semanas después de Pascua, nació nuestra segunda hija. Su llegada trajo una explosión de alegría, muy necesaria, a nuestra familia. Estaba pensando en ponerle el nombre de un personaje de una novela rusa que había leído; un nombre como Natalja o Nataša tenían un sonido muy bonito para mí. Pero cuando se lo comenté al padre Slavko, me preguntó: «¿Estás segura?».

«Vale, ¿qué me sugieres?», dije.

El padre Slavko pensó un momento. «¿Qué te parece Veronika? Era fuerte, valiente y consolaba a Jesús».

«Veronika», repetí y me gustó cómo sonaba. En la tradición católica, Veronika uso una tela para enjuagar la sangre del rostro de Cristo mientras iba camino del Calvario. Este hecho se recuerda en el Vía Crucis.

«Es perfecto, padre», dije. «Su nombre es Veronika».

El Papa Juan Pablo II imploraba reiteradamente al mundo cristiano que rezara para que se acabara la guerra en BosniaHerzegovina. A pesar del peligro, programó una visita a Sarajevo para el 8 de septiembre de 1994, pero el viaje fue cancelado porque temían que los serbios tomaran represalias contra la gente de la ciudad. En su lugar, ese día celebró una misa por la paz en Castel Gandolfo, diciendo: «María, Reina de la Paz, ora por nosotros». Cuando visitó Croacia más tarde ese mismo mes, declaró que su saludo «iba dirigido a Bosnia-Herzegovina, a Sarajevo, la ciudad mártir, que ardientemente quiero visitar como peregrino de paz». Su visita trajo esperanza a mucha gente en la región.

Un día, un soldado de las Naciones Unidas vino a nuestra casa.

«Encontramos vuestro apartamento en Sarajevo», dijo, y me entregó un paquete que contenía nuestros documentos. Entre ellos estaba el pergamino.

«Ésta es una oración que ha recibido respuesta», dije apretando los papeles contra mi pecho. «Gracias».

«Estamos felices de haber podido ayudar. Estoy seguro de que son importantes».

Sonreí. «No tienes ni idea».

Es triste: casas bombardeadas y niños huérfanos eran escenas comunes durante la guerra. (Foto de Joe Mixan)

CAPÍTULO XXVI

«Si no hay paz, es como si no hubiera sol en la tierra».
(Antiguo proverbio chino)

«¿POR QUÉ DIOS permite la guerra?».

Sólo quienes no conocen el amor de Dios pueden hacer esta pregunta. En sus mensajes, Nuestra Señora ha llamado a Dios, *«el Gran Amor»*. Dios no causa la guerra; nosotros lo hacemos. Dios da a cada hombre la libertad de elegir el modo de vivir su vida y lo que quiere de ella. Todos pueden mirar en su interior y preguntarse: ¿Quiero la paz? ¿O quiero matar a mi hermano?

No podemos culpar a Dios de nuestras elecciones. Sugerir lo contrario es negar el don del libre albedrío.

La guerra trajo un dolor inimaginable a innumerables víctimas. Como cristianos, no debemos dar la espalda a los que sufren. Nuestra presencia es el don más generoso que podemos dar. Poca gente se da cuenta que una palabra amable o un abrazo gentil pueden cambiar el mundo. Como tratamos a los otros se difunde exponencialmente. Afecta al futuro más que ninguna otra cosa.

«Dios es amor», Jesús enseñó, «y quien permanece en el amor, permanece en Dios y Dios en él».

El padre Slavko trabajaba sin descanso para que la Aldea de la Madre fuera una realidad. Adquirió un terreno en las afueras de la parroquia. Cuando vi por primera vez la propiedad, me pregunté cómo alguien podía construir algo allí: el terreno era escarpado, desigual y lleno de rocas enormes. Pero el padre Slavko me recordó que Dios nos ayudaría y seguimos rezando por el proyecto.

Por petición del padre Slavko, los soldados de las Naciones Unidas destinados a Medjugorje nivelaron el terreno rocoso con la maquinaria pesada que habían traído para su misión de paz. Pero necesitábamos más fondos para empezar la construcción. Posteriormente el gobierno se ofreció a contribuir, pero sólo con la condición de que no se pusieran símbolos religiosos en el edifcio.

El padre Slavko rechazó su oferta. «Éste será el orfanato de Nuestra Señora. Por lo tanto, ¿Cómo podemos excluirla?».

Pero otros donantes, sobre todo gente que había ido en peregrinación a Medjugorje, hicieron posible que el sueño se convirtiera en realidad. El proyecto incluía el Jardín San Francisco, un hermoso parque forestal con senderos, un anfiteatro y un terreno de juego.

Cuando la Aldea de la Madre abrió sus puertas, el padre Slavko y yo hablamos de cómo podríamos seguir ayudando a los huérfanos. Se nos ocurrió un programa que permitiera a los niños estar con familias del lugar durante los fines de semana. Nuestro objetivo era que los niños vieran el funcionamiento de una familia normal. Mucha gente en el pueblo acogió a los niños, incluidos Marko y yo.

Las visitas de fin de semana eran preciosas. Para los niños, pasar el tiempo con una familia real era como un sueño de hadas. Sabiendo todo lo que habían sufrido, Marko y yo les prestábamos más atención que a nuestras propias hijas. Nos reíamos con ellos, les cocinábamos sus platos favoritos y les leíamos libros como *El Principito* cuando llegaba la hora de dormir. A Marko le gustaba sobre todo hacer deporte con los chicos. Pero al cabo de dos días teníamos que llevar a los niños de vuelta al orfanato.

Volver era difícil para mí como madre, pero más difícil era para los niños. El padre Slavko y yo nos dimos cuenta que, después de todo, no era tan buena idea.

Como vidente, podía darme cuenta de cómo se sentían los niños. después de unos escasos minutos con la Bienaventurada Madre, volver a la realidad era atroz.

Un excelente ejemplo fue mi siguiente aparición anual, el 18 de marzo de 1995. Nuestra Señora apareció llena de tristeza, algo que n oera típico de las apariciones del 18 de marzo. Rezamos juntas por los que no habían experimentado aún el amor de Dios, por las almas del Purgatorio y por las intenciones de todos los que habían venido a mi casa para la aparición. También me habló de los secretos. Entonces, en su mensaje para el mundo, se lamentó de que el corazón de la gente se había endurecido hacia el sufrimiento del prójimo. «*Mientras no améis*», dijo, «*no conoceréis el amor del Padre*». Nos recordó que no debemos temer nunca a nada, ni siquiera a «*lo que tiene que venir*», porque «*Dios es amor*». Concluyó diciendo: «*Os estoy conduciendo a la vida eterna. La vida eterna es mi Hijo. Recibidle y habréis recibido el amor*».

La aparición duró diez minutos. Cuando se fue, me retiré inmediatamente a mi habitación y lloré. Cuando alguien me preguntó más tarde por qué me había sentido tan desconsolada, le expliqué que cada encuentro con Nuestra Señora era como el cumplimiento de algo, me sentía completa.

«Por ejemplo», dije, «amo a Marija y a Veronika con todo mi corazón y como cualquier madre normal, daría mi vida por ellas. Pero cuando estoy con Nuestra Señora, ni siquiera mis hijas existen. Mi único deseo es irme con la Bienaventurada Madre. Cuando la aparición acaba, siento un dolor profundo, es como estar en el paraíso un segundo y en el desierto el segundo siguiente. Me siento abandonada, aunque sé que no lo soy. Sólo después de muchas horas de oración entiendo que tengo que estar en la tierra y Nuestra Señora en el Cielo».

¿Has amado alguna vez a alguien con quien no puedes estar? ¿Deseado un tiempo y un lugar al que no puedes volver? ¿Llorado por alguien que llevas dentro de tu corazón? Si tu respuesta es sí, entonces puedes entender el dolor de mi corazón. Separarme de Nuestra Señora es una mezcla de amor no correspondido, exilio y aflicción. Y, sin embargo, no es ninguna de estas cosas.

Paso por las mismas emociones después de cada aparición. Con la ayuda de Dios puedo volver a vivir una vida relativamente normal. A veces me pregunto si, en realidad, los seres humanos no están hechos para encontrarse con lo divino de una manera tan intensa.

Tal vez Nuestra Señora estaba tan triste durante la aparición del 18 de marzo porque estaba viendo llegar los peores horrores de la guerra.

El 25 de mayo de 1995, cumpleaños del Presidente Tito y Día oficial de la Juventud en Yugoslavia, los serbios dispararon un obús en la ciudad de Tuzla. En una triste ironía, muchas de las setenta y un víctimas eran jóvenes, entre ellos un niño de dos años de edad. El ataque fue como un infame regalo de cumpleaños por parte de los últimos remanentes del comunismo yugoslavo. Un poema del poeta bosnio Mak Dizdar fue grabado en un monumento en el lugar de la masacre de Tuzla:

Aquí uno no vive para vivir.
Aquí uno no vive para morir.
Aquí uno muere para vivir.

Recordé las palabras de Nuestra Señora sobre amar a nuestro prójimo de la aparición del 18 de marzo y recé para que las personas empezaran a verse unos a otros como hermanos y hermanas. Pero a medida que nos adentrábamos en el año 1995, las atrocidades eran cada vez más espantosas.

En julio, más de ocho mil hombres y niños fueron masacrados en Srebrenica y sus cuerpos fueron enterrados como basura en fosas comunes. Los observadores internacionales llamaron a la masacre de Srebrenica un genocidio, un acto de exterminación étnica tan terrible que mucha gente nunca pensó que algo así podría suceder en el mundo «moderno». Pero sólo un año antes, otro genocidio sumió a un pequeño país africano, Rwanda, en la oscuridad y el derramamiento de sangre. Varios niños de la aldea de Kobeho, Rwanda, informaron de apariciones de la Bienaventurada Madre en noviembre de 1981, justo cinco meses después de que empezaran las apariciones de Medjugorje, y dijeron que les mostro imagenes del futuro caos.

En Medjugorje, Nuestra Señora siguió llamando a la paz. En 1995, a través de sus mensajes mensuales a Marija, pidió a la gente que transmitiera sus mensajes al mundo para que «*un río de amor fluya hacia la gente llena de odio y sin paz*». También invitó a todos a ser sus «*alegres portadores de paz en este mundo inquieto*» y pidió nuestras oraciones «*para que reine lo antes posible un tiempo de paz, por el que mi corazón espera impaciente*».

A principios de agosto, las fuerzas croatas y bosnias lanzaron una gran ofensiva contra los serbios. Ese mismo mes, más tarde, los serbios lanzaron obuses al mismo mercado de Sarajevo que había sido atacado el año antes y mataron a cuarenta y tres personas inocentes. El mundo no podía seguir ignorando las matanzas. Una coalición internacional lanzó ataques aéreos contra el ejército serbiobosnio y en octubre se anunció el cese de hostilidades. El final llegó con la firma del Acuerdo de Paz de Dayton el 21 de noviembre de 1995, día de una festividad mariana para dos credos: la Presentación de la Bienaventurada Virgen María, para los católicos y la Entrada de la Santísima Theotokos en el Templo, para los ortodoxos.

Como consecuencia de esta locura, más de cien mil personas murieron en un país que es sólo un tercio del tamaño del estado de Nueva York. La guerra había acabado. Pero después de cuatro años de combates, las heridas eran profundas y no cicatrizarían de la noche a la mañana. Como todo el mundo en el país, yo había perdido a familiares y amigos y mi corazón sufría cuando veía el dolor a mi alrededor.

Jesús nos dijo que perdonáramos a nuestros enemigos, pero ¿Cómo perdonas a alguien que ha matado a gente que quieres? «Habéis oído que se dijo: 'Amarás a tu prójimo y aborrecerás a tu enemigo'». Jesús les dijo a sus discípulos: «Pero yo os digo: amad a vuestros enemigos y rezad por los que os persiguen, para que seáis hijos de vuestro Padre celestial, que hace salir su sol sobre malos y buenos, y manda la lluvia a justos einjustos'».

Si no podía perdonar, entonces ¿cómo me podía llamar cristiana? Como alguien que ve a Nuestra Señora y conoce sin dudarlo que Jesús existe, ¿qué excusa tengo para no abrazar *todas* sus enseñanzas? Mientras rezaba intensamente para recibir esta gracia, recordaba la guerra.

Desde el principio de las apariciones, Nuestra Señora se había llamado Reina de la Paz y nos pidió que rezáramos por la paz. Pero mirando hacia atrás, nunca pude imaginarme que se estaba refiriendo a una guerra en nuestro propio país, o que teníamos que rezar para que se evitara. Pensé que hablaba de la paz en nuestros corazones, porque era impensable para mí que una guerra con tanto odio y maldad fuera posible en el siglo XX.

Sabía poco de política. Nuestra Señora me enseñó a amar a todos, y nos dijo que todos éramos hermanos y hermanas a pesar de nuestras diferencias. Nunca dijo *Queridos italianos* o *Queridos croatas* o incluso

Queridos católicos; sólo dijo *Queridos hijos*. Vino como madre para todos los pueblos.

Aunque era inconsciente de mucho de ello mientras vivía en Sarajevo, el pueblo croata ansiaba sus libertades, como la libertad de expresar su identidad cultural o la libertad de practicar la religión. Durante años, la mera mención a su tradición tenía como resultado ser interrogado por la policía, acabar en la cárcel o salir del país. En el décimo aniversario de las apariciones de Nuestra Señora, consiguieron su estado croata, pero pocos esperaban que costara un precio tan alto.

Había oído decir que la gente que lleva el peso de la vergüenza y la culpa a menudo está inquieta en su lecho de muerte, mientras que la gente con alma limpia tiende a morirse en paz. Tal vez el comunismo hubiera muerto en paz si no hubiera cometido esos graves pecados y todo el daño que causó. En cambio, como una bestia herida, luchó ferozmente en sus horas finales para arrastrar a todos en su caída. Cada batalla, cada atrocidad era otro espasmo mortal que aumentaba su furia hasta el ultimo final.

En Medjugorje no sufrimos la guerra del mismo modo que la gente de Vukovar o Sarajevo. Aunque sufrimos, estábamos aislados de lo peor de ella, ya fuera por suerte o por gracia. y yo sospecho que lo último. Si la Bienaventurada Madre no hubiera aparecido aquí antes de la guerra, ¿Quién hubiera sabido sobre Medjugorje? A pesar de los peligros, gente del continente americano y del resto de Europa nos trajo material médico y alimentos, y creyentes de todo el mundo rezaron y ayunaron por la paz.

Cuando pienso en el sufrimiento de tanta gente durante la guerra, mis ojos se llenan de lágrimas. La guerra causa dolor y desesperación, y nunca he podido entender a los que la desean. Cuando no hay amor, y cuando no hay fe, entonces el demonio asume el poder. Él viene a destruir todo lo que es bueno: la vida, la paz, la alegría, la dignidad. Vemos que ocurre en muchos lugares del mundo.

Incluso cuando los comunistas me perseguían, perdonaba su violencia. Me di cuenta que les estaría dando permiso de hacerme víctima dos veces si dejaba que sus acciones me quitaran la paz. Ser consumido por el odio daña nuestra relación con Dios.

Llegué a creer que no era la gente, sino una fuerza satánica la que gobernaba en la guerra. Los hombres permiten que el diablo les influya y que llene los vacíos de sus corazones con la maldad y la malicia. Los que dañan a otros por odio ahora tienen que vivir con sus actos, tal vez para siempre. Me acordé de la historia del soldado que mató a los franciscanos de Široki Brijeg en 1945, y cómo nunca volvió a dormir por la noche durante el resto de su vida.

Me acordé que Jesús perdonó a los que le crucificaban mientras lo hacían diciendo: «Perdónales, Padre, porque no saben lo que hacen».

Muchos dicen que Milošević y sus aliados sabían lo que hacían, pero llegué a verlo de manera distinta: si no conocían a Dios, entonces en realidad no conocían *nada*.

Años antes, me quedé muy afectada cuando Nuestra Señora me mostró lo que le esperaba a la gente que elegía la oscuridad a la luz; por consiguiente, ¿cómo podría yo desear eso para nadie? Si quería que mis enemigos sufrieran por la eternidad, no sería mejor que ellos, incluso sería peor, porque como ateos, no creen que la muerte lleva a *algo* eterno.

Tal vez el hecho de que la madre, el padre y el tío de Milošević se suicidaran cuando él era joven le llevó a esta indiferencia hacia la vida, y quizá el ateísmo fuera el resultado del sistema educativo comunista. La culpa por su conducta, ¿Cae sólo sobre él o sobre su ambiente, o sobre una mezcla de ambos? Solamente Dios lo sabe de verdad; sólo Él puede juzgar. Pero si la vida carecía de sentido y Dios no existía para Milošević, entonces ¿Qué incentivo tenía para luchar por la bondad?

En una clase con un maestro invisible, ¿Jugarían limpio todos los niños?

Pensando acerca de Milošević de este modo, mi rabia poco a poco se transformó en empatía y mis oraciones fueron más intensas. Al final, el amor prevaleció y conseguí ver a Milošević como mi hermano en Jesús. Al poco tiempo me fue posible rezar por él sin malos sentimientos y pedir a Dios que le ayudara a encontrar su redención.

Esta experiencia me ayudó a entender mejor por qué Nuestra Señora nos pidió que rezáramos por quienes no conocen aún el amor de Dios. Cuando uno conoce el amor de Dios, no puede hacer la guerra. Recé para que todos los que hubieran hecho cosas malas durante la guerra descubrieran este amor, para que pudieran eliminar el mal de sus corazones y para que no hubiera más guerras.

En su mensaje del 18 de marzo de 1997, Nuestra Señora dijo: «*La paz genuina la tendrá sólo aquel que ve y ama a mi Hijo en su prójimo*».

Y el 18 de marzo de 2005 dijo: «*El camino a mi Hijo, que es verdadera paz y amor, pasa a través del amor al prójimo*».

Nada debe prevenirnos de ver a Jesús en otra gente: ni las diferencias de raza, religión, política o cosas triviales, como el modo de vestirse o lo que hacen para vivir. Nuestra Señora nos pide ver a Jesús en *cada uno*. En el hombre sin casa que pide unas monedas. En el musulmán y en el serbio. En el ateo que no cree en Jesús y en el cristiano que no le entiende. En el recién nacido y en el no nacido. En tu sacerdote, en tu obispo y en el Papa. En los que te han herido y en los que han sido heridos por ti. En el ladrón. En el drogadicto. En el peor pecador que conozcas. Y, tal vez más importante, en ti. Ve a Jesús en *cada uno*.

Como seres humanos, ponemos todo tipo de excusas para evitar el mandamiento de amar a tu prójimo como a ti mismo. *Perdona pero no olvides*, dicen algunos. O el proverbio croata, *El lobo pierde el pelo pero no las mañas.*

El verdadero amor no tiene condiciones.

Desde que puedo acordarme, mi padre y yo teníamos un vínculo especial.

CAPÍTULO XXVII

«Vuestros labios pronuncian innumerables palabras, pero vuestro espíritu no siente nada. Errantes en la oscuridad, incluso os imagináis a Dios según vuestro deseo y no como Él es realmente en Su amor».

(Del mensaje de Nuestra Señora del 2 de febrero de 2011)

LOS EFECTOS DE la guerra seguían persiguiéndonos incluso después de que hubiera acabado.

Mi padre vivía para sus hijos. El estrés de cuidar de mi hermano durante el asedio de Sarajevo había causado un daño irreparable en su salud y un día tuvo un derrame cerebral masivo. Le dejó en coma y los médicos del hospital de Mostar dijeron que no sobreviviría. No podía entenderlo. ¿Cómo era posible que este hombre, tan lleno de vida siempre, un hombre cuyo corazón era tan grande que lloraba cuando veía a sus nietas, pudiera dejarnos?

Me arrodillé al lado de su cama y recé con más intensidad que nunca. «San Antonio, gracias por mantener tu parte en nuestro acuerdo, sabes que yo he mantenido la mía. Pero, por favor, te ruego que intercedas para que Dios no se lleve la vida de mi padre, para que nos dé un poco más de tiempo con él».

El hospital de Mostar estaba muy dañado a causa de la guerra, y estaba inundado de pacientes, por lo que Marko empezó inmediatamente a buscar un lugar que pudiera proporcionar una mejor atención médica a mi padre y, esperábamos, una segunda opinión. Pero los otros hospitales de la región no estaban mucho mejor.

«Tu padre es mi padre», dijo Marko. «Tú sigue rezando que yo sigo buscando».

Por fin pudimos trasladarlo al hospital de Split, que estaba mejor equipado para tratar a enfermos de derrame cerebral. Cada día conducíamos tres horas desde Medjugorje para sentarnos al lado de su cama. Mi madre parecía estar preparándose para lo peor, pero nunca perdió la esperanza. Miro permanecía en silencio, podía ver el miedo en sus ojos. Veronika era un bebé, pero Marija se unió a nosotros, sus padres, para rezar por su amado ***Dida***.

Después de veintiún días en coma, mi padre despertó.

Fue un momento de alegría, pero también de incertidumbre. Los médicos nos advirtieron que nuestro padre no volvería a ser el mismo. Y añadieron: «Debéis estar agradecidos si vive otro año». Pero se habían equivocado antes, y su pronóstico no tenía en cuenta nuestras oraciones.

Cuando a mi padre le dieron el alta, apenas podía hablar. Teníamos que empujar su silla de ruedas porque una parte de su cuerpo estaba parcialmente paralizada. Meses de rehabilitación le ayudaron a caminar de nuevo, pero tenía que utilizar un bastón con un trípode especial en la base. Sólo podía usar una mano, por lo que necesitaba ayuda para sus tareas diarias. Y aunque mascullaba las palabras, haciendo incomprensible para la gente su habla, con el tiempo llegamos a entender lo que nos decía, del mismo modo que el vocabulario de un niño pequeño sólo tiene significado para sus padres. A pesar de todas las dificultades, él estaba vivo y eso era lo importante.

Mi madre se ocupaba de las necesidades diarias de mi padre y nunca le dejaba, con excepción de cuando iba a misa; pero incluso entonces, volvía corriendo a casa cuando se acababa. Nunca se quejó o dijo que estaba cansada. Al contrario, hacía todo con alegría. «Es simple», decía. «Dios lo quiso, nosotros lo aceptamos y ahora rezamos para que Él nos dé la fuerza para soportarlo».

Marko, Miro y yo la ayudábamos en todo lo posible. Bromeábamos siempre con mi padre e intentábamos transformar cada momento incómodo en risas. Cuando él se quejaba porque no podía hacer ninguna actividad a causa de sus condiciones, yo sonreía y le decía: «No puedes usar esto como una excusa ahora. ¡Nunca has sido un hombre de acción!».

Mi padre se reía con complicidad; siempre había sido sonriente y paciente, pero nunca demasiado activo.

Cuando mi madre necesitaba tratamiento médico o rehabilitación para su osteoporosis, yo atendía a mi padre. Mi madre se preocupaba porque tenía que dejarle, pero yo le aseguraba que podía manejarme. Con mi propia familia, ya no era la Mirjana que no sabía cómo funcionaba la lavadora o que no sabía cocinar (obsérvese, no estoy diciendo cocinar *bien*). Cuando mi madre no estaba, cuidar de mi padre nunca fue una carga. De hecho, era un honor cuidar del hombre que me había cambiado los pañales, que me había alimentado y educado. ¿Por qué debería ser difícil hacer algo por él?

Ayudarle a ponerse el abrigo una mañana me recordó una de las muchas veces que había hecho algo por mí por puro amor. Cuando era una adolescente, no estaba obsesionada por las tiendas como otras chicas, pero *me encantaba* ir con mi padre. Era una oportunidad para estar con él, solos los dos. Tengo que admitir que también me gustaba ir con él porque siempre insistía en comprarme algo. Un día que hacía frío, vi un precioso abrigo de invierno en una tienda. Toqué la manga y acaricié la tela entre mis dedos. Era muy caro, sobre todo para la Yugoslavia comunista, pero cuando mi padre me vio observándolo, me dijo: «¿Te gusta éste?».

«Es fantástico», dije, «pero...».

«Genial».

«Pero es demasiado caro».

«Tonterías».

Sin ni siquiera mirar la etiqueta del precio, mi padre cogió el abrigo de la percha y lo llevó a la caja. Abrió su cartera y sacó el dinero, pero cuando le dijeron el precio, vi que enarcaba las cejas. Me di cuenta de que no tenía suficiente dinero.

«No pasa nada, papá», le dije. «Encontraremos otro».

Mi padre pensó un instante y luego sacudió su cabeza. «No», dijo. «Una chica bonita merece un abrigo bonito».

Sacó su chequera y lo compró.

Ahora, mientras abotonaba *su* abrigo y metía su mano inválida en el bolsillo me prometí que le demostraría tanto amor como él me había demostrado a lo largo de toda mi vida, y de mimarle con atención. Luego cociné para él y le ayudé a comer. Cuando acabamos, le cogí de la mano mientras veíamos juntos la televisión. Cuando llegó el momento de bañarle me sentí algo cohibida, pero forcé una sonrisa e intenté que se sintiera cómodo. Creo que notó mi vacilación, porque sonrió y dijo: «¿Crees que esto es fácil para *mí*?».

Nos reímos y todo fue más fácil.

El derrame cerebral de mi padre me enseñó una lección: cuando algo malo sucede, puedes llorar estando solo, pero las lágrimas no cambiarán nada, sólo te sentirás más herido e impedido. Pero si aceptas tu cruz, con el tiempo aprenderás a llevarla, como demostraba el aguante de mi madre y la tranquilidad de mi padre. A través de todo esto, nuestra familia se unió aún más.

Una simple rutina nos ayudaba a aguantar. Mi padre quería que tomáramos café juntos, como familia, cada día a las dos de la tarde. Nunca llegué tarde a ese café, porque siempre me preocupaba que fuera la última vez que pudiera estar con él.

Estaba acostumbrándome a la enfermedad de mi padre, cuando observe un pequeño bulto en la parte de delante de mi cuello. Parecía un tipo de quiste. Pensé en ir para que me lo controlaran, cuando descubrí que estaba embarazada de nuestro tercer hijo. Marko y yo estábamos extasiados. Al final de mi primer trimestre tenía el claro sentimiento de que era niño. Quizá era intuición de madre, o tal vez el deseo de Marko de tener un niño, pero estaba tan segura que elegí nombre, un nombre que seguro que a Marko le gustaría.

La mujer de Jakov, Annalisa, también estaba embarazada. Era italiana y no hablaba bien croata, por lo que la acompañé al médico para hacerle de intérprete. No había programado ir al médico ese día para mí, pero después del chequeo de Annalisa, le pedí que controlara mi bebé también. Mientras movía el ecógrafo sobre mi barriga, pensé en mi padre y en que había utilizado un equipo similar en su profesión.

Esperaba impaciente oír el latido del bebé por primera vez, pero sólo había silencio. Supe que algo iba mal cuando vi la cara del médico.

«Lo siento, pero tu bebé ha muerto», me dijo.

Esas palabras desgarraron mi corazón. «No puede ser».

«No puedo hacer nada. Tu hijo hace tiempo que está muerto».

Me sentí mareada y confundida mientras salía del despacho del médico. Annalisa me dijo más tarde que había empezado a caminar en la dirección equivocada y que tuvo que llevarme al coche. Ni siquiera recuerdo haber llegado a casa, o darle a Marko la terrible noticia. Sólo quería estar con mi bebé.

Al día siguiente Marko me llevó al hospital para una segunda opinión. Los médicos me examinaron y confirmaron que era verdad, añadiendo que tenían que hacerme un raspado para evitar infecciones.

Yo seguía preguntando: «¿Estáis absolutamente seguros? ¿Estáis seguros que no está vivo?».

Lo estaban. También descubrieron unos problemas médicos que hicieron que éste fuera mi último embarazo.

Los días sucesivos estaba tan triste que apenas podía levantarme de la cama, pero hice lo posible para seguir adelante como una buena madre para mis dos hijas. Un día el padre Slavko vino a verme. Intenté actuar normalmente mientras le servía café y charlaba sobre la vida en Medjugorje, pero el notó mi sufrimiento. No le habíamos dicho nada aún sobre mi embarazo, por lo que no sabía nada sobre el aborto, pero me quedé sorprendida cuando se inclinó hacia mí y dijo: «¿Qué piensas, era un niño o una niña?».

Le miré asombrada. Quería preguntarle cómo lo había sabido, pero no tenía importancia. «Creo que era un niño», le dije, bajando la mirada.

«¿Y cómo le ibas a llamar?».

Los ojos se me llenaron de lágrimas. «Stjepan».

El padre Slavko asintió. El otro Stjepan era uno de sus sobrinos.

«Qué nombre más bonito», dijo. Y sonriendo: «Mucho mejor que Natalja o Nataša».

Me reí por primera vez en días. El padre Slavko siempre sabía cómo animarme, incluso en los momentos difíciles.

«Sé que es angustioso», dijo, «pero intenta no estar demasiado triste.

Ahora tienes un ángel en el Cielo, un ángel que reza a Dios por ti y que te esperará. Rézale y háblale. Él está con Nuestra Señora ahora y con su tío Stjepan también».

Las palabras del padre Slavko me ayudaron muchísimo. A partir de ese momento, todo empezó a ser algo más fácil, pero mi dolor nunca cicatrizó del todo. Como vidente, sabía que mi bebé estaba en el Cielo, pero como madre no podía vivir como si nada hubiera ocurrido. Siempre que iba a algún sitio y veía a un niño de la misma edad que tendría mi hijo en ese momento, recordaba su ausencia. Sin embargo, sabía también que siempre estaba cerca de mí, aunque no pudiera verlo o abrazarlo. Rezar a mi ángel en el Cielo era un gran consuelo.

Ahora, cuando otras mujeres que han perdido a su hijo vienen a verme, puedo escucharlas y entiendo por lo que están pasando. Les puedo contar mi experiencia. Les puedo explicar que la oración les ayudará y les sugiero que le den un nombre al niño no nacido.

«Una parte de ti está perdida, pero no olvidada», les digo. «Reza y sabrás que tu pequeño ángel está a salvo en los brazos de la Bienaventurada Madre y un día lo verás en el cielo».

Marko y yo sentimos la necesidad de un respiro de todas las dificultades, por lo que decidimos ir a Italia con Marija y Veronika. Al llegar a Umbria fue maravilloso ver a Antonio, a la familia Trancanelli y a otros miembros de nuestro grupo de oración, que seguía reuniéndose cada miércoles a las 11 de la mañana para rezar.

Cuando llegamos, Alessandra me dio un fuerte abrazo. «Te he echado de menos», me dijo. «Recé para que volvierais».

Empecé a llorar. «Creo que Dios ha oído tus oraciones».

Cuando Vittorio me saludó, notó el bulto en mi cuello. «¿Hace cuánto que lo tienes?», me preguntó.

«Bueno, hace unos meses, más o menos», le dije. «Seguro que desaparecerá».

«Deja que te organice una cita para que te lo examine mejor. Sólo para estar seguros».

Pensé que Vittorio estaba siendo sólo precavido, pero después de examinarlo en el hospital, me miró preocupado. «Mirjana, necesitas una operación. Tenemos que quitarte la tiroides. Puede ser cáncer y, si no lo es, puede transformarse en uno más adelante».

Nos avisó que, después de extirpar la glándula, el laboratorio necesitaría al menos cuatro días para determinar si el quiste era canceroso. También me dijo que tal vez este problema con la tiroides había sido la causa de mi aborto. Vittorio se ofreció a realizar la operación y nuestro grupo de oración se reunió para rezar por mí.

Alessandra parecía una animadora. «No tengas miedo. Ofrécelo».

Sonreí. «Buena idea. Lo haré».

Lia me dijo que Alessandra tenía muchos problemas de salud, pero que aceptaba su sufrimiento con la paciencia de una santa. Cuando tuvo que someterse a una operación cardíaca, su hermano Diego que había empezado a tener dudas de fe se quedó al lado de su hermana toda la noche hasta que la anestesia desapareció y ella abrió sus ojos.

«Alessandra», dijo Diego. «Soy yo, tu hermano».

Alessandra le miró y sonrió. «Diego».

«¿Sientes dolor?».

«Sí, pero se lo ofrezco a Dios».

«¿Para qué?».

«¡Para tu conversión, desde luego!».

Más tarde, el personal médico entró para quitarle los tubos. «Esto dolerá, Alessandra», le dijo una enfermera. «Pero puedes gritar».

Cuando le quitaron los tubos, Alessandra se mordió el labio y permaneció en silencio.

«¿No te ha dolido?», le preguntó Diego. «Ni siquiera has llorado».

Hizo un gesto con la cabeza hacia el crucifijo colgado en la pared de su habitación de hospital. «Mira todo lo que sufrió Jesús», dijo. «¿Cómo puedo llorar si Él me está mirando? Lo ofrezco por la gente que no cree».

El día anterior a mi intervención quirúrgica, pensé en la valentía de Alessandra. Abracé a Marko, Veronika y Marija y me aseguré que supieran lo mucho que les quería. Justo antes de ir al hospital, me confesé con un sacerdote del lugar. Quería estar preparada para lo que fuera.

Compartía la habitación de hospital con una italiana. Era un poco mayor que yo y parecía nerviosa y triste.

«Buenas noches», dije, pero no respondió.

Al día siguiente me desperté temprano e intenté no molestar a la mujer, por lo que recé en silencio. La paz invadió mi corazón mientras le pedía al Señor que todo sucediera según Su voluntad. Cuando acabé de rezar, vi que la mujer me estaba mirando, pero rápidamente desvió la mirada.

Más tarde, mientras me lavaba los dientes y me peinaba, estaba tarareando una melodía. De nuevo, vi que la mujer me estaba mirando de manera extraña, por lo que me giré hacia ella y sonreí.

«Lo siento», dije, «pero, ¿Va todo bien?».

Pareció sorprendida por la pregunta. «Es extraño para mí», dijo.

«Estás a punto de ser operada y estás de tan buen humor».

Me reí. «Vale, pero ¿Qué debería hacer? ¿Quejarme de mi suerte? ¿Llorar? ¿Cómo podría cambiar las cosas si lo hago?».

«Pero, ¿Qué pasa si mueres? Actúas como si no te importara lo que suceda».

«Lo que será, será. Si me abandono en las manos de Dios, ¿Qué tengo que temer?».

Seguimos hablando hasta que llegó la enfermera para acompañarme a quirófano. Recé en silencio mientras el Dr. Vittorio y su equipo se preparaban para la cirugía.

Vittorio me miró a los ojos. «Quiero que sepas que estaré rezando todo el tiempo».

Sus palabras me tranquilizaron, aunque deseé que su amigable sonrisa no estuviera cubierta por la mascarilla. Una enfermera me pidió que contara hacía atrás a partir de diez mientras me anestesiaban. Estaba dormida antes de llegar a siete.

Me desperté atontada y dolorida, con un tubo de respiración que salía de mi tráquea, puntos de sutura en mi cuello y tubos para terapia intravenosa en ambos brazos. Una enfermera me ayudó a subir a una silla de ruedas y me empujó hasta mi habitación, donde pasaría los próximos días recuperándome.

Más tarde noté que mi compañera de habitación me observaba de nuevo, pero esta vez con una agradable sonrisa.

«¿Me has echado de menos?», bromeé, pero me arrepentí inmediatamente de haber hablado porque mi garganta parecía fuego.

Vino y se sentó en mi cama «No he dejado de pensar en lo que dijiste. Tus palabras y tu paz han tenido efecto sobre mí. Creo que has despertado mi fe. Incluso he rezado por ti».

Al día siguiente la enfermera entró y dijo: «Los médicos quieren hablar contigo».

Sentí miedo. *Debe ser cáncer*, pensé.

Mientras me acompañaba a una habitación llena de médicos y enfermeras, recé para tener fuerzas y estar preparada para oír lo peor. La enfermera situó la silla de ruedas frente a todos y tras un largo silencio, uno de los médicos sonrió y dijo: «Nuestro colega Vittorio nos ha dicho que eres una vidente. Nos encantaría que nos contaras».

Sonríe aliviada. «¿Por dónde empiezo?».

Durante los siguientes treinta minutos, vestida con un camisón de hospital y sentada en una silla de ruedas con tubos saliendo de mi cuerpo, les hablé sobre el amor de Dios y las apariciones de Nuestra Señora. Esa experiencia hizo que todo valiera la pena. Si no hubiera sido una paciente en ese hospital, nunca hubiera podido compartir el mensaje de Medjugorje con los médicos y las enfermeras, y tampoco con mi compañera de habitación. Fue, de nuevo, confirmación de que todo sucede por una razón, otro recordatorio para aceptar mi cruz antes de intentar entender su propósito, y para confiar siempre en la voluntad del Señor.

Fue precisamente esta confianza la que hizo soportable los cuatro días de espera del resultado de laboratorio. Los médicos, por fin, me informaron que el quiste era benigno y que podíamos volver a Medjugorje. Lloré cuando me despedía de Vittorio, Lia y Alessandra.

Le di un abrazo a Vittorio. «Gracias por todo».

«No me des las gracias», dijo mirando hacia el cielo. «Agradécelo a Él».

De vuelta en Medjugorje, mi misión continuaba.

Además de las apariciones anuales el 18 de mayo, Nuestra Señora seguía visitándome el día 2 de cada mes. Estas apariciones sucedían normalmente en casa, rodeada por mi familia y unos pocos amigos. A veces, sin embargo, iba a uno de mis lugares favoritos de oración en Medjugorje, un hueco rocoso cerca de la base de la Colina de las Apariciones, cercano a nuestra casa, conocido como «La Cruz Azul». La gente empezó a llamarlo así después de que miembros del grupo de oración local erigieran una simple cruz de metal y la pintaran de azul para marcar el lugar. Muchas apariciones habían tenido lugar allí a lo largo de los años. Al principio, cuando la policía nos impedía subir por la colina, había sido uno de los lugares secretos donde sabíamos que no nos molestarían.

Una de mis primeras apariciones públicas en la Cruz Azul fue la del 2 de marzo de 1997. Varios cientos de personas de todo el mundo estaban allí reunidas, incluyendo un grupo de nativos americanos con sus trajes tradicionales. Mientras miraba los alegres rostros, me empecé a dar cuenta del significado que tenía para otra gente estar presente en las apariciones.

Cuando Nuestra Señora llegó, su expresión era muy seria y había lágrimas en sus ojos desde el principio de la aparición hasta el final. Los espectadores me dijeron más tarde que estuve en éxtasis durante unos cuatro minutos. Cuando se fue, me quedé tan exhausta emocionalmente que necesité unos cuantos minutos de oración antes de poder transmitir el mensaje.

«*Queridos hijos*», dijo, «*rezad por vuestros hermanos que no han experimetado el amor del Padre, por aquellos que sólo les importa la vida en la tierra. Abrid vuestros corazones a ellos y ved en ellos a mi Hijo, que les ama. Sed mi luz e iluminad a todas las almas en las que reina la oscuridad*».

La llamada de Nuestra Señora a ser su «luz» parecía más importante que nunca. Aunque la guerra había acabado, una nube oscura seguía cubriendo los Balcanes, sobre todo en las áreas que habían visto los combates peores. De los edificios que aún seguían en pie, muchos habían sido dañados por tantas balas que sus fachadas de cemento parecían la superficie de la luna. Las tumbas nuevas superaban en número a las antiguas en casi todos los cementerios. En muchos lugares la gente vivía al lado de la persona contra la que habían combatido. Sin perdón, los tristes efectos de la guerra seguirían multiplicándose.

Nuestra Señora dijo una vez que para perdonar a los otros, debemos ante todo perdonarnos a nosotros mismos. El secreto de este misterio es, sencillamente, el amor. Si amas, entonces sabrás cómo perdonar y seguir adelante. Sin amor no hay nada; estás vacío y no puedes realmente perdonar. Sólo cuando amas al que te persigue, puedes decir que estás en el camino justo. Ésta es la verdadera misericordia.

Tal vez ningún sitio en Bosnia-Herzegovina necesitaba tanto la reconciliación como mi antigua ciudad. Sarajevo había sufrido el asedio más largo de una capital en la historia de la guerra moderna: duró cuatro años.

El estadio usado para los Juegos Olímpicos de 1984 se convirtió más tarde en el lugar donde se celebraron varios acontecimientos que anunciaron un nuevo periodo de libertad para la gente de la región. En 1997, *U2* fue el primer grupo musical importante que tocó en Sarajevo después de la guerra. Gente de todos los grupos étnicos fue al concierto. Su canción, *Where The Streets Have No Name* podría estar describiendo Medjugorje.

El 13 de abril de 1997, el Papa Juan Pablo II celebró la misa en el estadio para aproximadamente sesenta mil personas. A lo lejos se podía ver la ladera de una colina llena de tumbas de víctimas de guerra. El frío viento de ese día y una gran nevada transmitían la desolación de la ciudad diezmada, pero las palabras del Papa fueron como rayos de sol atravesando la penumbra.

«Perdonemos y pidamos perdón», dijo a la multitud, que incluía católicos, musulmanes y serbios. «Todos los hombres de buena voluntad desean que lo que simboliza Sarajevo quede circunscrito al siglo XX, y no se repita su tragedia en el milenio ya inminente».

Tres días más tarde, en una audiencia general en Roma, el Papa reflexionó sobre su visita a Sarajevo y pidió a todos rezar para que la paz durara en la región, añadiendo: «Durante la guerra no cesaron las peregrinaciones de fieles a los santuarios marianos de BosniaHerzegovina, así como a los de otras muchas partes del mundo, y de manera especial a Loreto, para pedir a la Madre de las naciones y Reina de la paz que intercediera para que volviera la paz a esa martirizada región».

Sus palabras parecían un guiño y una sonrisa a todos nosotros, en Medjugorje.

En marzo de 1998 Lia me llamó desde Italia y me dijo que Vittorio estaba gravemente enfermo. Recé a Dios para que lo consolara del mismo modo que Vittorio había consolado a sus pacientes.

Durante mi aparición anual del 18 de marzo de 1998, Nuestra Señora dijo: «*Os llamo para que seáis mi luz, para iluminar a todos los que aún viven en la oscuridad, para que sus corazones se llenen de Paz... mi Hijo*».

El Dr. Vittorio Trancanelli ya había respondido a su llamada: él era una de sus «luces» que llenaba los corazones de la gente con paz cada día en su trabajo, su casa y su ministerio. Murió con 54 años el 24 de junio de 1998, el decimoséptimo aniversario de la primera aparición de Nuestra Señora en Medjugorje. Mientras estaba agonizando, miró a Lia y a sus hijos con ternura y dijo: «Esto es por lo que la vida vale la pena vivirla. Incluso si hubiera llegado a ser alguien importante, incluso si tuviera dinero en el banco, incluso si tuviera muchas propiedades, ¿qué sería de mí ahora? ¿Qué llevaría ante Dios? Ahora sólo me llevo el amor que he dado a la gente».

Lloré por Lia, Diego y, en especial, por mi bella Alessandra, pero no tanto como por Vittorio. En mi mente, él era un ángel viviendo en la tierra que, simplemente, había volado de nuevo al Cielo.

Más tarde, ese mismo año, Jakov y yo fuimos a los Estado Unidos para dar algunas charlas sobre nuestras experiencias y nuestras familias se unieron a nosotros. Para entonces, yo había empezado a aceptar menos invitaciones para hablar. Después de haber visto a tantos peregrinos cambiar su vida en Medjugorje, me di cuenta que había una gran diferencia entre gente oyendo hablar de ello y ellos yendo directamente allí. Las palabras no podían transmitir lo que significaba subir la colina y sentir su presencia. A pesar de todo, pensé que si mi visita a los Estados Unidos podía cambiar la vida de un solo no creyente, habría valido la pena. Al final, sin embargo, pienso que se supone que tenía que estar allí para ayudar a mi primo.

El 11 de septiembre de 1998, Nuestra Señora se apareció a Jakov tal como hacía cada día desde el principio. Me arrodillé en otra habitación y recé en silencio. Sabiendo lo que podría ver, era muy doloroso para mí estar cerca de él.

Esta vez, cuando la aparición terminó, Jakov vino a verme con lágrimas en los ojos. «Necesito hablar contigo», me dijo. «Hoy ha sido mi última aparición regular. Nuestra Señora me ha dicho que me prepare para recibir el décimo secreto mañana».

Mi corazón sufrió por él y también yo empecé a llorar. «Lo siento mucho, Jakov», dije, pensando en la confusión y la desesperación que había sentido muchos años antes. Me preocupaba que la ausencia de Nuestra Señora fuera incluso más difícil de aceptar para Jakov de lo que había sido para mí. Tras la muerte de su madre, Nuestra Señora prácticamente fue la que se ocupó de él. Ahora, con veintisiete años, Jakov tendría que enfrentarse al mundo sin el consuelo de verla cada día.

Se limpió las lágrimas de su rostro. «No sé lo que haré sin ella».

«Recemos», dije, y pasamos mucha parte de esa noche de rodillas.

Señor, recé en silencio, *haz que Jakov entienda que así debe ser, que ésta es tu voluntad.*

El día siguiente, Nuestra Señora se apareció a Jakov a las 11.15 horas, mucho antes de lo habitual, y estuvo más tiempo de lo que solía. Media hora más tarde, cuando la aparición acabó, Jakov lloró y se fue solo. Más tarde nos dijo que Nuestra Señora estaba triste cuando le dio el décimo secreto, pero entonces sonrió y le prometió que se le aparecería una vez al año, el día de Navidad. Ella le dijo que no se entristeciera «*porque como madre siempre estaré contigo y como toda verdadera madre, nunca te abandonaré*». También le pidió que fuera «*un ejemplo del hombre que ha conocido a Dios y al amor de Dios*» y entonces le bendijo y le dio las gracias por responder a su llamada.

El padre Slavko estaba conmocionado cuando le dimos la noticia. Había pasado más de una década desde que Ivanka había dejado de tener las apariciones diarias. Todos en Medjugorje se sorprendieron de que a Jakov le pasara estando en América y no en casa.

Di gracias por haber estado con Jakov en los difíciles días que siguieron. Siempre que se acercaba la hora de la aparición regular, Marko y yo intentábamos distraerle hablando con él o rezando. Cuando volvimos a Medjugorje, él se alejó de todos. El Jakov que había conocido, el que no podía tener una conversación sin hacer una broma y cuya risa contagiosa hacía que todos rieran incluso sin saber de qué se estaba riendo, parecía haber desaparecido. Su depresión duró muchos meses, pero con el tiempo llegó a entender lo que yo había entendido: él, como todos, podía permanecer cerca de Nuestra Señora rezando con el corazón.

El padre Slavko Barbarić guía a los peregrinos en oración en la Montaña de la Cruz.

CAPÍTULO XXVIII

«En este tiempo grande y santo en el que habéis entrado, rezad de un modo especial por aquellos que todavía no han experimentado el amor de Dios».

(Del mensaje de Nuestra Señora del 2 de enero de 2000)

LOS PRIMEROS AÑOS del nuevo milenio trajeron una esperanza renovada, pero también las muertes de tres personas que había sido parte importante de mi vida.

Los peregrinos viajaban a Medjugorje en número creciente, mientras que la gente de Bosnia-Herzegovina se esforzaba en reconstruir y ajustarse al nuevo gobierno. A pesar de algunas discrepancias, croatas, musulmanes y serbios estaban coexistiendo con una relativa estabilidad.

El viernes 24 de noviembre de 2000, exactamente siete meses antes del vigésimo aniversario de la primera aparición, nuestro teléfono sonó. Cuando Marko contestó la llamada se puso pálido y dejó caer el teléfono al suelo. Nunca lo había visto así. «Es imposible», dijo entre dientes.

«No puede ser».

«¿Qué sucede?».

Me miró con lágrimas en los ojos. «El padre Slavko acaba de morir».

¿Cómo podía un hombre con tanta vitalidad morir a los cincuenta y cuatro años? Dejó este mundo después de subir con setenta parroquianos y peregrinos a la Montaña de la Cruz para rezar el Vía Crucis, como hacía cada viernes. En lo alto de la montaña, cerca de la cruz de cemento, se sentó sobre una roca, cayó al suelo y murió.

El día siguiente, Nuestra Señora se refirió a su muerte en su mensaje a Marija. «Me alegro con vosotros y deseo deciros que vuestro hermano Slavko ha nacido al Cielo e intercede por vosotros».

El Cielo se alegraba, pero en Medjugorje estábamos llenos de tristeza. El padre Slavko había sido nuestro pilar durante muchos años. Todos nos apoyábamos en él.

Dos días después, en la fiesta de Cristo Rey, Marko y yo asistimos al funeral del padre Slavko junto con los otros videntes y treinta mil personas. Era extraño ver el cuerpo del padre Slavko en el ataúd abierto, pero el aspecto sereno de su rostro me consolaba. Por fin pudo descansar.

El obispo Perić, que sucedió al obispo Žanić y que mantenía el mismo enfoque escéptico hacia nuestras apariciones, presidió la misa de funeral. Aunque él y el padre Slavko habían estado en desacuerdo sobre Medjugorje, el discurso del obispo fue muy respetuoso.

«Delante de la muerte humana», dijo el obispo Perić, «de nuestra muerte o de la muerte de nuestros seres queridos, cada uno de nosotros reacciona con un corazón conmovido, una mente perpleja y unos ojos tristes. Pero Dios tiene el derecho de llamar a Sí, al hogar eterno, a quien quiera de este mundo, cuando quiera, de cualquier lugar que quiera y del modo que quiera».

El padre Tomislav Pervan, franciscano del lugar, fue el siguiente en hablar. «Aquí, delante de nosotros, se encuentra una vida que, humanamente hablando, llenó no sólo una, sino tres vidas», dijo. «Ha muerto justo como su Señor lo hizo. No sobre un sofá o una cama, no rodeado por sus hermanos o sus seres queridos más cercanos, sino bajo la cruz, en la fría roca de Herzegovina. ¿Cuántos símbolos hay en esta muerte?».

«El padre Slavko dio su vida por todos», continuó el padre Pervan. «Por encima de todo, él amó a aquellos que nadie amaba, a los desatendidos y los abandonados que habían sido terriblemente heridos por el pecado y el odio humano. Y, por lo tanto, murió demasiado pronto porque se entregó a a sí mismo en todos los lugares».

Era verdad. El padre Slavko intentó vivir y propagar los mensajes de Nuestra Señora en Medjugorje y en tantos otros lugares que visitó por todo el mundo. Escribió numerosos libros sobre la oración, el ayuno y la conversión, y millones de copias fueron impresas en veinte idiomas distintos.

Jakov habló en representación de nosotros seis, los videntes. «Tú a menudo nos decías: '¿No sabéis que os amo?'.Sentimos ese amor muchas veces y de muy diversas maneras.Gracias por cada una de tus visitas a nuestras casas, que trajeron mucha bendición y alegría a nuestras familias.Ahora, querido hermano, te decimos lo que tú siempre nos decías: ¿No sabes, hermano, cuánto te amamos?».

Me quedé especialmente conmovida cuando los niños de la Aldea de la Madre se reunieron en el altar para decir adiós al sacerdote que les había dado tanto. Una niña llamada Magdalena habló en nombre de todos. «Gracias por dejarnos ver que los juguetes tienen colores, que la Nutella es dulce y que se necesitan dos personas para el balancín», dijo. «Gracias por hacer posible que lleváramos un vestido blanco para nuestra Primera Comunión, como otros niños. Gracias por enseñarnos cómo amar a Nuestra Señora y cómo rezar a Dios. Gracias porque, a pesar de todo, hemos descubierto qué significa la palabra *amor*».

Entonces me di cuenta que el legado del padre Slavko perduraría a través de los niños. Aunque había finalizado el programa de visitas familiares años antes, esa experiencia le sirvió para buscar otros modos de ayudar a que los niños se sintieran menos como huérfanos y más como parte de una comunidad. Creó un jardín de infancia llamado, siguiendo a Santa Teresita, la Pequeña Flor, donde los niños de Medjugorje y aquellos que vivían en la Aldea de la Madre pudieran ir juntos a la escuela. Resultó ser algo maravilloso.

Mi hija, Marija, formó parte de la primera generación que asistió al jardín de infancia. Como otros padres del lugar, Marko y yo estábamos felices porque sabíamos que Marija estaría en un lugar seguro donde podía aprender el amor de Dios tanto a través de la instrucción de fe de la escuela, como relacionándose con los menos afortunados. Como resultado, los niños que vivían en la Aldea de la Madre nunca sintieron que eran diferentes.

Las pocas pertenencias del padre Slavko fueron entregadas a su familia y amigos. Yo sólo quería una cosa, su despertador. Era un despertador tan corriente como cualquier otro en el mundo, pero para mí era un símbolo inestimable de la dedicación incansable del padre Slavko a Nuestra Señora. Sin el reloj, no hubiera podido levantarse cada día antes del amanecer, después de poquísimas horas de sueño. A veces ponía su reloj delante de mí cuando rezaba y podía sentir que él estaba cerca. Es un recordatorio de que mi vida en la tierra, como la de cualquier otra persona, un día terminará.

Con su formación en psicología, el padre Slavko confesaba a menudo en la Comunidad del Cenáculo, que ahora era una parte inseparable de Medjugorje. Como le querían mucho, los jóvenes hicieron una gran lápida y la llevaron a mano hasta la cima de la Montaña de la Cruz para señalar el lugar donde murió. Incluso uno de los miembros de la comunidad habló en el funeral del padre Slavko diciendo: «Gracias por proteger la vida, por irradiar paz y amor, por tener siempre tiempo para charlar».

Después de la muerte del padre Slavko, empecé a sentir en mi corazón que en vez de esconderme en mi habitación para las apariciones mensuales del día 2, debería estar en un lugar donde todos podían rezar con Nuestra Señora en medio. Y comprendí una cosa. ¿Sería bonito si Nuestra Señora se apareciera en la Comunidad del Cenáculo? El objetivo de las apariciones mensuales, después de todo, era orar por aquellos que no conocían el amor de Dios. Los jóvenes de la comunidad una vez fueron personas así y entendían qué significa caminar en la oscuridad. A través de la oración habían nacido de nuevo y estaban aprendiendo a vivir con Dios como su Padre. podía presentarles a su Madre.

Los miembros de la comunidad eran amables y ayudaban cuando iba. Mantenían todo en orden y tocaban bonitas canciones con sus guitarras mientras me arrodillaba y esperaba a Nuestra Señora. A veces venía muy triste, pero otras muy alegre. A menudo daba un mensaje y muchas de sus palabras de esas apariciones permanecen grabadas en mis pensamientos.

«Como una madre invita a sus hijos, yo os invito y vosotros me respondéis». (2 de enero de*2003).*

«No permitáis que os engañe el falso resplandor que os rodea y que se os presenta». (2 de octubre de 2003).

«Hijos míos, ¿no reconocéis los signos de los tiempos? ¿No habláis de

ellos?». (2 de abril de 2006).

«A través de vosotros mi corazón desea ganar, desea triunfar». (2 de mayo de 2006).

«Dios nos creó con libre albedrío para comprender y elegir la vida o la muerte». (2 de julio de 2006).

«En estos tiempos sin paz, vengo a vosotros para enseñaros el camino de la paz». (2 de agosto de 2006).

«Purificad vuestros corazones e inclinad vuestra cabeza ante vuestro único Dios» (2 de julio de 2005).

El 25 de junio de 2001, la parroquia celebró el vigésimo aniversario de las apariciones de Nuestra Señora. Nunca había visto el pueblo tan abarrotado de peregrinos. Era una ocasión dichosa, pero hubiera deseado que el padre Slavko hubiera estado allí, aunque estoy segura de que estaba presente en espíritu. Nunca sentí que verdaderamente él nos hubiera dejado. Espero que la Iglesia le declare santo un día, pero para mí, ya lo es. Fue un ejemplo del amor de Dios, un hombre de fe profunda que murió con la misma paz con la que había vivido. Muchos peregrinos rezan ahora al lado de su tumba en el cementerio detrás de la iglesia de Santiago.

El aniversario fue también un día especial para mí. Mi madre y mi padre me desearon lo mejor aquella mañana. «¿Puedes creer que ya ha pasado tanto tiempo?», dijo papá, todavía con dificultad para hablar debido al derrame cerebral.

Cada vez que lo veía, agradecía que los doctores se hubieran equivocado. Habían pasado más de seis años desde que ellos dijeron que viviría menos de uno. Sin embargo, cada vez que recibía una llamada cuando estaba fuera de casa, me preocupaba que fuera por él.

Marko, Marija y Veronika me compraron un ramo de flores en el día del aniversario, lo que se había convertido en su tradición. Las niñas, que entonces tenían nueve y seis años, me sorprendían siempre con su fe profunda y por cómo aceptaban con paciencia tener a una vidente como madre. Aunque éramos normales, nuestras vidas estaban lejos de serlo. Marko siempre trataba de asegurarse que ellas no se sintieran confundidas sobre mis experiencias.

«Algunas veces Dios elige a alguien no porque esa persona sea la mejor», decía, «sino porque Él necesita a esa persona tal como ella es en ese momento. Probablemente así eligió a vuestra madre».

Marko fue un padre excepcional desde el principio. Conociendo las exigencias de mi misión, se dedicó a nuestras hijas. Les daba de comer, las vestía y las ayudaba a terminar los deberes tanto como hacía yo, si no más. Él y yo nunca discutimos sobre las obligaciones de cada uno. Todo lo hacíamos de manera natural. Dios unió al hombre y a la mujer para trabajar juntos, no para que uno de ellos tuviera que cargar con toda la responsabilidad.

Por entonces, la gente que defendía tradiciones sagradas como el matrimonio y la fe eran vista, a menudo, como retrógradas e ignorantes. En cambio yo creo que personas como éstas son las que están salvando el mundo. Cuando nos tocó enseñar a Marija y Veronika sobre la fe, nunca les predicamos o les obligamos a hacer algo que no querían. Incluso cuando eran bebés, estaban con nosotros en la sala cuando rezábamos el rosario. Los bebés, por supuesto, no entienden, pero escuchan. Como mínimo la paz que llena la sala durante la oración entra en ellos. En algún lugar, en lo profundo, recuerdan.

Nunca compramos un juguete o una película para niños con el propósito de tenerlas entretenidas. Siempre jugábamos o la veíamos con ellas, y Marko era un padre especialmente presente con Marija y Veronika. Quizá Marko y yo, sin saberlo, habíamos llegado a parecernos a mis propios padres; normalmente él bromeaba y reía con las niñas, mientras que yo era quien solía poner las reglas y prohibir cosas.

Una vez, cansada ya de alzar la voz para conseguir que Marija y Veronika siguieran mis instrucciones, decidí ver si imitando a Nuestra Señora, la madre suprema, conseguía mejores resultados. Su habitación era un completo desorden cuando las encontré jugando allí, cerré mis ojos y me imaginé la dulce voz de Nuestra Señora. «Hijas», dije suavemente. «Por favor, limpiad vuestra habitación».

Volví al cabo de una hora y la habitación estaba más desordenada que antes. «Hijas», dije con ternura. «Me haríais muy feliz si ahora limpiáis vuestra habitación».

Lo hice tres veces, pero cuando fui la cuarta vez y vi no habían hecho nada, perdí la paciencia. «¡Niñas! ¡Limpiad vuestra habitación ahora mismo!».

Cinco minutos después, su habitación estaba impecable.

Sólo hay una Bienaventurada Madre, pensé. No importa cuántas veces nos tiene que rogar para que «limpiemos nuestras habitaciones», ella nunca tira la toalla ni amenaza, su paciencia es eterna.

Aun así, nuestro hogar estaba lleno de alegría, especialmente cuando rezábamos juntos. Orar parecía ser natural para Marija, mientras que Veronika era, al principio, más reacia. Cuando Veronika tenía cuatro o cinco años, a menudo decía que tenía que ir al baño cuando era el momento de rezar el rosario en familia.

«No hay problema», le decía. «Te esperamos».

Por supuesto, su rostro reflejaba desesperación. Pero nunca se lo reprochamos, y si no quería rezar esa noche, continuábamos sin ella. Del mismo modo que los mensajes de Nuestra Señora tenían un significado distinto para cada uno, aprendí a hablar a Marija de una forma y a Veronika de otra.

En vez de forzar a Veronika a orar, intentamos hacer el rosario más entretenido, casi como un concurso.

«Bien, ¿quién quiere guiar la primera decena?», decía.

Veronika y Marija levantaban sus manos. «¡Yo! ¡Yo!».

Al cabo de poco tiempo, cuando teníamos tiempo libre o si íbamos en coche a algún lugar, Veronika era la primera en decir: «¡Recemos!». Y cuando se hizo mayor, a menudo la encontrábamos rezando sola. Había aprendido a ver a Nuestra Señora con su corazón, y nada podrá quitárselo.

Aunque la parroquia celebraba el aniversario el 25 de junio, el día que nos acercamos a la Virgen por primera vez, para mí siempre comenzaba cuando la vimos el 24 de junio. En éste y en cada aniversario, me sentía de forma parecida a como me sentí en los días previos a la primera aparición. Me inundaba una sensación de amor que quería transmitir a todos, y a menudo lloraba por las cosas más pequeñas. Después de veinte años, las apariciones de Nuestra Señora se habían hecho casi normales para algunas personas, en concreto para aquellos que vivían en la parroquia. Pero para mí todo seguía siendo, sencillamente, increíble.

«El Cielo ha bajado a la tierra durante muchos años», dije a algunos peregrinos. «¿Qué grande es el amor de Dios que nos da este regalo? ¿Que nos envía a su Madre entre nosotros para ayudarnos?».

Con tantos peregrinos viniendo de todas partes del mundo, parecía que Medjugorje estaba experimentando un renacimiento después de las incertidumbres causadas por la guerra. Meses después, sin embargo, los ataques del 11 de septiembre de 2001 sacudieron el mundo entero. Estaba aterrada. No podía parar de llorar cuando veían las escenas devastadoras en las noticias. Las torres ardiendo, las víctimas cayendo, la fantasmal nube de cenizas, las montañas de escombros, cada imagen espantosa era una lágrima más en el rostro de Nuestra Señora, una razón más para rezar por la conversión de la gente que, como los secuestradores del 11-S, no conocían el amor de Dios.

Cuando la década se acercaba a su mitad, fui a tomar café con mi padre una fría tarde de noviembre a las dos, como hacía casi cada día desde que sufrió el derrame hacía diez años. El habla de papá no había mejorado, ni tampoco su caminar, pero su alegría hacía que se le viera más fuerte de lo que en realidad estaba.

Después de terminar nuestro café, mi madre trajo a mi padre algo de comida.

«Ya te puede ir, Mirjana», dijo. «Es la hora de comer».

Me levanté y puse mi mano sobre su hombro. «Hasta luego, papá», dije.

Agarró mi brazo ligeramente. «No escuches a mamá», bromeó.

«Puedes estar un poco más».

Mamá sonrió. «¿Perdona?».

Yo sonreía. «No queremos que empieces a pelear, papá. Come e intentaré venir más tarde».

Esa misma tarde, Marko y yo estábamos en una tienda de comestibles cuando Jakov llamó a nuestro móvil. «El tío está enfermo», dijo. «Pienso que se está muriendo. Venid rápido».

Pensé que estaba hablando de nuestro tío Andrija, pero Jakov explicó que no estaba hablando de *nuestro* tío hablaba de *su* tío, mi padre.

Marko y yo corrimos hacia la casa de mis padres. Había médicos a su alrededor cuando llegamos, pero no pudieron hacer nada. Murió al cabo de diez minutos, como si hubiera estado esperándome.

En ese momento todo se oscureció. Sentí confusión, como si estuviera en un sueño. ¿Cómo podía haberse ido mi padre? Corrí a mi habitación y cerré la puerta con llave. Los primeros días de las apariciones me habían condicionado a cargar sola con mis sufrimientos.

Apenas recuerdo su funeral. Sentía como si lo estuviera viendo desde fuera de mi cuerpo, como si alguien distinto estuviera recibiendo las condolencias en mi lugar. Días después, siempre que se acercaba la tarde, yo me preparaba para ir a tomar café con mi padre, pero luego me daba cuenta de que ya no estaba allí. Como es costumbre, vestí de luto durante todo un año. Y la verdad es que no tenía ganas de ponerme otro color.

Ver a Nuestra Señora no me excluía de hacer el duelo como cualquier otra persona. Todos queremos tener cerca a nuestros seres queridos para siempre, y yo había estado tan unida a mi padre, que sentí como si una parte de mí se hubiera ido. Pero Jesús dijo: «Bienaventurados lo que lloran, porque serán consolados» (Mateo 5,4).

Mirándolo desde la perspectiva de la eternidad, era como si mi padre y yo hubiéramos estado en la planta baja del edificio de nuestro apartamento y él hubiera sido el primero en coger el ascensor. Antes de que me dé cuenta, el ascensor bajará para mí, como hará para cada persona, y me encontraré a mi padre esperándome arriba. Como Nuestra Señora dice, la vida es pasajera como una for.

Los días posteriores a su muerte intenté pensar en todos los tiempos felices pasados con mi padre en Sarajevo, y cómo hacía que me sintiera siempre protegida y amada. En poco tiempo y con mucha oración, recuperé la paz.

Nunca vi a mi padre durante una aparición después de su muerte, ni le pregunté a Nuestra Señora sobre él, pero sus apariciones y mensajes me dieron recuerdos momentáneos del paraíso que había sido su casa. El 18 de marzo de 2004, Nuestra Señora dijo: «Viéndote con un corazón lleno de amor, deseo decirte que lo que tú buscas con insistencia, lo que tú deseas, mi pequeña niña, está ante ti». Prometió que «seríamos capaces de ver» si purificábamos nuestros corazones y poníamos a su Hijo en primer lugar.

La aparición del día 2 de cada mes en la Comunidad del Cenáculo siguió atrayendo a un creciente número de personas. La aparición que experimenté el 2 de abril de 2005, la vigilia del Domingo de la Divina Misericordia, fue a la vez intensa y desconcertante. Nuestra Señora apareció aquella mañana a las 9:17hras. Bendecía a la multitud, pero enfatizó que la bendición más importante es la de un sacerdote. Entonces, con notable determinación, dijo: «*En este momento pido que renovéis la Iglesia*».

Parecía una petición acuciante. «¿Cómo puedo hacerlo?», pregunté, pero inmediatamente me di cuenta que no me estaba hablando solamente a mí, sino que hablaba a todos. «¿Cómo *podemos* hacerlo?».

«Hijos míos, ¡pero si yo estaré con vosotros! Mis apóstoles, ¡estaré con vosotros y os ayudaré! Primero renovaos a vosotros mismos y a vuestras familias, y después todo será más fácil».

«Entonces, quédate con nosotros, Madre».

No era un mensaje típico. Después de la aparición, sus palabras resonaron en mi mente. *Renovar la Iglesia*. ¿Qué estaba intentando decirnos?

Aquella tarde Marko y yo fuimos a la boda de uno de nuestros vecinos. Estábamos disfrutando en el banquete cuando uno de mis amigos me informó que el Papa Juan Pablo II acababa de morir. Recordando mi encuentro con él, la imagen de sus penetrantes ojos azules pasó por mi mente.

Un santo ha muerto, me dije a mí misma.

Estaba demasiado emocionada para quedarme en el banquete, así que Marko me llevó a casa. Encendimos dos velas y pusimos una en el alféizar de nuestra ventana y la otra sobre la mesa de la sala de estar, y luego nos arrodillamos y rezamos. En medio del silencio y de la temblorosa luz de la vela, Dios me dio paz y un pensamiento consolador: Juan

Pablo había muerto aquí en la tierra, pero era su cumpleaños en el Cielo. Su misión había terminado.

Dos años antes de que muriera, el 8 de diciembre de 2003, solemnidad de la Inmaculada Concepción, el Papa Juan Pablo II leyó una oración que había compuesto para pedir la paz del mundo. «¡Reina de la Paz, ruega por nosotros!», dijo. «Madre de Misericordia y de esperanza, consigue para los hombres y mujeres del tercer milenio el regalo precioso de la paz: paz en los corazones y en las familias, en las comunidades y entre los pueblos.»

Hay muchos ejemplos en los que las palabras del Papa parecen repetir las de Nuestra Señora, como si ambos hablaran el mismo lenguaje celestial. Madres e hijos a menudo lo hacen.

El 1 de mayo de 2011, el Papa Benedicto XVI beatificó a Juan Pablo II y tres años más tarde, el 27 de abril de 2014, el Papa Francisco lo canonizó. El hombre amable que había conocido hacía casi treinta años era ahora un santo oficial de la Iglesia católica.

Personalmente creo que el Espíritu Santo nos da el Papa que necesitamos para los tiempos que vivimos. Así como el mundo necesitaba a Juan Pablo II y Benedicto XVI, también ahora necesita al Papa Francisco. Rezo por el Santo Padre cada día, para que Dios le proteja y le ayude a llevar la carga pesada de su misión. Como aquellos antes de él, nos guía y enseña la fe, hablando el mismo lenguaje de su Madre.

La elección del nombre del Papa Francisco me recuerda cuando Jesús pidió a San Francisco que reconstruyera Su iglesia, similar a lo que Nuestra Señora pidió justo antes de que Juan Pablo II muriera, poco tiempo después de ser elegido,el 13 de marzo de 2013,Francisco pidió al Patriarca de Lisbo a consagrar su pontificado a Nuestra Señora de Fátima el día de su fiesta el 13 de 2013. Después se eligió el 13 de octubrede 2016,el nonagésimo sexto aniversario de la aparición fnal en Fátima, para consa¬grar el mundo al Inmaculado Corazon de Maria. A petición del Papa Francisco, la estatua de de la Bienaventurada Madre que contiene la bala que casi mata a Juan Pablo II en esa ocasión.

El Santo Padre también invitó a las delegaciones de los principales lugares de aparición aprobadas por la Iglesia, así como de uno que no está todavía aprobado, Medjugorje. Nuestro sacerdote, el padre Marinko

Šakota, llevó a un grupo de parroquianos a Roma para este acontecimiento. El propio padre Marinko es un fruto de Medjugorje; de hecho, atribuye su sacerdocio a Nuestra Señora, así como al padre Slavko, que de diversos modos fue su mentor.

En su oración a la Bienaventurada Madre, el Papa Francisco dijo: «Con renovada gratitud por tu maternal presencia, unimos nuestras voces a la de todas las generaciones que te han llamado bienaventurada. Celebramos en ti el gran trabajo de Dios, que nunca se cansa de inclinarse con misericordia hacia la humanidad, afligida por el mal y herida por el pecado, para curarla y salvarla».

Los que visitan mi casa a menudo me preguntan sobre el par de elegantes zapatos de piel que conservo en una vitrina. Los vi por primera vez justo antes de una aparición en la Comunidad del Cenáculo, más o menos un año después de que el Papa Juan Pablo II muriera. En los momentos que preceden la llegada de Nuestra Señora, es como si mi mente estuviera en otro mundo, y cuando vi esos zapatos delante de mí y cerca de la estatua de la Bienaventurada Madre, me quedé confundida. La gente a menudo deja rosarios, peticiones y flores delante de Nuestra Señora, pero ¿quién podía dejar un par de zapatos? Cuando Nuestra Señora apareció, por supuesto me olvidé de ellos.

Después de la aparición, un hombre que había sido un íntimo amigo del Papa Juan Pablo II se acercó a mí. Me pidió que no revelara su identidad, y tuvo suerte, porque soy una experta en guardar secretos. El hombre me dijo que Juan Pablo siempre había querido venir a Medjugorje, pero como Papa, nunca le fue posible. Así que, un día, le dijo al Papa bromeando: «Si tú no logras ir a Medjugorje, entonces iré yo y llevaré allí tus zapatos. Será como si hubieras podido pisar aquella tierra santa».

Después de la muerte de Juan Pablo II, el hombre sintió que debía hacer exactamente eso. Después de la aparición me los dio, y pienso en el Santo Padre cada vez que los veo. Pero la parte más divertida de esto sucedió más tarde. Un hombre italiano que hacía zapatos para los Papas en Roma supo que me habían dado los zapatos. Así que hizo un segundo par de la talla 38 mi número y me los envió. Quizá pensó que estaba triste porque los zapatos del Papa no me quedaban bien.

Pero, hablando en sentido figurado, ¿A quién le quedarían bien?

Más de treinta y cinco años han pasado desde que vi por primera vez a Nuestra Señora y mi hija Marija se ha casado recientemente. (Fotos de FotoDANI)

CAPÍTULO XXIX

«Sólo con el corazón se puede ver bien. Lo esencial es invisible a los ojos».

(De *El Principito*)

DESDE QUE LAS apariciones empezaron en 1981, Medjugorje ha cambiado mucho. Y mi vida también.

Hace poco he cumplido cincuenta años, aunque no siento o actúo de un modo muy distinto a cuando tenía dieciséis años. Cuando veo un adulto actuando de manera inmadura, o cuando me doy cuenta de que no actúo como el ángel perfecto que algunas personas esperan de mí, pienso: *No es de extrañar que ella nos llame hijos pequeños. Míranos.*

Cuando estoy con Nuestra Señora, soy un niño que mira a su Madre. El tiempo se detiene y, como hace una madre con su hija, ella me habla con gentileza y preocupación. Dudo que alguna vez me sienta verdaderamente como un adulto. La edad es irrelevante en el Cielo y la belleza de Nuestra Señora no es de este mundo. Si la gente me pregunta qué edad parece que tiene, mi primera reacción es pensar: ¿Es importante? Pero si tengo que hacer una comparación terrenal, diría que parece tener entre veinte y veinticinco años. Mucho más joven, desde luego, que su actual edad de más de dos mil años. Nuestra Señora ha tenido el mismo aspecto desde 1981. En el modo como se presenta a nosotros, no tiene tiempo ni edad.

La gente de esta región ha trabajado desde el final de la guerra para reconstruir el país. Croacia entró en la Unión Europea y ahora es conocida como uno de los mejores destinos del mundo para vacaciones. En BosniaHerzegovina, el histórico Puente de Mostar fue cuidadosamente reconstruido y Sarajevo ha resurgido de sus cenizas para convertirse en la ciudad de cultura que siempre quiso ser. Pero aún hay cicatrices de la guerra, como el agujero en un lado de nuestro antiguo edificio de apartamentos y la tristeza que sentimos cada año en la fiesta de San Esteban.

Hace unos años me invitaron a hablar en la iglesia de San Antonio en Sarajevo, donde recibía la catequesis cuando era una niña. Estaba encantada de compartir mi testimonio con la gente de mi antigua ciudad, pero de alguna manera sentí que la situación era surrealista. Mirando a la gente empecé a describir a Nuestra Señora, cuando, de repente, me imaginé a la policía secreta entrando en la iglesia para arrestarme. Tuve que dejar de hablar y respiré hondo. *El comunismo se ha acabado*, me dije a mí misma. *Nadie puede venir a cogerte ahora. Nadie te hará daño. Ahora puedo hablar de Dios.*

Estoy agradecida de no vivir ya bajo el comunismo. Hoy tenemos libertad religiosa como la gente de los países democráticos, y en ningún sitio está la fe tan viva como en mi ciudad de adopción, Medjugorje.

Marko y yo seguimos viviendo a unos cientos de metros de la Colina de las Apariciones. Una gran estatua de mármol de la Reina de la Paz se yergue en el lugar donde la vimos por primera vez, en la colina. La estatua fue donada por peregrinos coreanos en 2001.

Mi madre vive al lado y pasa su tiempo arreglando el jardín, cocinando y mimando a sus nietos. Recuerdo cuánto sufrió en Sarajevo cuando empezaron las apariciones y cómo me apoyó a pesar del acoso constante. A veces me pregunto si hubiera sido tan valiente como ella si Marija o Veronika empezaran a ver a Nuestra Señora y si sus afirmaciones causaran el mismo nivel de persecución a nuestra familia. ¿Lo soportaria o le diria a mi hija que se mantuviera en silencio.

Miro también vive al lado con su mujer, Svjetlana y sus hijos: Magdalena, Josip y Robert. Miro y yo tenemos una hermosa relación. Nos reímos y lloramos juntos. Sigo pensando en Miro como si fuera mi tercer hijo, le guste o no, y me encanta ver crecer a mi sobrina y sobrinos. Los veo cada día y comemos siempre juntos en los cumpleaños y en las vacaciones. Es bonito que vivamos todos tan cerca, aunque me gustaría que mi padre siguiera vivo para ser parte de todo.

El tío Šimun y la tía Slava viven cerca. Mis primos Milena, Jelena y Vlado están todos casados, pero es triste decir que Vesna falleció el 3 de marzo de 2015. Estaba a su lado el último día de su vida terrena. Me sentí bendecida por haber tenido la oportunidad de consolarla en esos delicados momentos. Le acaricié el rostro, le besé la frente y le aseguré que vería pronto la belleza que yo había intentado describir tantas veces. Le recordé nuestros años juntas cuando éramos niñas, corriendo y riéndonos en los campos, cuchicheando por la noche. En aquel tiempo, ser adulto parecía estar a miles de años de distancia.

Nuestra Señora tiene razón, pensé. *Estamos aquí sólo por un breve tiempo.*

Dejando de lado mi papel como vidente, vivo una vida muy normal. Por lo general, me levanto pronto porque me gusta empezar el día con una oración para pedir el don del amor. Sin amor no sería capaz de funcionar en Medjugorje. Como otras madres y esposas, cocino, limpio, hago la colada y plancho, y sirvo la comida a mi familia. Por la tarde, cuando todo está tranquilo de nuevo, rezo otra vez. Por lo menos una vez al día recito el rosario de San Antonio, como prometí que haría hace más de veinte años. Después, Marko y yo pasamos un tiempo solos o visitamos a amigos, como Violeta y Antun, o Julijan y Mladen, con los que compartimos una estrecha amistad desde hace más de treinta años. Y por la noche rezo de nuevo.

Si miro atrás, veo cuánto he cambiado y madurado desde los primeros días de las apariciones y lo que he aprendido. Por ejemplo, me preguntaba cómo un Dios que es amor podía permitir el sufrimiento.

Bez muke nema nauke es un antiguo proverbio croata que traducido significa: *Sin sufrimiento no hay aprendizaje.* Ahora sé que todas las dificultades de mi vida han contribuido a que sea la que soy hoy. Cada dolor me ha perfeccionado como mensajera del amor de Dios y me ha dado una mejor educación de la que me hubiera ofrecido cualquier escuela. Ahora, como un apóstol de Nuestra Señora, puedo responder a cuestiones difíciles mirando mi propia experiencia.

Sólo cuando has sufrido puedes entender de verdad el sufrimiento de los otros. Puedes relacionar lo tuyo con lo que están pasando y ayudarles a soportarlo, bien con palabras, oraciones o con tu presencia. Tras cargar con mi sufrimiento en silencio durante tanto tiempo, escondiendo mi dolor para proteger a los otros, he aprendido a compartir mis sentimientos. Tal vez este libro sea parte de ello.

La vida con Marko ha sido todo lo que me había imaginado que sería, pero lo que nunca habría podido prever es el gran número de perros que tenemos. Quizá Marija y Veronika han heredado mi empatía: se enamoran de cualquier cachorro abandonado que encuentran y, como mi padre, Marko no puede decir que no a sus «pequeñas princesas». Y cuando las niñas empezaron a ir al colegio en Mostar, nosotros nos ocupamos de sus mascotas. Al más pequeño le gusta sentarse en mi regazo y a Marko le gusta llevar a los más grandes a pasear por la tarde. Cuando Marija se casó, hace poco, bromeé diciendo que mi regalo de boda sería empezar a ladrar.

Nuestra Señora sigue apareciendo cada día a Ivan, Marija y Vicka en cualquier lugar del mundo en que se encuentren. Cada uno ha recibido nueve de los diez secretos.

Ivan se casó con una americana y pasa la mitad del año en los Estados Unidos y la otra mitad en Medjugorje. Marija se casó con un italiano y divide su tiempo entre Italia y Medjugorje y Vicka se casó con un lugareño y viven cerca del pueblo.

Y de los que ya hemos recibido los diez secretos, Jakov sólo ve a la Virgen en Navidad e Ivanka el 25 de junio. Yo estoy bendecida y la veo trece veces al año: el día 2 de cada mes y el 18 de marzo. Los seis videntes tenemos hijos y muchos de ellos salen juntos.

Jakov vive en una casa al otro lado de la calle con Annalisa, su hijo y dos hijas. Su humor, a medida que envejece, es cada vez más pícaro. Un día estaba dando un paseo a su perro, Bimba, cuando unos peregrinos estadounidenses se pararon para saludarle mientras venían a mi casa. Uno de ellos le preguntó. «¿Cómo se llama tu cachorro?».

Jakov sonrió y dijo: «Su nombre es Mirjana».

Cuando los peregrinos llegaron a mi casa uno de ellos observó:

«Es tan dulce que Jakov le pusiera tu nombre a su cachorro».

Me reí. «¿Es lo que os ha dicho?».

Al cabo de un rato vieron uno de mis perros y me preguntaron: «¿Le has puesto a tu perro el nombre de Jakov?».

«No», dije. «¡Quiero demasiado a mi perro!».

Cuando Jakov y yo nos vemos, más que hablar solemos reírnos y bromear, y a menudo pienso: ¡Si sólo la gente que tiene miedo de los secretos pudiera vernos a nosotros, los videntes, lo mucho que nos reímos! Después de todo, si nosotros que conocemos el futuro no dejamos que el miedo oscurezca nuestras vidas, ¿Por qué deberían los otros?

A medida que Medjugorje crece, también crecen mis responsabilidades, pero Nuestra Señora ha enviado a gente para ayudarme en mi misión, gente en la que puedo confiar sin ni siquiera pedírselo. Mi amigo Damir, que dirige un estudio fotográfico local, siempre se asegura de que tenga un micrófono cuando hablo a grupos numerosos de peregrinos. Mi amigo Miki, que habla con fluidez inglés e italiano, traduce cuando hablo a grupos. Siempre está a mi lado en cada aparición para escribir el mensaje y traducirlo para los peregrinos.

Me gusta interactuar con los peregrinos que vienen a Medjugorje. Con mi hermano hemos construido una casa de huéspedes al lado de nuestra casa y trabajo allí sirviendo comida, limpiando y asegurándome que los peregrinos tienen lo que necesitan. La gente viene de todas partes del mundo y siempre que hablo con uno de ellos, veo la experiencia de Medjugorje desde el punto de vista del peregrino. Además, no tengo que viajar por el mundo para conocer las distintas culturas, porque el mundo entero viene aquí. A veces pienso que aprendo más de los peregrinos que ellos de mí: ver el cambio que se produce en la gente desde el momento en que llegan hasta que se van es un testimonio del poder transformador de este lugar.

Muchos piensan que por el hecho de ser una vidente no tengo que trabajar, pero siempre bromeo que esa misma gente pensaría que soy una vaga si no tuviera un trabajo. Marko y yo trabajamos duro para mantener a nuestra familia. Si hiciera algo más, no podría interactuar con los peregrinos tanto como hago ahora y, aparte de ser esposa y madre, compartir los mensajes de Nuestra Señora es mi prioridad máxima. El trabajo es una parte necesaria de la vida y tener un trabajo honesto que glorifique a Dios de alguna manera es esencial para el bienestar de nuestras almas. Sirviendo a los peregrinos, puedo mostrarles que no soy diferente a nadie y que no estoy por encima de nadie. Todos somos iguales ante Dios y nuestra Madre nos ama a todos por igual.

Un día estaba caminando por la Colina de las Apariciones para rezar, cuando vi a un grupo de peregrinos de Italia ante mí. Se turnaban para subir a un chico minusválido a hombros. El terreno, empinado y rocoso, es difícil de subir, sobre todo con el peso extra de otra persona. Pero lo transportaban con amor y todos sonreían, incluyendo el muchacho. Al cabo de un rato, un grupo de estadounidenses que subía por la colina alcanzó al grupo italiano. Uno de los estadounidenses simplemente dijo «cambio» y empezó a subir al chico por la colina. Lo mismo hicieron unos peregrinos de Australia, Polonia y otros países. Todos se turnaron para subir al chico, que alcanzó la cima en los brazos de todo el mundo. Vieron en él a un hermano que necesitaba ayuda, sin importar su nacionalidad, lengua o minusvalía. Ésta, para mí, es la encarnación de Medjugorje.

Cuando hablo a los peregrinos, lo principal que pido de ellos es ser peregrinos. «Incluso si no creéis que Nuestra Señora se aparece», les digo, «de alguna manera has acabado aquí. Por lo tanto, ¿Qué tenéis que perder si intentáis vivir los mensajes durante una semana? Por lo menos serás un no creyente *culto*».

Poca gente se va de aquí con dudas. De hecho, cuando llega el último día de la peregrinación la mayoría no se quiere ir.

En los primeros días me dolía mucho que me acusaran de hacer un montaje. Siempre quise preguntarles: «¿Por qué inventaría una mentira como ésta? ¿Qué ganaría mintiendo?».

Debería ser una persona muy conflictiva para mentir sobre algo así, sobre todo durante la época comunista. Antes de las apariciones, tenía una vida bonita. Vivía con padres que me amaban e iba a una de las mejores escuelas de Sarajevo. ¿Por qué hubiera deseado que mi vida fuera distinta? ¿Por qué traer inquietud y agonía en la que era una situación cómoda? Sólo una persona inestable lo haría. Pero yo no era la única: éramos seis, incluyendo un niño de diez años que seguramente hubiera preferido estar jugando a fútbol en lugar de rezando.

Estos días lo único que siento es pena por quienes no pueden ver que Nuestra Señora les ha estado ofreciendo su mano en estos años para llevarles a la salvación. Y rezo por ellos. Una persona justa nunca llega a conclusiones acerca de alguien que no conoce en persona. Sólo si uno me conoce, si ha hablado conmigo, puede formarse una opinión inteligente sobre mi persona y mis afirmaciones.

Los peregrinos a veces preguntan: «¿Por qué han durado tanto las apariciones? ¿Por qué tantos mensajes?».

Digo todo lo que puedo decir. Nuestra Señora está preparándonos para todo lo que va a tener lugar en el mundo. Nos está entrenando para la victoria. Cuando los acontecimientos descritos en los mensajes empiecen, todo estará claro. Veréis, por ejemplo, por qué eligió aparecérseme el 18 de marzo de cada año y por qué experimento las otras apariciones el día 2 de cada mes. Entenderéis la importancia de estas fechas y os daréis cuenta del porqué las apariciones han durado tanto. Toda madre sabe que sus hijos necesitan ser guiados. A través de sus mensajes, Nuestra Señora nos recuerda con insistencia que nos mantengamos en el camino justo.

Cuando estoy con Nuestra Señora, no tengo noción del tiempo. Nunca sé cuánto duran realmente las apariciones hasta que la gente me lo dice más tarde. Siempre me asombra que lo que parece una experiencia sin tiempo haya durado sólo cinco o diez minutos para los que observan. Pero el tiempo terrenal no es nada comparado con el tiempo de Dios.Ésta es la razón por la que algunas personas cuestionan el que Nuestra Señora pueda aparecer tantas veces a lo largo de los años. Como nos dice la Biblia: «Para el Señor un día es como mil años y mil años como un día» (2 Pe 3, 8). Para la eternidad, estos treinta y cinco años han sido un instante.

El 2 de julio de 2012, Nuestra Señora dijo: «*Os imploro, deteneos por un momento y reflexionad sobre vosotros y la transcendencia de esta vida terrenal*».

En muchos aspectos, es hermoso ser un vidente ahora. Ciertamente, hay dificultades, la gente siempre observa y es imposible salir cuando hay muchos peregrinos en la ciudad. Pero ya me he acostumbrado a vivir así y no me aburro nunca. Siempre he preferido acurrucarme con un buen libro que ir a fiestas, y cuando la gente me pregunta cuál es mi música preferida, respondo«el silencio». Me gusta estar con mi familia y amigos y cada diez días, más o menos, Marko y yo nos tomamos un café juntos en Mostar. Eso me basta.

De todas formas, siempre tengo tiempo para compartir mi testimonio. Cuando hablo a los peregrinos, siento un gran amor hacia ellos y a veces me conmuevo hasta las lágrimas. No es extraño que mis amigos me hayan puesto el mote de «niña llorona». Estar con los peregrinos, muchos de los cuales viajan largas distancias para venir aquí, es una hermosa unión delante de la Madre que todos compartimos. No elegí mi papel de transmisora de los mensajes; por alguna razón, fui elegida. Pero me siento increíblemente bendecida cada vez que comparto lo que sé acerca del amor de Dios.

La parroquia entrena a guías locales para asegurarse de que los peregrinos reciben la información correcta. Las mañanas empiezan con la misa en distintos idiomas en la iglesia de Santiago. Durante el día, los peregrinos pueden escuchar una charla de un vidente o un sacerdote, o pueden subir a la Colina de las Apariciones o a la Montaña de la Cruz. Siempre animo a los peregrinos a quedarse en la colina después de haber subido con el grupo o solos, a buscar una roca buena y plana en la que sentarse, a contarle a Nuestra Señora todo lo que llevan en el corazón, a dejar allí el dolor y el sufrimiento o a rezar para tener la fuerza de cargar con la cruz.

Las últimas horas de la tarde son maravillosas en Medjugorje. El programa de oración nocturna, creado por el padre Jozo en los primeros días de las apariciones y desarrollado por el padre Slavko, es ahora uno de los puntos culminantes para muchos peregrinos. Empieza con la puesta de sol. La primera hora está reservada al rosario. Cuando el tiempo es bueno, un sacerdote lo guía desde el altar exterior y los peregrinos rezan sentados en los bancos. Al mismo tiempo, muchos sacerdotes se sitúan en y alrededor de los confesionarios a ambos lados de la iglesia y es normal que cada sacerdote tenga una fila de diez o más personas esperando para la confesión. Muchos sacerdotes me han dicho que confesar es una de las cosas más importantes de su peregrinación a Medjugorje y que en ningún sitio han oído confesiones de esa magnitud o belleza. Algunos se refieren a Medjugorje como «el confesionario del mundo» y el cardenal Schönborn lo llamó «una superpotencia de misericordia».

Tras el rosario se celebra la misa internacional. Aunque se celebra en croata, los peregrinos utilizan sus radios para escuchar la traducción en su propio idioma. Las transmisiones se hacen en inglés, italiano, polaco, alemán, francés, español, árabe, coreano y más, dependiendo de las naciones de los peregrinos presentes en la ciudad en ese momento. Ver a sacerdotes de diversas nacionalidades juntos en el altar muestra también el alcance del mensaje de Medjugorje en el mundo. En noches alternas, tras la misa hay una hora santa con música y reflexiones con la Adoración del Santísimo Sacramento o la Veneración de la Cruz. Cuando llega este momento, el cielo ya está lleno deestrellas.

Muchas iniciativas se han transformado en tradiciones anuales. La Marcha por la Paz desde Humac a Medjugorje, iniciada durante la guerra, sigue realizándose cada año el 24 de junio. Toman parte en ella miles de peregrinos y lugareños. Cada Navidad, la Comunidad del Cenáculo representa un auto navideño delante de la iglesia de Santiago, incluidos animales de granja reales y un nacimiento de tamaño natural. A lo largo del año, la parroquia acoge seminarios para matrimonios, médicos y enfermeras, sacerdotes, minusválidos y otros.

Los grandes frutos de Medjugorje demuestran que el plan de la Virgen para «renovar la Iglesia» se está desarrollando. A lo largo de los años, innumerables personas que han venido aquí con una fe tibia, o sin fe, partieron con una fe en Dios renovada. Gente que nunca había rezado antes descubrió la oración de corazón. Y los que tenían una adicción, aquí la superaron.

Mucha gente con enfermedades terminales buscaban la sanación en Medjugorje y algunos están siempre a mi lado durante las apariciones. Lloro cuando veo su sufrimiento, sobre todo de los más jóvenes, y rezo por ellos. Cuando Dios interviene, generalmente lo sé más tarde, porque me concentro en Nuestra Señora durante las apariciones.

Hace unos años, un médico italiano y su esposa trajeron a Medjugorje a su hijo de diez años, que se estaba muriendo a causa de un cáncer de estómago. Todos los especialistas en su país les habían dicho que no se podía hacer nada para salvar la vida del chico. Vinieron los tres para presenciar una aparición y se arrodillaron a mi lado. Rezaron con gran intensidad.

Los padres me dijeron después que cuando la Virgen apareció, el chico se sujetó el estómago y les dijo: «Mamá, papá, mi estómago está ardiendo».

Cuando la familia volvió a Italia, los especialistas no hallaron ninguna huella del cáncer.

Conozco muchas historias similares, pero la mayoría de la gente enferma que viene a Medjugorje vuelve a casa con la misma enfermedad. El porqué unos se curan y otros no es un misterio de Dios. Quizá la cosa más difícil de entender es la muerte de un niño. ¿Cómo puede un Dios amor permitir este sufrimiento? Plantear esta pregunta es natural. Al vivir en un mundo temporal, estamos condicionados a pensar en términos de años y tiempo de vida. Cuando la gente fallece «demasiado joven», nos preguntamos por qué Dios no les dejó vivir una vida plena.

Pero recordad: nosotros no morimos.

Nuestra Señora sabe cómo uno se siente cuando se pierde un hijo, pero ella se reunió con Cristo en el Cielo y ha estado con Él desde entonces. Estamos destinados a ver de nuevo a nuestros seres queridos que murieron, pero no siempre es fácil entender la voluntad de Dios.

¿Quién dice que una vida breve vale menos que una vida larga? «Si un día es como mil años» para nuestro eterno Dios, la diferencia entre una década y un siglo es infinetesimal. ¿Por qué una persona no puede completar su misión y aprende todo lo que necesita saber o enseña a otros lo que estos necesitan aprender, en poco tiempo?

Nuestra Señora me ha demostrado que el Cielo está desprovisto de sufrimiento. Veo mucha verdad en la afirmación que se oye tan a menudo en los funerales: «Ahora están en un lugar mejor. Nuestro verdadero hogar es con Dios. Somos como peregrinos en la tierra; pasamos aquí una breve estancia en nuestro camino hacia una realidad eterna que transciende el tiempo, el espacio y la muerte. Vuestra peregrinación podría acabar hoy, mañana o dentro de veinte años, pero vamos a encontrarnos con Dios, seáis o no conscientes de ello. Vuestro camino, ¿fue guiado por la humildad y el sacrificio o la arrogancia y la avaricia? Es mejor contemplar esta cuestión ahora en lugar de hacerlo al final del viaje.

La gente que piensa que la existencia del sufrimiento refuta la existencia de Dios, malinterpreta su *propia* existencia. Si el mundo estuviera vacío de pena, ¿Podríamos reconocer la alegría? Si la enfermedad no existiera, ¿Apreciaríamos la buena salud? En muchos sentidos, una peregrinación a Medjugorje es una metáfora de la vida. El peregrino soporta el sufrimiento del viaje de larga distancia y el agotamiento de subir colinas, pero al final se da cuenta de que todo dolor abre la puerta al amor.

Siempre digo a la gente que viene a Medjugorje que la sanación espiritual es infinitamente más valiosa que la sanación física. Sólo un tipo de sanación lleva a la vida *eterna*. Un hombre puede entrar en el Cielo sin un brazo o una pierna, pero no con un pecado en su alma. Sin embargo, la Virgen no puede curar a la gente; sólo Dios puede. Ella intercede por nosotros. Reza con nosotros y por nosotros si se lo pedimos. Si sufres físicamente, el paso más importante es pedir a Dios que te ayude. Jesús mostró con el ejemplo que la persona que intenta llevar su cruz solo caerá bajo su peso.

Una mañana fui a la iglesia de Santiago para la misa y me senté en un banco cerca de la estatua de la Bienaventurada Madre. Al cabo de un rato, una italiana vino y se arrodilló delante de la estatua. Empezó a llorar y oí que susurraba: «¿Por qué, Dios? ¿Por qué yo?».

Lloró durante toda la misa y siguió repitiendo estas palabras. No sabía por qué sufría tan terriblemente, pero lloré con ella.

Cuando la misa terminó, de repente dejó de llorar. Su mirada de dolor se transformó en alegría. «¿Por qué yo *no*?», dijo. «¡Sí! ¿Por qué yo *no*?».

Me acerqué a ella después de la bendición final. «Hola», le dije.

La mujer parecía avergonzada. «Perdóname», dijo. «Espero no haberte molestado durante la misa».

«No te preocupes. Me hiciste rezar con más fuerza».

Sonrió y miró al techo de la iglesia. «Oh, ¡este lugar! Creo que este es el mejor día de mi vida. ¿Puedo decirte por qué?».

«No tienes que pedirme permiso. Cuéntame».

«Vale. Tengo tres hijos minusválidos en casa. Vine a Medjugorje para pedir a Dios que los curara y quería saber por qué Él me ha enviado esta cruz. ¡Pero ahora lo entiendo! Lo entendí cuando estaba rezando. ¿Por qué *no debería* haberme enviado Dios esta cruz? ¡Significa que puedo llevarla! Él confía en mí y yo tengo que confiar en Él. Él me ayudará cuando sea demasiado pesada. Tengo muchas ganas de volver a casa y besar a mis hijos. Soy tan bienaventurada por tenerlos».

Empecé a llorar de nuevo. «Y ellos son bienaventurados por tenerte».

La mujer miró la estatua de la Bienaventurada Madre. «Sabes, es gracioso, ni siquiera le he pedido a Dios que los cure, como era mi intención. ¿Y sabes? Ya no necesito pedírselo».

CAPÍTULO XXX

«¿Qué es lo más bonito de mis recuerdos para preservar? Sólo mis lágrimas y mis oraciones, porque han sido sinceras».

(Tin Ujević, poeta croato, 1891-1955)

LOS FRUTOS DE Medjugorje van más allá de nuestras granadas y uvas.

Uno de los mayores frutos de Medjugorje es el gran número de vocaciones religiosas. El cardenal Christoph Schönborn, Arzobispo de Viena, una vez dijo que, si no hubiera sido por las apariciones, tendría que haber cerrado su seminario, ya que casi todos los seminaristas recibieron su llamada al sacerdocio a través de Medjugorje. Me encontré con el cardenal Schönborn cuando visitó Medjugorje. Por un momento pensé que estaba viendo a Juan Pablo II. Los ojos del cardenal, su expresiones faciales e incluso el modo como apoyaba la cabeza sobre su mano me recordaban al Papa.

«Esta es mi primera visita», dijo, «pero desde que me nombraron obispo en 1991, me he dado cuenta de los frutos de Medjugorje».

En el Evangelio de Mateo (7, 16-18), Jesús dice: «¿Acaso se recogen uvas de los espinos o higos de los abrojos? Así, todo árbol bueno da frutos buenos, pero el árbol malo da frutos malos. Un árbol bueno no puede producir frutos malos, ni un árbol malo producir frutos buenos».

Muchos son atraídos aquí por los frutos que ven. Pero entre todas las cosas buenas que han salido de Medjugorje, ha habido unas pocas situaciones lamentables.

Por ejemplo, se me han atribuido palabras que nunca he dicho. La gente que ha venido aquí en peregrinación quiere, como es natural, compartir lo que ha descubierto, y algunos han escrito libros. A pesar de sus buenas intenciones, muchos libros contienen errores y retocan las mismas mentiras que han estado dando vueltas durante décadas.

Como está escrito en el libro de Santiago: «No os hagáis maestros muchos de vosotros, hermanos míos, sabiendo que nosotros tendremos un juicio más severo, pues todos caemos muchas veces».

Yo sólo estoy llamada a transmitir el mensaje. Como cualquier otra persona, tengo que interpretar las palabras de Nuestra Señora para mí misma. La oración es la clave para abrir cada mensaje y comprender cómo integrarlo en nuestras vidas. Aunque Nuestra Señora habla de un modo sencillo, sus mensajes a veces son mal interpretados, sobre todo cuando la gente atribuye sus propias ideas e intenciones a los mensajes a través de largos comentarios. Siempre digo que los mensajes no necesitan ser explicados. Nuestra Señora habla de manera sencilla con el fin de que todos sus hijos puedan comprender.

Por ejemplo, Nuestra Señora ha dicho: «Os estoy dando mi bendición materna», y nos pide que seamos «extensión de sus manos». Hay gente que ha mal interpretado esto para decir que deben ir y bendecir a otros, pero no creo que sea esto lo que Nuestra Señora quería decir. Por el contrario, ella quiere que nuestra vida sea una bendición para otras personas. Puedo bendecir a mis niñas por la noche, pero esto no es más que una bendición de madre.

Por el contrario, Nuestra Señora nos ha enseñado que la bendición de Jesús sólo viene a través de un sacerdote. «Sus manos son bendecidas por mi Hijo», dijo, y a menudo repite que nuestros sacerdotes no necesitan nuestro juicio, necesitan nuestras oraciones. Mucha gente abandona la fe o la rechaza porque encuentran defectos en un sacerdote, pero esto es solamente una excusa. Dios juzgará a los sacerdotes por cómo han realizado su misión y Él nos juzgará a nosotros por cómo los hemos tratado.

San Francisco de Asís tenía un punto de vista parecido. Cuando los parroquianos de un pueblo vecino se lamentaron con Francisco diciendo que sus sacerdotes vivían en pecado, iba con ellos a su pueblo. Los residentes esperaban que Francisco reprendiera a su pastor rebelde, pero en cambio, Francisco se arrodillaba y besaba las manos del sacerdote. «Todo lo que sé y lo que quiero saber es que estas manos me dan a Jesús», decía Francisco. «Estas manos han sostenido a Dios».

Me gustaría poder divulgar más sobre lo que pasará en el futuro, pero sólo puedo decir una cosa sobre cómo el sacerdocio está relacionado con los secretos. Tenemos este tiempo que estamos viviendo ahora y tenemos el tiempo del triunfo del corazón de Nuestra Señora. Entre estos dos tiempo tenemos un puente, y ese puente son nuestros sacerdotes. Nuestra Señora continuamente nos pide rezar por nuestros pastores, como ella los llama, porque el puente necesita ser lo bastante fuerte para que todos nosotros lo crucemos para ir al tiempo del triunfo. En su mensaje del 2 de octubre de 2010 dijo: «*Sólo al lado de vuestros pastores mi corazón triunfará*».

Nunca es este «puente» tan evidente en Medjugorje como durante el Festival anual de Jóvenes, otro legado del padre Slavko. Es común ver a más de quinientos sacerdotes concelebrando la misa vespertina y cientos más confesando. Cada año, miles de jóvenes desafían el calor del verano durante la primera semana de agosto para celebrar su fe con oración y cantos. En la ceremonia de apertura, delegados de las naciones cercanas y lejanas participan en una procesión y presentan su tierra en el altar que hay fuera de la iglesia. Banderas de Estados Unidos, China, Australia y de más allá ondean en la multitud, pero en realidad todos están unidos bajo la bandera de Dios. Cuando los jóvenes me piden un consejo, normalmente digo:

«No tengáis miedo de seguir a Jesús. En lugar de buscar la paz en las drogas, el alcohol y otras cosas que os matarán, encontradla en la fe y la oración, y entonces tendréis más diversión. Diversión *real*».

Muchos de ellos piensan que todo les estará prohibido si siguen a Jesús, pero la fe no puede ser reducida a un conjunto de normas. Les digo que si les gusta salir, socializar, bailar, entonces, ¿por qué no? Pero que bailen con Jesús, como hacen todos en el Festival de jóvenes.

A menudo escucho a peregrinos mayores lamentarse de que sus hijos están haciendo cosas malas; como el «Dios enfadado» de mi catecismo, muchos padres señalan constantemente los errores. Pero siempre intento siempre decirles a estas madres y a estos padres que el camino que toman los hijos depende de nosotros, de lo que les digamos, de cómo les guiemos y, sobre todo, del ejemplo que vean en nosotros. Nuestra Señora ha dicho que nosotros, como padres, tendremos que responder sobre cómo estamos educando a nuestros hijos. Creo que la medida con la que nosotros seremos juzgados es el amor.

Hablar sobre los mensajes de Nuestra Señora es más fácil que vivirlos, pero la recompensa de luchar por vivir de acuerdo a la voluntad de Dios no tiene precio, como Marko y yo hemos visto en nuestra propia familia. Marija y Veronika se han transformado en jóvenes hermosas y con fe. Ahora que son mayores nunca me pregunto si están orando, si van a misa o ayudan a los necesitados. Les sale con naturalidad porque Marko y yo se lo hemos inculcado con nuestro ejemplo. Si hubiéramos elegido quedarnos en casa en vez de ir a misa en un día lluvioso, ellas luego habrían adoptado esta misma actitud en la vida. Pero en cambio fuimos a misa incluso con peor tiempo. O si nunca hubieran visto a Marko y a mí orando, habrían pensado que no era tan importante. En vez de eso, intentábamos rezar cada noche al menos un rosario juntos. Los hijos ven mucho más de lo que pensamos. Necesitan ver que Dios es lo primero para sus padres. La preocupación constante de toda buena madre, mientras vive, es si está haciendo o no lo suficiente por sus hijos. Pasa lo mismo con Nuestra Señora, pero ella nunca intenta forzar a nadie para que la escuche.

Lo que más me gusta de mis hijas es su alegría. Sonríen, irradian paz y saben cómo bromear, lo cual, creo yo, es el resultado de una fe saludable. Como escribió una vez el Papa Benedicto XVI: «Donde reina la tristeza, donde el buen humor muere, el espíritu de Jesucristo, sin duda, está ausente».

Marija y Veronika se preocupan por mí porque a menudo estoy ocupada con los peregrinos. Tienen miedo de que mi salud se deteriore si me agoto, una preocupación que es el resultado de la muerte de nuestro querido padre Slavko. Si me ven cansada y con dolores después de una larga conversación con los peregrinos, me traen agua y me recuerdan:

«Tú también necesitas pensar en ti de vez en cuando. También nosotras te necesitamos». Es como si tuviera dos ángeles a mi lado.

Afortunadamente entienden mi misión. Siempre les hemos dicho que la gente viene a Medjugorje buscando paz. Como personas privilegiadas que conocen el amor de Dios, es nuestra tarea ayudarles a encontrar lo que están buscando. No podemos guardarnos las gracias de las apariciones de Nuestra Señora para nosotros mismos; hay que compartirlas con todos, ahora y en el futuro.

Actualmente, de acuerdo con Nuestra Señora, estamos viviendo un tiempo de gracia. Después de esto vendrá el tiempo de los secretos y el tiempo de su triunfo. Si Dios quiere, los oirás entonces. Por supuesto, no tengo la garantía de que estaré viva cuando los secretos serán revelados. Cuando la gente me pregunta acerca del fin del mundo, yo les pregunto por qué esos acontecimientos les preocupan. El final de *mi* mundo puede suceder en cualquier momento, como puede sucederle a cualquiera.Éste es el único «final» para el que nos tenemos que preparar. Si mantenemos nuestras almas limpias estaremos preparados para presentarnos delante de Dios en cualquier momento.

Hace unos años, Marko y yo viajamos a los Estados Unidos para hablar en un encuentro de oración; algunos amigos de Medjugorje nos acompañaron. Todos tenían miedo de volar. Cuando nuestro avión estaba a punto de despegar, uno de ellos se agarró a los brazos de su asiento y dijo: «Recemos para que este avión no se estrelle».

Otro amigo cerró los ojos. «Por favor, permítenos llegar allí vivos», dijo.

Pero otro se interpuso: «Espera un momento, ¿De qué estáis hablando? Mirjana va con nosotros y ella no puede morir; ¡tiene los secretos! Todo irá bien».

Me reí. «Tengo los secretos escritos, ¡lo cual significa que no tengo que estar viva!».

De repente todos se pusieron nerviosos de nuevo pero, por supuesto, llegamos bien a los Estados Unidos.

Conservo el pergamino en un lugar seguro desde que el soldado de las Naciones Unidas, sin saber lo qué era, me lo devolvió. Podría incluso tenerlo apoyado en la mesa del salón y no sabrías qué es.

Cuando llegue el momento, los que necesiten leerlo lo harán. Es posible que estés leyendo este libro después de que los secretos hayan sido revelados, pero si no es así, si los acontecimientos predichos por Nuestra Señora todavía tienen que suceder y la señal permanente todavía no ha aparecido, entonces te ruego que no esperes. Entrega tu vida hoy a Dios.

Los secretos siempre salen en las preguntas cuando hablo con los peregrinos. Durante una charla, un joven de Nápoles me preguntó varias veces acerca de los secretos. Estaba un poco decepcionada porque yo prefiero hablar sobre el amor de Dios.

«No malgastes tu tiempo preocupándote por los secretos», le dije, «por que no sabes cuándo tu propio secreto sucederá. ¿Qué pasa si digo que el primer secreto sucederá dentro de diez días, pero tú vas a morir mañana?».

El joven se quedó con una mirada extraña en su rostro. Sin decir palabra, se dio la vuelta y salió corriendo. Asustada por si había herido sus sentimientos, corrí tras él. «¿Qué pasa?», le dije.

Me miró con miedo en sus ojos. «¿Cómo puedes preguntarme que qué pasa? ¡Me has dicho que moriré mañana!».

«¡Oh, no!». No pude evitar reírme por el mal entendido. «¿Piensas que es divertido?».

«Lo siento. Quizá mi italiano no se ha entendido correctamente. No sé cuándo vas a morir. Es de esperar que no sea pronto. Intentaba decirte que no importa cuándo serán revelados los secretos. Todo lo que importa es estar preparado para presentarse ante Dios».

Un día, sin embargo, aquel joven *morirá*. También yo. Y también tú. El futuro depende de Dios y de nadie más. ¿Qué pasa si hoy es tu último día? Lo será para muchos, y ya lo ha sido para la abuela Jela, Vesna, Vittorio, Stjepan, el padre Slavko, mi padre, el Papa Juan Pablo II y los millones de seres humanos que han vivido y han muerto en este planeta. Piensa sólo en toda la gente que ha pasado por tu vida y date cuenta que Dios puede llamarte en cualquier momento. Si supieras que vas a morir mañana, ¿Seguirías viviendo del mismo modo o cambiarías algo? Si hay alguien a quien no has perdonado, o alguien a quien has hecho daño, o un pecado que no has confesado, no esperes a mañana para confesarlo. No sabes si el mañana llegará.

Cuando visito a los otros videntes, solemos hablar sobre nuestras familias y nuestra misión, pero nunca hablamos sobre los secretos. Ni siquiera sabemos si todos los secretos que se nos han dado son los mismos. Algunas personas se preguntan por qué son secretos, pero no es Nuestra Señora quien decidió que fuera así. Todo sucederá según la voluntad de Dios, no la mía. La gente me suele preguntar por qué no elegí al padre Slavko para revelar los secretos. Después de todo, era el tío de Marko y estábamos muy unidos a él. Pero el padre Slavko murió. El plan de Dios siempre sustituye los nuestros.

De nuevo, los secretos son secretos, y las mujeres saben cómo mantener un secreto.

Un hombre de Argentina que visitó Medjugorje se me acercó un día. Me miró con ojos sombríos y dijo: «Antes de llegar aquí, no creía en Dios. Mi vida no tenía sentido. Pero ahora sé que existe y quiero hablar a la gente de Él».

Por la mirada de su cara y el tono triste de su voz, pensé que me diría que se estaba muriendo, pero estaba en perfectas condiciones de salud. Le dije lo mismo que digo a todos: si quieres ser un ejemplo para los no creyentes, si deseas mostrar que tienes fe, entonces tienes que sonreír. Conocer el amor de Dios es conocer la alegría. Si Marija y Veronika están tristes por algo, es natural que yo también me sienta triste. Así es con Nuestra Señora, Su corazón no puede triunfar si sus hijos no son felices.

Todavía sigo recibiendo trece apariciones cada año: una el 18 de marzo y las otras el día 2 de cada mes.

En 2009, el Obispo Perić, que sigue siendo escéptico acerca de las apariciones, pidió que éstas ya no tuvieran lugar en la Comunidad del Cenáculo. Al principio estaba triste por su decisión. Sentía que era natural estar entre los miembros de la comunidad cuando Nuestra Señora venía para orar por quienes no creían. Cada uno de estos jóvenes me recordaba al hijo perdido del Evangelio de Lucas que «estaba muerto, pero ha vuelto a la vida». Como católica, sin embargo, acepté la decisión de mi Obispo con respeto. Continúo rezando por él cada día. Si me pidiera caminar cientos de kilómetros sólo para encontrarme con él, lo haría sin dudarlo.

Pase lo que pase, él es mi Obispo y yo le quiero.

Muchas veces he pensado en escribirle una carta. *Querido Padre Obispo, me gustaría decirle todo lo que hay en mi corazón.* Pero nunca he sido capaz de coger papel y pluma.

Al no ser ya el Cenáculo una opción, tuve problemas para decidir qué hacer. ¿Debería volver a recibir las apariciones en casa, o debería encontrar un nuevo lugar para estar en público?

Estaba tentada de quedarme en casa ya que siempre me gustó la soledad. Recordé lo tranquilo que había sido cuando Nuestra Señora venía en mi habitación. No había alboroto, multitudes ni cámaras en mi cara, y podía centrarme más en la oración mientras esperaba ver a la Bienaventurada Madre.

Pero recordé lo que pasó una vez cuando estaba volviendo de Italia a Croacia en ferry. Vi una multitud de peregrinos llegando en el ferry para estar en Medjugorje durante mi siguiente aparición, pero no me reconocieron. Sus rostros expresaban felicidad, pero también sufrimiento mientras forcejeaban empujando sus maletas sobre la cubierta. Mis ojos se llenaron de lágrimas. Estas personas habían dejado la comodidad de sus casas y viajado durante días, todo para responder a la llamada de Nuestra Señora. Cualquier dificultad que yo tuviera que pasar por recibir la aparición en público era nada comparado con sus sacrificios. Cuando pensé en todos los peregrinos que habían ido para estar presentes en las apariciones del segundo día del mes y todas las conversiones que había visto y había escuchado, que estaría desatendiendo mi papel de mensajera si me aislaba del mundo. Después de muchas horas de oración, decidí volver al pie de la colina donde todo había empezado.

Cuando subí a la Cruz Azul para mi siguiente aparición, por fin vi la mano de Dios en la decisión del Obispo. Anteriormente, en el Cenáculo, las apariciones tenían lugar en un pequeño auditorio que sólo podía acoger a unos cientos de personas. Al principio, era suficiente espacio, pero a medida que aumentaba la gente que venía para las apariciones, se quedó muy pequeño y la gran mayoría de peregrinos tenía que quedarse fuera. Miles de personas se podían reunir en la Colina de las Apariciones. Todo había vuelto al principio, a aquellos primeros días cuando la colina estaba llena de peregrinos y Nuestra Señora se aparecía en el duro esplendor de la naturaleza. Venía en el frío del invierno y en el calor abrasador del verano, entre creyentes y no creyentes por igual ,sus queridos hijos, sus apóstoles del amor, todos juntos, atraídos desde cualquier rincón de la tierra.

Una estatua de Nuestra Señora señala el lugar de sus primeras apariciones en Podbrdo (imagen de la película Apparition Hill).

CAPÍTULO XXXI

«Sólo con la total renuncia interior reconoceréis el amor de Dios y los signos del tiempo en los que vivís. Seréis testigos de estos signos y empezaréis a hablar de ellos».

(Del mensaje de Nuestra Señora del 18 de marzo de 2006)

DESPUÉS DE EXPERIMENTAR el Cielo todos estos años, creo que por fin puedo responder a la cuestión que ha ardido en mi corazón durante tanto tiempo, la misma que arde en todo corazón humano:

¿Cuál es el sentido de la vida?

Mucha gente espera una respuesta compleja. Mi respuesta, sin embargo, es la frase más breve de este libro.

Amor.

Nuestra Señora ha pronunciado la palabra amor más de cuatrocientas veces en sus mensajes del día 2 de cada mes y del 18 de marzo. Dios es amor. Jesús es el amor encarnado. La Bienaventurada Madre nos conduce al amor. Y todo lo que sucede en Medjugorje hoy tiene su origen en el amor.

El 2 de marzo de 2007, Nuestra Señora apareció con una convicción especial y me dio el siguiente mensaje: «*Hoy os hablaré sobre algo que habéis olvidado: Queridos niños, mi nombre es Amor. El que esté entre vosotros desde hace tanto tiempo es amor, porque el Gran Amor me envía. Os pido lo mismo a vosotros. Pido el amor para vuestras familias. Pido que reconozcáis el amor en vuestro hermano. Sólo de este modo, a través del amor, veréis el rostro del Amor más Grande. Que el ayuno y la oración sean la estrella que os guíe. Abrid vuestros corazones al amor, es decir, a la salvación. Amén*».

Los problemas surgen entre la gente, las naciones y las religiones cuando olvidan la verdad fundamental de que Dios es el Amor más Grande. Nuestra Señora no dice simplemente que Dios *tiene* amor; dice que Él *es* amor y, además, nos dice que su nombre es Amor. Se puede ver cómo la Bienaventurada Madre es sinónimo de amor, pero ¿Hablaba literalente? Los estudiosos creen que *Miriam*, el nombre judío para María, es muy probable que venga de la palabra egipcia para *amor*.

También mi oración para la misión está arraigada en el amor. El 2 de julio de 2015, Nuestra Señora nos pidió que transmitiéramos la fe «*a quienes no creen, no conocen, no quieren conocer. Pero debéis rezar mucho por el don del amor, porque el amor es la marca de la fe verdadera y vosotros seréis apóstoles de mi amor*».

El mensaje de la Reina de la Paz refleja el mensaje de su Hijo. En el Evangelio de Mateo Jesús dice: «Amarás al Señor con todo tu corazón, con toda tu alma, con toda tu mente. Este mandamiento es el principal y el primero. El segundo es semejante a él: 'Amarás a tu prójimo como a ti mismo'».

Del mismo modo que conocer a los habitantes de los diferentes planetas fue una enseñanza para el Principito sobre sí mismo, nuestras vidas se van conformando con la gente que encontramos.

Cuando era una niña pequeña y tímida, nunca hubiera creído que en mi vida adulta se entrecruzarían tantas personas de todo el mundo. Compartir mi testimonio me ha llevado a grandes ciudades, a hermosas comunidades e incluso a islas remotas como Reunión y Mauricio, donde los lugareños me hicieron llorar cuándo aprendieron y cantaron *Gospa Majka Moja*, un himno croata dedicado a la Reina de la Paz.

Ahora viajo menos, quizá porque no tengo que dejar mi casa para ver el mundo. El mundo viene a Medjugorje. Pero ocasionalmente voy a Italia a ver a Lia, Alessandra, Antonio, Anna Maria y otros.

Lia se ha convertido en una de mis amigas más queridas. Y Alessandra, que ahora tiene unos cuarenta años, sigue rezando por «quienes aún no han conocido el amor de Dios». Dice que tiene tres madres: Lia, la Bienaventurada Madre y yo. Las historias sobre la vida ejemplar de su padre se han difundido por toda Italia después de su muerte y hoy en día el Dr. Trancanelli es venerado como «el santo del quirófano». El Vaticano ha abierto su causa de beatificación y ahora Vittorio es conocido oficialmente como Siervo de Dios.

Antonio le diagnosticaron la enfermedad de Parkinson y ahora está en silla de ruedas, pero el grupo de oración sigue reuniéndose en su casa cada miércoles a las 11. Me uno a ellos siempre que estoy allí. Como siempre, rezamos el rosario y leemos versículos de la Biblia, pero ahora recitamos una oración especial pidiendo la intercesión de Vittorio.

Mirando hacia atrás al 24 de junio de 1981, la primera vez que vimos a Nuestra Señora, a veces me pregunto por qué eligió aparecer con un niño. Años más tarde acabé creyendo que, simbólicamente, quería decirnos: «*He venido para traeros a mi Hijo*».

Trayendo a su Hijo, nos da todo. Nos da la paz. Durante más de treinta y cinco años, nos ha estado ofreciendo la paz a través de sus mensajes.

El padre Ljudevit Rupčić, el sacerdote que solía visitarme en Sarajevo, murió el 25 de junio de 2003, en el vigesimosegundo aniversario de las apariciones. Conocido como uno de los teólogos croatas más relevantes de su generación, ganó fama por traducir el Nuevo Testamento al croata y por escribir varios libros sobre Medjugorje, entre otras cosas.

El padre Rupčić escribió: «Podemos decir que los mensajes de Nuestra Señora subrayan que la paz es el bien más grande, y que la fe, la conversión, la oración y el ayuno son los medios para conseguirla».

La verdadera paz proviene sólo de Dios. Mucha gente viene a mí pensando que puedo resolver sus problemas, pero soy sólo un ser humano que debe rezar como los otros. Otros tratan a Nuestra Señora como si fuera una especie de deidad que concede los deseos y sana los enfermos. Pero también ella debe rezar a Dios para conseguirlo todo.

«*He vivido vuestra vida terrena*», dijo durante su aparición del 2 de septiembre de 2015. «*Sé que no siempre es fácil, pero si os amáis los unos a los otros, si rezáis con el corazón, alcanzaréis alturas espirituales y el camino al Cielo se os abrirá*».

Y el 2 de febrero de 2016, dijo: «*Os conozco, conozco vuestro dolor y sufrimiento, porque yo también he sufrido en silencio*».

A través de sus mensajes recientes, Nuestra Señora parece que quiera acercarse más a nosotros. Ella entiende lo que es vivir en la tierra porque fue una de nosotros. Tuvo que luchar con los mismos dolores, alegrías, miedos y esperanzas. Sonreía y se alegraba, y sufrió dolor y pruebas. Los problemas a los que nos enfrentamos no son nuevos para ella, y no debemos tener miedo de pedirle ayuda, incluso si sentimos vergüenza.

En los primeros días de las apariciones, quería saber más de su vida porque hay muy poco escrito en la Biblia sobre ella. Cuando Nuestra Señora me mostró escenas que iban desde su infancia a la muerte de su Hijo, escribí todo en un cuaderno de apuntes. Podré narrar los hechos de su vida cuando los acontecimientos que predijo empiecen a suceder.

Después de que Nuestra Señora me mostrara su vida, profundicé en mi experiencia de fe. Por ejemplo, después de ver imágenes de lo que conocemos como la Natividad, siempre me emociono en estas fiestas. Lloro mucho en Nochebuena porque pienso en el sufrimiento que tuvo que soportar y el miedo que tuvo que tener cuando dio a luz en un lugar desconocido. Pero siento mucha alegría el día de Navidad porque pienso en la Virgen acunando a su hijo, iluminada con el amor de una nueva madre y consolada porque había hecho todo lo que Dios le había pedido.

La suya fue una vida sencilla. Lo más importante para ella era el amor, la oblación completa a Dios. Nos pide que tendamos al Cielo viviendo de un modo similar y practicando nuestra fe en lugar de teorizar sobre ella. «*No perdáis tiempo reflexionando demasiado*», dijo Nuestra Señora durante la aparición del 2 de agosto de 2015. «*Os distanciaréis de la verdad. Con un corazón sencillo aceptad Su palabra y vividla, cuanto más améis, más lejos estaréis de la muerte*».

No creo que hablara de la muerte terrenal, inevitable para todos. Creo, en cambio, que estaba hablando de la muerte eterna, que tenemos el poder de evitar. «Éste es un tiempo de decisiones», dijo una vez. La Virgen también lo llamó un tiempo de gracia Y todo el que acepte este don encontrará que la muerte es sólo una transición a una vida mejor.

El padre Rupčić escribió: «La conversión es otro de los frecuentes mensajes de la Virgen. Esto presupone que ha observado o una debilidad o una completa falta de fe en la humanidad hoy en día. Y sin conversión es imposible alcanzar la paz».

La conversión empieza cuando admites que estás perdido. Los antiguos cristianos llamaban a la Bienaventurada Madre con el título de *Stella Maris,* Estrella del Mar, porque la veían como la luz que guiaba a los marineros perdidos que atravesaban las tormentosas aguas de la vida. Ella te invita a embarcarte con ella en un viaje. Ya conoce la ruta, todo lo que tienes que hacer es soltar las amarras y poner rumbo hacia el nuevo mundo, como un Cristóbal Colón moderno que cruza el océano con la *Santa María.*

En su mensaje del 2 de diciembre de 2011, nos invita a todos a «*transformarnos en semilla de futuro, una semilla que crecerá hasta convertirse en un sólido árbol que expandirá sus ramas por el mundo*».

A través de sus apariciones, Nuestra Señora ha creado un «jardín» de conversión. Muchos peregrinos sienten una profunda fuerza en Medjugorje, una fuerza que ablanda sus corazones endurecidos y que les impulsa a cambiar de vida. Sin embargo, el alcance de la Virgen no está restringido por la geografía. Algunas personas sienten esta llamada desde lejos, quizás mientras leen un libro sobre las apariciones, ven un documental u oyen un testimonio. Pero la mayoría de los peregrinos están de acuerdo en que su presencia es más fuerte en Medjugorje, como si el aire estuviera lleno de su amor. Y una vez que lo han respirado, sus vidas ya no vuelven a ser las mismas.

Un día, seis italianos se quedaron en mi hospedaje de Medjugorje. Todos tenían unos sesenta años. Cinco de ellos era muy creyentes y uno no lo era. Cuando les di la bienvenida, el que no creía en Dios dijo inmediatamente: «No estoy interesado. Sólo he venido para estar con mis amigos».

«No importa», dije sonriendo. «Si alguna vez necesitas hablar»

«No lo necesitaré, gracias».

Sentía un gran dolor en el hombre, pero lo escondía tras una fachada huraña. A lo largo de los años he podido sentir cosas acerca de las personas, pero no todo. Tal vez el hecho de estar en estrecho contacto con Nuestra Señora ha aumentado mi sensibilidad hasta el punto de que, a veces, veo el sufrimiento espiritual. Cuando es así, siento un gran deseo de hablar con esas personas, de ayudarlas a sanar sus heridas. No puedo eliminar su dolor, pero puedo escucharlas y ayudarlas a entender que no están solas, que Dios les ama. Pero sólo puedo esperar a que se abran. Presionarlas hace que se cierren aún más.

En su mensaje del 2 de junio de 2010, Nuestra Señora dijo:

«*Liberaos de todo lo que os pesa del pasado, que os da un sentimiento de culpabilidad, eso que os condujo al error y a la oscuridad. Aceptad la luz*».

De vez en cuando siento también el mal saliendo de la gente, irradiando alrededor de ellos como una nube invisible de miedo. Cuando veo personas así, siento el miedo en mi espina dorsal. Temo por ellas, rezo intensamente porque no se dan cuenta que el diablo está agarrado a sus almas.

Pero el sufrimiento y el diablo son cosas muy distintas Y no sentí el mal en el hombre italiano. Sólo sentí dolor. Y sabía que él, como muchos otros que habían declarado su incredulidad al llegar, no se iría del mismo modo.

Al día siguiente me lo encontré llorando en el sofá como un niño. Me entristeció ver a un hombre de sesenta años tan apenado. Me senté a su lado y le dije: «¿Es por mi cocina?».

Sonrió, respiró hondo y se secó los ojos. «¿Puedes escribirme el Ave María?», me dijo. «No conozco las palabras y quiero subir a la colina y rezarle a ella».

«Claro que puedo».

«He malgastado mucho tiempo», dijo, llorando de nuevo.

Puse mi mano sobre su hombro. «No malgastaste un segundo. Poca gente tiene la suerte de sentir lo que tú estás sintiendo ahora».

Pasó gran parte de la noche rezando en la colina.

En otra ocasión, un grupo de estadounidenses se alojó en la casa. Les di la bienvenida cuando llegaron. A medida que entraban sonreían, pero el último entro con el ceño fruncido.

«Dejémoslo claro», dijo. «Soy protestante».

Me quedé un poco asombrada por su énfasis, pero sonreí y dije:

«¿Y qué? Tú eres protestante, yo soy católica. Lo único que quiero es que te sientas bienvenido».

Estuvo aquí siete días, subiendo a la colina con sus amigos, caminando por los campos y participando en el programa de oración nocturna de la iglesia de Santiago. Siempre que servía la cena me acercaba a su mesa y le decía: «Me gustaría darte esta comida, pero sólo si no protestas por ella».

Se reía cada vez y un día me preguntó. «Pero, ¿Sabes lo que es un protestante?».

Sonreí. «Yo sólo sé que tú protestas por todo».

Ambos nos reímos y hablamos durante el resto de la semana. Me causó tristeza que se fuera. Con la maleta en una mano me abrazó en la misma puerta en la que nos habíamos encontrado.

«Gracias», dijo. «Este viaje ha cambiado mi vida. He venido a conocer a mi Madre».

Había reconocido lo mismo que el protestante original, Martín Lutero, había escrito: «María es la Madre de Jesús y la Madre de todos nosotros».

¿Por qué alguien tendría que escapar de Nuestra Señora? Ninguna familia en la tierra está completa sin una madre. Esto vale también para nuestra familia celestial. Excluir a la Bienaventurada Madre de nuestra vida e ignorar sus mensajes es excluir e ignorar el amor. Ella personifica y habla al amor.

«*Inconmensurable es mi amor*», dijo el 2 de enero de 2013. «*No temáis*».

Una joven de Milán trajo una vez a su novio. Al principio él estaba enfadado de estar en Medjugorje, pero cuando llegó el tiempo de irse parecía feliz. Volvió al cabo de unos meses.

«No he creído en Dios casi toda mi vida», me contó. «Simplemente no podía existir. Cuando mi novia me dijo que quería venir a Medjugorje, vine sólo porque la quiero. Hubiera ido al infierno por ella, aunque no creía en el infierno. Cuando llegamos, me hubiera gustado darme la vuelta y regresar a casa, pero en nuestro segundo día aquí, la Virgen me acogió en sus brazos. No puedo describir lo que sintió mi corazón, pero nunca había sentido nada tan maravilloso. Me hizo bajar de mi pedestal. Cuando volví a Italia, me vi con mis amigos de toda la vida en un bar. No dije nada sobre mi viaje, pero noté que mis amigos me miraban de una manera extraña. Les pregunté si pasaba algo. 'Estás distinto', me dijeron. 'Normalmente eres muy gritón y arrogante. ¿Qué pasa contigo?'. No me podía creer que lo habían notado. Les sonreí y les dije: 'He conocido a

Dios'. Estaban asombrados. He vuelto a Medjugorje para dar las gracias. La Virgen me está ayudando a convertirme en una persona nueva».

El 18 de marzo de 2008 nuestra Señora dijo: «*Queridos hijos, hoy extiendo mis manos hacia vosotros. No tengáis miedo de aceptarlas. Llenad mi corazón con alegría y os llevaré hacia la santidad. El camino por el que os guío es difícil, está lleno de tentaciones y caídas*».

He oído innumerables testimonios similares a los de este joven. Es importante recordar que nadie puede decir en verdad «estoy convertido», porque la conversión dura toda la vida. Incluso el más santo entre nosotros puede ser siempre mejor. Nuestra Señora nos llama a la conversión. No sólo para ayudarnos a que nos salvemos, sino para salvar a toda la humanidad y al planeta en que vivimos. Nos hacemos daño los unos a los otros y destruimos la naturaleza, y luego preguntamos «¿Por qué, Dios, por qué?» cuando el desastre se abate sobre nosotros. Dios nos dio el libre albedrío para que eligiéramos cómo vivir, pero hoy intentamos tener todo sin pensar en el futuro.

Con su inusual gran iglesia dedicada al santo patrón de los peregrinos y una montaña con una cruz, parece como si Medjugorje hubiera sido preparada como un santuario mucho antes de la primera aparición de Nuestra Señora. Algunos creen que un lugareño predijo que Nuestra Señora aparecería mucho antes de que lo hiciera.

Mate Šego, nacido en 1901, declaró que Medjugorje sería un lugar santo y que cientos de estrellas llevarían al Podbrdo. Todos se rieron de él, pero hoy el camino que sube a la colina está tan desgastado y pulido por los pies de innumerables peregrinos que parece una escalera de mármol. El pueblo cambiará drásticamente, dijo Mate, y vendrán tantos extranjeros que los lugareños no podrán dormir por la noche, lo que me recuerda la respuesta que dio Jakov cuando alguien le preguntó qué significa ser un vidente.

«Imagínate ser despertado a las 2 de la madrugada por peregrinos fuera de tu ventana que te están cantando», bromeó.

Mate incluso dijo que no vería cumplir sus predicciones. Murió en 1979. Cuando las apariciones empezaron dos años más tarde, la gente del pueblo reconsideró lo que habían rechazado como las locuras de un anciano.

El hodierno Medjugorje se parece muy poco al de los tiempos de Mate. Los caseríos que conformaban la parroquia se han unido hasta formar un único pueblo y la canción de U2 ya no se puede aplicar porque se dieron nombres a las calles en 2014. La *calle Papa Juan Pablo II* lleva a la parte principal de la ciudad. La *calle padre Slavko Barbarić* rodea la rotonda y se extiende más allá del colegio y *la calle Reina de la Paz* atraviesa Bijakovići a lo largo de la base de la Colina de las Apariciones. Por suerte, a pesar del desarrollo, las colinas de alrededor y la mayoría de los campos siguen como en el pasado.

Tal como Mate predijo, viene gente de todo el mundo haciendo de Medjugorje las Naciones Unidas de la oración. Además de todos los cristianos que la visitan, he encontrado peregrinos pertenecientes a otras creencias, incluyendo musulmanes, budistas, hindúes, ateos y agnósticos. Gente que ha estado buscando toda su vida a veces parece que encuentra aquí lo que estaba buscando.

En su mensaje del 2 de julio de 2014 Nuestra Señora se dirige a nosotros «*Queridos hijos*», y dijo: «*Yo, la madre de todos vosotros reunidos aquí, y madre de todo el mundo, os bendigo con una bendición materna y os llamo al camino de la humildad*».

A medida que el pueblo cambiaba y crecía, las apariciones me fortalecían. Como la niña tímida y tierna que era, fue difícil ser, de repente, el centro de atención en los primeros días de las apariciones. Recuerdo aún que lloraba de miedo cuando el padre Jozo me pidió que me pusiera delante del altar y me dirigiera a la congregación. Pero a través de mis experiencias, buenas y malas, ahora apenas puedo reconocer a esa niña pequeña y tímida que solía esconderse en su habitación cuando venían invitados acasa.

Durante un viaje reciente a Italia, me paré a rezar en la basílica de San Antonio de Padua, de setecientos años de antigüedad y en la que se encuentra el cuerpo del santo. Me arrodillé en uno de los bancos y le di las gracias por su ayuda durante mi vida. Sentí como si San Antonio estuviera allí conmigo, escuchando mis oraciones y consolándome como un hermano mayor.

Mientras empezaba a rezar la corona de San Antonio, que había rezado cada día desde la guerra, una mujer anciana y sus dos nietos se sentaron en el banco detrás del mío.

«Tú guías el *Padre Nuestro*», le dijo la mujer a uno de los niños.

«Pero no quiero, abuela», respondió.

La mujer alzó la voz. «Debes hacerlo».

El niño finalmente empezó a rezar y yo intenté volver a mi oración. Unos momentos después la mujer le dijo al otro niño que rezara el *Ave María*.

«Pero es aburrido», dijo él.

«Reza ahora mismo», dijo la mujer con brusquedad.

Cuando algo molesta mi paz en la iglesia, normalmente lo ignoro, pero esta vez sentí que tenía que decir algo. Me giré hacia la mujer y le dije: «Señora, perdone, pero si usted les obliga a rezar, odiarán hacerlo cuando crezcan».

«Ah, ¿Y qué le hace a usted tan experta?».

Estuve a punto de decir *Bueno, es que yo veo la Virgen María*, pero respondi: «*No soy una experta, pero soy una madre*».

Cuando me di la vuelta la mujer permaneció en silencio y pude rezar en paz.

Nuestra Señora nunca exige nada de nosotros, sólo nos invita.

Peregrinos esperan a Nuestra Señora en la Cruz Azul donde se me aparece el día 2 de cada mes.

CAPÍTULO XXXII

«Seréis pequeños portadores del amor de Dios. Iluminaréis el camino para aquellos que tienen ojos pero no quieren ver».

(Del mensaje de Nuestra Señora del 2 de octubre de 2012)

«SÓLO SE VE bien con el corazón. Lo esencial es invisible a los ojos».

Esta frase de *El Principito* casi podría definir Medjugorje. Es difícil encontrar las palabras adecuadas para describir todas las maravillas que he visto y sentido con mi corazón durante las apariciones, pero sigo decidida a intentarlo.

Si experimentas algo la mayor parte de tu vida, normalmente te acostumbras a ello. Pero yo nunca me he acostumbrado a ver a Nuestra Señora. Siento cada aparición como la primera, y lloro cada vez que hablo de ello. Todavía hoy me resulta difícil creer que lleva sucediendo tanto tiempo.

Volviendo la vista atrás, al 2 de agosto de 1987, cuando comenzó la segunda de las apariciones mensuales, veo la mano paciente y dulce de la Bienaventurada Madre en la forma en la que todo ha sucedido. Han pasado cosas hermosas, y seguirán pasando, cada 2 de agosto. La Iglesia celebra el 2 de agosto la festividad de Nuestra Señora de los Ángeles, que está vinculada a San Francisco de Asís. Fue ese día de 1981 cuando Nuestra Señora permitió a las gentes del pueblo tocar su vestido. Y cuando las cosas que Nuestra Señora me ha dicho comiencen a suceder en el futuro, el mundo comprenderá por qué eligió el 2 de agosto para su primera aparición a los que aún no conocen el amor de Dios.

Al principio había pocas personas conmigo durante las apariciones del segundo día de cada mes, pero ahora todo el pueblo se llena de peregrinos días antes de cada una de ellas. Me conmovió profundamente el mensaje de Nuestra Señora del 2 de mayo de 2009, cuando dijo: «Desde lo profundo de tu corazón clama por mi Hijo. Su nombre dispersa incluso la mayor oscuridad. Estaré contigo. Sólo llámame: 'Aquí estamos, Madre. Guíanos'».

Ahora veo sus palabras escritas en algunos autobuses que vienen desde Italia antes de cada aparición: *Eccoci Madre! ¡Aquí estamos, Madre!*

Hacia el final de cada mes, comienzo a rezar y ayunar con mayor intensidad, lo cual me ayuda a sentirme más próxima a la Bienaventurada Madre. Una enorme inquietud crece en mi corazón. La noche anterior a la aparición duermo poco. Me vuelvo y revuelvo en la cama. La expectación me quita la respiración y me hace sentir que me ahogo. Pero cuando rezo, siento que Dios me da fuerza, como si me susurrase: «Puedes hacerlo». Y solo entonces soy capaz de esperar pacientemente hasta la mañana.

Aproximadamente a las tres de la madrugada, empiezo a escuchar débiles voces y canciones que llegan hasta mi ventana desde la colina. Algunos peregrinos pasan la noche entera esperando sobre las piedras frías y afiladas rezando y cantando himnos. Me digo: ¿Puede haber un sonido más hermoso?

En cuanto el primer destello del alba ilumina mi habitación, me levanto con la ilusión de un niño el día de su cumpleaños. Mientras me arreglo, estoy en oración constante. Miro por mi ventana y veo la base de la colina alrededor de la Cruz Azul cubierta de peregrinos. Sus canciones, ahora acompañadas por guitarras, suenan en todo el pueblo, en competencia con el canto de los gallos y los ladridos de los perros.

Antes, yo solamente sabía que ella se me aparecería en algún momento del día 2. Pero ahora sé que Nuestra Señora se me aparece siempre un poco antes de las 9 de la mañana.

Normalmente paso la primera parte de la mañana rezando en el cuarto de estar. En esos momentos puedo sentir el amor invadiendo mi corazón , puedo sentir que se acerca el momento, pero aún no es la hora. Miro el reloj y sé que el timbre de mi casa va a sonar. Antes de cada aparición, sin falta, Damir llega a las 7:30 de la mañana. Temiendo que esté hambrienta después de tanto ayuno, trae unas barras de pan, aunque yo siempre le digo que no es necesario. Antes de eso, su equipo y él ya han estado en la Cruz Azul instalando los micrófonos para que todo el mundo pueda escuchar las oraciones y el mensaje. Damir ha filmado las apariciones durante muchos años, tanto para conservar un registro histórico como para que los peregrinos tengan recuerdos que llevarse a casa. Solía esconderme de las cámaras, pero me he tenido que acostumbrar con el paso de los años. Sin embargo, nunca veo los vídeos de Damir: sería demasiado doloroso verme a mí misma experimentando lo que me gustaría poder experimentar en cada momento de mi vida.

Nunca hubo un esfuerzo conjunto para organizar la mañana: simplemente todas las cosas encajan en su lugar, y ahora hay un ritmo que ya es familiar. Normalmente Miki viene a mi casa en torno a las 8 de la mañana, y antes de que me dé cuenta es tiempo de salir. Desde el momento en el que cruzo la puerta de mi casa y respiro el aire fresco de la mañana, siento que soy otra. Mirjana el ama de casa, esa a la que le gustan las novelas históricas, las velas encendidas y bromear con sus amigos después del café, se queda en casa. Ahora soy Mirjana la vidente.

Siempre hay una multitud de peregrinos esperándome fuera de mi hogar. Les sonrío, pero internamente me pregunto por qué no están en la colina. Después de todo, yo no soy *nadie*. Quiero que se entusiasmen con Nuestra Señora, no conmigo.

Entonces comienzo a experimentar el sentimiento del Cielo, y puedo sentir la presencia de Nuestra Señora y escuchar su suave voz en mi corazón. En ese momento me animo a mí misma.

Puedes hacerlo, pienso. *Mira, ella me quiere. No soy tan pecadora como para que no venga.*

Pero a medida que mi conciencia se deja llevar cada vez más al Cielo, voy comprendiendo menos lo que sucede a mi alrededor. Por ejemplo, invité a un amigo estadounidense a venir conmigo a la Cruz Azul para una de las últimas apariciones. Cuando esa mañana nos encontramos delante de mi casa, le saludé y le pregunté cómo estaba, pero no me contestó. Le dije que estuviese cerca de mí cuando subiéramos para no separarnos entre la multitud, pero él parecía aún más desconcertado. Finalmente, me dijo educadamente: «Mirjana, lo siento, pero no hablo italiano».

Por supuesto, yo sabía que él habla inglés, pero mis pensamientos estaban tan confundidos antes de la aparición que incluso olvidé qué idioma estaba hablando. Algunas personas se ofenden cuando me dicen algo y no les respondo, pero es difícil de explicar que ya estoy a medio camino de otro mundo.

Marko y las chicas salen primero, normalmente acompañados por alguno de nuestros amigos o familiares. La madre de Marko viene siempre para las apariciones. También mi madre, aunque ella prefiere no estar tan cerca de mí. No soporta verme llorar sin poder consolarme.

«Tus lágrimas me duelen mucho», dice.

Algunos hombres del pueblo esperan siempre por mí en la puerta para escoltarme a través de la multitud. Llevan camisetas amarillas y se denominan Asociación Kraljica Mira, que en croata significa Reina de la Paz. También ayudan a los peregrinos que necesitan asistencia. Mi hermano Miro se unió al grupo para ayudar a proteger a su hermana mayor.

Protegerme ¿De qué? La mejor respuesta que puedo dar es, simplemente: de un amor excesivo.

Los voluntarios de Kraljica Mira me escoltan por la calle, y me paro a saludar a la gente si me siento impulsada a hacerlo. En ese momento mi corazón estalla de amor por cada uno de los que veo en el camino. Normalmente, cuando llegamos a la base de la colina, la multitud de peregrinos es tan grande que bloquea toda la calle. Miles más esperan en la colina. Antes, teníamos que empotrarnos a través de la multitud para llegar hasta la Cruz Azul, pero ahora Miro y sus amigos mantienen abierto un pasillo para hacerlo más fácil.

Como es sabido, los italianos han sido bendecidos con un temperamento pasional, y algunos de ellos consideran necesario tocarme, como si yo fuese una especie de santa o una milagrera. Una vez sorprendí a una mujer intentando cortar como recuerdo un mechón de mi cabello.

Cuando estaba dirigiéndome a una aparición entre la multitud, una mujer perturbada me agarró el brazo con tal fuerza que me dislocó el hombro. Un dolor intenso recorrió todo mi cuerpo, y lloré mientras sujetaba mi brazo herido con la otra mano. Cuando finalmente llegué a la Cruz Azul, me retorcía de dolor y mi cuerpo temblaba. Recé en silencio:

Bienaventurada Madre, por favor, ven pronto, no puedo soportar este dolor mucho más tiempo.

Cuando apareció Nuestra Señora, el dolor lacerante desapareció instantáneamente. En el Cielo no hay dolor. Solo hay amor. Luego Damir me dijo que yo había movido normalmente mi brazo herido durante la aparición. Pero cuando Nuestra Señora se fue, inmediatamente sentí el dolor de nuevo, e hicieron falta bastantes visitas al médico y meses de fisioterapia para volver a moverlo correctamente.

Sé que es por amor, así que nunca me enfado cuando la gente intenta agarrarme o tocarme. Puedo entender por qué la gente puede pensar que hay algo especial en una persona que ve a la Bienaventurada Madre, aunque no necesariamente estoy de acuerdo con ellos. Lo que no entiendo es cuando me confunden con Nuestra Señora. Yo soy un ser humano, no mejor que cualquiera de sus hijos. Simplemente, tengo una misión diferente en la vida. Afortunadamente, la mayoría de los peregrinos que vienen son respetuosos y amables.

Es una sensación extraña recorrer el camino escarpado y rocoso que conduce a la Cruz Azul. Miles de ojos me miran. La gente grita mi nombre y hace fotos. La niña pequeña que hay en mí quiere correr y esconderse, pero sé que debo ser fuerte.

El espacio enfrente de la Cruz Azul se reserva principalmente para sacerdotes, enfermos y aquellos que durante muchos años han llevado peregrinos rezando y cantando. Se me rompe el corazón cuando veo gente con cáncer, parálisis y otras enfermedades graves. Les beso y abrazo y rezo en silencio por ellos.

Es edificante y hermoso escuchar a miles de personas cantar himnos locales como *Gospa Majka Moja* [Nuestra Señora, Nuestra Madre] y *Zdravo Kraljica Mira* (Salve Reina de la Paz). Entre canciones, los peregrinos rezan el rosario juntos, cambiando a un idioma diferente en cada decena. *Hail Mary, full of grace. Ave maria, piena di grazia. Zdravo Marijo, milosti puna.*

La cruz que da nombre al área de la Cruz Azul está insertada en una plataforma de piedra detrás de una pequeña imagen de la Bienaventurada Madre. En la mañana de la aparición, la plataforma está cubierta de flores, artículos religiosos y sobres con peticiones de oración escritas por los peregrinos o traídas en nombre de seres queridos que no se les han podido unir en la peregrinación. Sin embargo, yo siempre digo que la forma más poderosa de rezar no es en el papel, ni siquiera en los labios, sino en el corazón. Cuando rezas desde el corazón, Dios no sólo escucha, sino que también habla.

¿Qué significa rezar desde el corazón? En mi opinión, es cuando yo *siento* todo lo que digo, en vez de meramente pensarlo, cuando cada palabra pasa por mi corazón antes de salir por mi boca. Cuando digo *Dios te salve, María*, intento sentir que realmente estoy saludando a María con amor. Cuando digo *llena de gracia*, me maravillo de cuánta gracia da a todos Nuestra Señora. Hablo con ella en oración, y no es que la vea o la escuche, pero puedo sentir su voz en el interior. Cuando pienso en la Asunción de María a los cielos, por ejemplo, le pregunto cómo se sentía y qué pensaba en ese momento. La oración nunca me parece repetitiva, porque siempre siento cosas nuevas y diferentes. «Con la oración y el ayuno podemos apartarnos de todas las cosas materiales que nos atan para contemplar a Dios», dice el padre Slavko. «Cuanto más contemplamos a Dios y a Nuestra Señora, más queremos ser como ellos. Y cuanto más queremos ser como ellos, más fácil nos resulta abrirles nuestro corazón».

Hace falta práctica, perseverancia y un alma limpia para sentir la presencia de Dios cuando rezas. Si no sabes lo que significa rezar desde el corazón, intenta esto: confiesa tus pecados y dáselo todo a Dios. Ayuna a pan y agua. Reza el rosario y luego habla con Dios con tus propias palabras, como si estuvieses hablando a tu amigo o ser querido más cercano. Continúa ayunando y rezando. Pronto descubrirás lo que significa rezar desde el corazón. Reconocerás la presencia inconfundible de Dios cuando la sientas, y ya nunca querrás parar.

Cuando me arrodillo en la plataforma de piedra, mirando a la Cruz Azul, siento que me falta la respiración. Mi corazón se inunda con un torbellino de emociones. Estoy esperando el momento en el que el Paraíso viene a la Tierra, y siempre siento que no lo merezco. Marko y Miki se arrodillan detrás de mí, y Damir está enfrente de mí con su cámara. Amigos o miembros de la familia suelen estar a mi lado, a veces incluso Lia, Alessandra o Antonio cuando nos visitan desde Italia. Como Antonio está ahora en silla de ruedas, los jóvenes del Cenáculo le llevan hasta la

Cruz Azul antes de la aparición, como hacen los voluntarios de Kraljica Mira con otros peregrinos que no pueden llegar por sus propios medios.

Me uno a la multitud en el rezo del rosario, y cuando se acerca el momento de la aparición, siento que cada vez me falta más aire y pienso ¡Nuestra Señora va a llegar! Probablemente hiperventilaría o me moriría si no fuera por los efectos tranquilizadores de la oración.

Ese sentimiento va a más. Me pongo la mano en el pecho como para impedir que el corazón salte. Boqueo para tener aire. De repente, es como si alguien apretase un interruptor: el mundo desaparece y me siento envuelta en un azul grandioso e infinito. Nuestra Señora está ante mí, en medio de todo ello. Todo dolor y todo miedo desaparecen. Estoy confortada. Soy amada. Estoy completa.

«Alabado sea Jesús», dice ella.

Maravillada, sin habla, necesito un momento para responder.

«Sea siempre alabado, mi querida Madre».

Pero con las compuertas de mi corazón ahora abiertas, un río de amor brota de mi boca. «¡Oh, gracias, Gospa! ¡Qué hermosa eres!». No puedo controlar lo que digo en esos primeros momentos sin aliento. «¡Oh, mi querida Madre! ¡Te he echado tanto de menos!».

Ya no estoy en la tierra. Los peregrinos me ven allí (mis labios se mueven de forma inaudible y las lágrimas recorren a raudales mi rostro), pero no soy consciente de nada ni nadie de lo que me rodea. Ni siquiera estoy ya en la colina. Todo está envuelto en un azul difícil de describir. Podría compararlo con el color del cielo en un día de primavera sin nubes, pero realmente no hay nada similar en el cielo. En realidad, es más que un color. Es como un lugar yun sentimiento a la vez. Nos envuelve totalmente a mí y a Nuestra Señora.

Las únicas ocasiones en las que veo personas a mi alrededor son los raros momentos en los que ella reza por la gente. De alguna forma, no tengo que darme la vuelta para verlos. Cuando ella reza por alguien en particular, levanta su mano en esa dirección, o simplemente le mira con expresión de interés, preocupación o tristeza, pero nunca con ira. Ella no me dice por qué reza por algunas personas, pero después de la aparición normalmente intento decirle a esa persona lo que ocurrió.

Cuando Nuestra Señora me mira directamente ,como hace durante casi toda la aparición, no veo a nadie más, aunque esté rodeada de gente. Pueden rezar, hablar o incluso gritar, que no puedo oírles. La luz del sol podría darme directamente en los ojos, que no puedo sentirla. En ese momento estoy experimentando el Cielo. Estoy experimentando el amor de Dios y estoy henchida de una alegría que nunca he sentido en la tierra. Mi mente está perfectamente en calma y libre de pensamientos triviales, y sólo tengo dos deseos en mi corazón: que ese momento no acabe nunca o que Nuestra Señora me lleve con ella.

La veo como veo a cualquier otra persona, como un ser físico y tangible, de ningún modo transparente o fantasmal.

Su belleza, sin embargo, claramente no es de este mundo, y cuando habla es como música venida del Cielo. Pero su voz es más que un sonido. Si tuviera que compararla con algo, diría que su voz es *amor*. Suena como amor y se siente como amor. Escucho su voz con mis oídos, pero también con mi corazón, con todo mi ser. En una ocasión, un ingeniero acústico vino desde Nueva York con la finalidad de identificar cómo es la voz de Nuestra Señora. Me trajo registros de muchos tipos diferentes de voces. Con auriculares en mis oídos, las escuché todas, pero nada que se le aproximara.

Normalmente Nuestra Señora me da un mensaje a mitad de la aparición. No me avisa, pero sé que va a comenzar cuando su mirada se mueve de mí a la gente y dice: «Queridos hijos». Me mira de nuevo y dice lo que desea decirle al mundo. A veces me preocupa no ser capaz de memorizar el mensaje, especialmente si dice algunas palabras que yo personalmente nunca utilizo, e incluso le he llegado a preguntar: «¿Seré capaz de recordar todo esto?».

Ella me responde con una amable sonrisa, como para decirme que no me preocupe. Cuando me da el mensaje, no siempre habla de la forma continua con la que luego yo lo dicto. Al revés: ella vincula algunas partes del mensaje con lo que ha pasado y lo que se supone que pasará en el futuro. No puedo compartir detalles concretos sobre esto ahora, pero, por ejemplo, si el mensaje de Nuestra Señora nos pide perdonar, ella me explica que si no perdonamos, entonces pasará esto o aquello.

Después del mensaje, a veces Nuestra Señora me habla sobre cosas que no puedo compartir públicamente todavía, y rezamos juntas. Rezamos la oración especial por los que aún no conocen el amor de Dios, que me enseñó hace muchos años. Un día podré compartirla con todos.

Cuando rezamos, ella extiende sus manos hacia mí, pero no siempre usa los mismos gestos el resto del tiempo. Por ejemplo, cuando me habla, a veces junta sus palmas como si estuviese en oración. Del mismo modo, no siempre tiene las mismas expresiones en la cara; al igual que nuestras expresiones, las suyas varían según de qué esté hablando. Pero a diferencia de la gente en la tierra, no expresa sus emociones riendo, encogiéndose de hombros o como yo siempre bromeo con los italianos gesticulando agitadamente con las manos.

A veces le hago una pregunta en nombre de alguien, normalmente sobre una intención especial o un asunto grave como una enfermedad terminal o un problema. En los primeros tiempos, Nuestra Señora nos permitía hacer más preguntas, quizá para que pudiésemos conocerla mejor. Luego todavía nos permitía preguntarle, pero de alguna manera yo sabía qué debía preguntar y qué no antes incluso de abrir la boca.

En ocasiones incluso me da un mensaje para transmitir privadamente a alguien a quien no conozco y sobre lo que no pregunto.

Hacia el final de la aparición, levanta su mano cariñosamente y dice: «En nombre de mi Hijo, te doy mi bendición maternal». Hace un ligero énfasis en la palabra *maternal*, y en sus mensajes insiste en que la bendición de un sacerdote es la bendición de su Hijo, por lo que siempre pido a los sacerdotes en la Cruz Azul que después de la aparición bendigan también a la multitud, así como los artículos religiosos de cada cual. A diferencia de la forma en la que bendice un sacerdote, Nuestra Señora no hace la señal de la cruz, sólo alza su mano.

Ella suele concluir diciendo «Rezad, rezad, rezad» y luego se eleva lentamente hacia el espacio azul, casi como si fuese abducida. En raras ocasiones, veo una especie de signo en la distancia cuando se va.

El 2 de agosto de 2006, por ejemplo, el espacio azul se abrió y vi la silueta de una cruz enfrente del sol. Otras veces he visto una hermosa luz cálida detrás de Nuestra Señora.

El 2 de junio de 2009 vi una cruz grande y dorada. Emitía una luz hermosa y me dejó sin respiración. En la intersección de los palos de la cruz había algo como un corazón, vivo y hermoso, rodeado por una corona de espinas.

Exactamente un año después, el 2 de junio de 2010, apareció una paloma blanca al irse Nuestra Señora. Las puntas de las plumas de la paloma brillaban con un color áureo, y algo como un polvo luminoso emanaba de ellas. Supuse que la paloma representaba al Espíritu Santo, pero medito su significado como cualquiera. Nuestra Señora nunca me explica estos signos y siempre me sorprende cuando veo uno.

Nuestra Señora se eleva un poco antes de desaparecer y el espacio azul desaparece inmediatamente al hacerlo ella. Repentinamente de vuelta entre los peregrinos, me asalta una cacofonía de sonidos, como si la gente me estuviese gritando en el oído y lanzando sonidos estridentes con un megáfono. En realidad, todos están rezando en silencio. Incluso un susurro parece un alarido en los momentos posteriores a cuando dejo la paz del Cielo.

Alguien me ayuda a ponerme de pie y me siento en un cercano banco de piedra. Me encuentro completamente rota, sin vida, y necesito un momento para reponerme. A veces no puedo dejar de llorar. Acabo de experimentar un breve momento de amor en su forma más pura, y con la misma rapidez lo he perdido. Conocer el Cielo y vivir en la tierra es más doloroso de lo que nadie pueda imaginar. Quiero ir a casa y encerrarme en mi habitación a rezar, pero aún he de hacer una cosa.

Mi estado mental es demasiado turbulento después de la aparición como para tomar la pluma, así que Miki se sienta a mi lado con un cuaderno para transcribir el mensaje de Nuestra Señora. A lo largo de los años, ha llenado numerosos cuadernos.Sólo durante pocos minutos puedo recordar el mensaje con claridad. Luego puedo recordar de qué trataba, pero no repetirlo con exactitud. Por ello, sabiendo que es imprescindible transmitir el mensaje inmediatamente, me obligo a mí misma a hablar. Mientras le dicto a Miki, siento como si pudiese oír a Nuestra Señora repetir el mensaje, pero escucho sus palabras en mi corazón, no con mis oídos. Ni siquiera tengo que estar centrada sobre Miki en ese momento: mientras él escribe una frase, puedo volverme y decirle algo al sacerdote que tengo al lado, y luego volver donde lo dejé. Es como si dentro de mí hubiese una grabación temporal del mensaje, y yo pudiese parar y continuar a voluntad. Creo que, de alguna manera, Nuestra Señora me transmite el mensaje hasta que queda documentado.

Miki lee el mensaje a los peregrinos con un micrófono, primero en croata y luego en una traducción general en inglés e italiano. Le dice a todo el mundo que más adelante estará disponible una traducción más precisa del mensaje, y después de la aparición él y algunos lingüistas comprueban meticulosamente cada palabra traducida para asegurar que el mensaje es difundido en su forma más pura. Antes, los mensajes se expandían lentamente, pero con la tecnología moderna llegan a todos los rincones del mundo en varias lenguas el mismo día en el que son dados.

Veo los mensajes de Nuestra Señora como una llamada a la conversión y una afirmación de la existencia de Dios. Con palabras sencillas, nos da los instrumentos que necesitamos para relacionarnos con Dios, entre ellos la oración, el ayuno, la confesión, la Santa Misa y la Biblia. Pero el énfasis principal es en el amor. Dios quiere que veamos un hermano en *todas* las personas que encontramos, que las amemos sin condiciones ni excepciones, y que rechacemos la tentación de odiar y de juzgar.

«Si juzgas a los demás, no tendrás tiempos para amarles», decía la Madre Teresa.

Cuando bajo la colina después de la aparición lo hago aturdida. El amor de Nuestra Señora todavía está fuerte dentro de mí. Miro a la gente, pero no la veo. Las escucho, pero no oigo lo que dicen. Es como si alguien hubiese vuelto a ocupar mi lugar.

A veces me siento impulsada a detenerme y hablar con algunas personas, casi como si fuese conducida hasta ellos. Después de una aparición, noté dentro de mí un sentimiento muy fuerte mientras descendía de la Cruz Azul. Supe que tenía que decir *algo a alguien*, pero no sabía qué ni a quién. Había miles de personas en la colina, pero mis ojos se posaron sobre una joven que había en la multitud. En ese instante supe que era ella, y al aproximarme supe también que tenía que hablarle en italiano: «Tengo que decirte algo, pero no tengo ni idea de qué puede ser».

Los ojos de la joven se llenaron de lágrimas. «Sí, pero yo sí lo sé. ¡Gracias!».

Sonrió como si le hubiesen arrancado del corazón una espina de angustia. Llorando, volvió a la multitud. Nunca la había visto antes, ni volví a verla después.

Mientras sigo bajando, a menudo me nace regalar el rosario que tenía en las manos durante la aparición. Pero cuando la gente me lo agradece, rápidamente redirijo su gratitud: «Da las gracias a Dios y a Nuestra Señora, pero no a mí».

En cuanto llego a mi casa una vez he bajado, voy a mi habitación. Rezo, lloro y le pido a Dios que me ayude a entender por qué tengo que seguir en la tierra. Con esta oración, empiezo a sentir que Dios delicadamente me impulsa a seguir adelante. Comprendo que mi misión en la tierra debe comenzar de nuevo: que tengo que llevar mi cruz y buscar el amor de Dios como cualquier otra persona en este mundo; que tengo un deber como esposa, madre y mensajera; y que todavía no puedo ir con Nuestra Señora y ella no puede quedarse aquí conmigo. Finalmente, después de dos o tres días, tengo fuerza suficiente para afrontar la vida como una persona corriente, al menos hasta que guste del Paraíso de nuevo al mes siguiente.

«Incluso después de todos estos años, el tiempo parece detenerse cuando estoy con Nuestra Señora». (Foto de Dani.)

CAPÍTULO XXXIII

«Mi Hijo podría haber vencido con la fuerza, pero prefirió la mansedumbre, la humildad y el amor. Seguid a mi Hijo y dadme vuestras manos para que juntos podamos escalar la montaña y vencer».

(Del mensaje de Nuestra Señora del 2 de julio de 2007)

EN CIERTA OCASIÓN dijo el cardenal Schönborn: «Millones de personas en todo el mundo leen los mensajes de Medjugorje y reconocen en ellos la llamada de la Madre de Dios en sus vidas».

Como maestra nuestra en «la escuela del amor», la Bienaventurada Madre nos ofrece un programa a través de sus mensajes. Sus «lecciones» nos ayudan a llegar al conocimiento del amor de Dios. Entre ellas, las «cinco piedras» identificadas por el padre Jozo: oración, ayuno, Santa Misa, confesión y Biblia.

Nuestra Señora no nos exige que hagamos estas cosas. Pero nos anima y nos presenta un mapa que nos conducirá por la vía del amor. Por medio de sus mensajes, nos recuerda que los medios para vivir el Cielo en la tierra y *después* de la tierra, están al alcance de nuestra mano, disponibles para cualquiera.

«Se os están proponiendo muchas falsas verdades», dijo el 2 de enero de 2015. «Las venceréis con un corazón saneado por el ayuno, la oración, la penitencia y el Evangelio».

Oración

Todo comienza con la oración, y Nuestra Señora insiste en su valor en casi todos los mensajes que me da durante las apariciones.

«Sólo un corazón puro, pleno de oración y compasión, puede sentir el amor de mi Hijo» (2 de diciembre de 2005).

«¡Queridos hijos, mi corazón maternal os pide que aceptéis la oración, porque es vuestra salvación! Rezad, rezad, rezad, hijos míos» (2 de enero de 2005).

«Con vuestra entrega y oración, ennoblecéis vuestro cuerpo y perfeccionáis vuestra alma» (2 de abril de 2010).

«Pedid poder ser apóstoles de la luz divina en este tiempo de oscuridad y desesperanza. Este es un tiempo de prueba para vosotros. Con un rosario en la mano y el amor en el corazón, venid conmigo» (2 de marzo de 2012).

«Queridos hijos, la oración auténtica proviene de lo profundo de vuestro corazón, de vuestro sufrimiento, de vuestra alegría, de vuestra búsqueda del perdón de los pecados» (2 de febrero de 2011).

Una breve oración desde el corazón es más poderosa que una larga llena de palabras y sin sentimiento alguno. Dios nos habla a través del amor, así que el lenguaje que Él entiende es el del amor.

A pesar de haber visto a la Virgen más de setecientas veces desde 1981, nunca me aburro cuando rezo el rosario, porque puedo visualizarla cada vez que digo el Ave María. Sin embargo, recuerdo que cuando era niña me impacientaba cada vez que la abuela Jela dirigía la oración de la noche. Es difícil concentrarse, pero Nuestra Señora dice que nada une a una familia mejor que rezar juntos el rosario.

Si vuestros pensamientos comienzan a vagar cuando estáis rezando, dejad el rosario y hablad directamente a Nuestra Señora como un niño habla a su madre. Contadle por qué no podéis estar tranquilos. Decidle qué es lo que os llena de pesadumbre. Ofrecedle cualquier cosa que tengáis en el corazón y ella os dará lo que hay en el suyo: la paz deDios.

Tras haber tenido que esconder mi fe de los comunistas, todavía rezo el rosario con los dedos. Incluso cuando tengo un rosario, normalmente acabo dándoselo a alguien con quien me encuentre, y cuando me piden que dirija el rosario en un grupo, prefiero usar los dedos porque temo contar mal las cuentas.

Ayuno

Nuestra Señora casi siempre menciona la oración cuando habla del ayuno. Ambos están vinculados. El ayuno debe siempre ir acompañado de la oración.

«Es importante saber que cuando rezamos y ayunamos, es para abrirnos a Dios y a lo que Dios nos da», decía el padre Slavko. «Con frecuencia, cuando la gente reza y ayuna, se convierte en un intercambio. Rezamos y ayunamos, así que esperamos obtener algo a cambio. Cuando no obtenemos aquello por lo que rezamos y ayunamos, dejamos de rezar. Es importante seguir abiertos a recibir lo que Dios quiere darnos. Las gracias llegan cuando nos mantenemos abiertos por medio de la oración y el ayuno».

El ayuno al que nos invita Nuestra Señora es para abrir nuestro corazón. Cuando ayuno, me demuestro a mí misma que soy dueña de mi propio cuerpo. Aunque parece un sacrificio pequeño, le estoy demostrando a Dios que haré cualquier cosa por Él. También el ayuno fortalece mi oración.

«El amor inmenso de Dios me envía para conduciros a la salvación. Dadme vuestros corazones sencillos, purificados por la oración y el ayuno. Solo en la simplicidad de vuestros corazones está vuestra salvación» (2 de septiembre de 2007).

«Hoy os llamo con la oración y el ayuno a despejar el camino por el cual mi Hijo entrará en vuestros corazones» (2 de junio de 2010).

«No os resistáis a la esperanza ni a la paz. Con vuestra oración y vuestro ayuno, por medio de Su cruz, mi Hijo desbaratará la oscuridad que quiere rodearos y dirigiros. Él os dará la fuerza para una nueva vida» (2 de marzo de 2013).

«Hijos míos, rezad y ayunad para que podáis entender todo lo que estoy pidiendo de vosotros» (2 de diciembre de 2013).

«Deseo que ayunando y rezando obtengáis del Padre celestial el conocimiento de lo que es natural y santo, divino» (2 de febrero de 2014).

Nuestra Señora nos pide ayunar los miércoles y los viernes. La mejor forma de ayunar, dice, es a pan y agua. De esta forma, renunciamos al placer de comer y beber sin privar de sustento a nuestros cuerpos.

El padre Stanko Ćosić, joven sacerdote que ejerce su ministerio en Medjugorje, dice: «Solo en el desierto puedes saborear el pan y el agua».

Confesión

Nuestra Señora nos pide confesar nuestros pecados al menos una vez al mes, y para los católicos, por supuesto, ella se refiere al sacramento de la Reconciliación con un sacerdote.

«Hijos míos, sólo un corazón puro, sin la carga del pecado, puede abrirse, y sólo los ojos honestos pueden ver el camino por el que quiero conduciros» (2 de diciembre de 2011).

«¡Queridos hijos! En nombre del inmenso amor de Dios, vengo hoy a vosotros para conduciros por el camino de la humildad y la mansedumbre. La primera estación de ese camino, hijos míos, es la confesión. Rechazad vuestra arrogancia y arrodillaos ante mi Hijo» (2 de julio de 2007).

«Deseo ayudaros a liberaros de la suciedad del pasado y a comenzar a vivir de forma nueva y distinta. Os llamo a resucitar en mi Hijo. A la vez que confesáis vuestros pecados, renunciad a todo lo que os ha apartado de mi Hijo y ha vaciado y hecho fracasar vuestra vida» (2 de mayo de 2011).

Nuestra Señora dijo que no hay hombre en el mundo que no necesite confesarse al menos una vez al mes. Cuando le digo esto a los peregrinos, siempre sonrío y añado: «Fijaos que no menciona a las mujeres. ¡Nuestra Señora sabe que ya tenemos bastantes cruces que llevar!».

Cuando Jakov me oye decir eso, dice: «¡Sí, es verdad que los hombres deberían confesarse mensualmente, pero las mujeres deberían hacerlo todos los días!».

Una confesión sincera te purifica de las transgresiones pasadas, te quita de los hombros el peso del pecado y permite que Dios te llene con su paz.

«Una perla que cae en el barro sigue siendo una perla», dice el padre Stanko Ćosić «pero sólo puedes apreciar su belleza después de limpiarla. Así sucede con nuestras almas en la confesión».

Misa

Durante las apariciones, a veces Nuestra Señora me pide cosas además del mensaje. Suelo recordarlo luego cuando rezo.

Una vez ella dijo algo que me afectó profundamente. Tuve la sensación de que era algo de gran importancia, pero nunca lo había compartido hasta ahora.

«Yo fui el primer Tabernáculo», dijo. «El Santísimo Cuerpo creció primero dentro de mí».

Desde el principio de las apariciones, Nuestra Señora insistió en la importancia de la misa. Ella nos dijo que si alguna vez teníamos que elegir entre ir a misa o verla a ella en la aparición, eligiéramos siempre la misa:

«Que la misa sea el más eminente y poderoso acto de vuestra oración, el centro de vuestra vida espiritual» (2 de agosto de 2008).

«En la Eucaristía, mi Hijo se da a Sí mismo a vosotros de nuevo» (2 de abril de 2015).

«Os pido que la Eucaristía sea la vida de vuestra alma» (2 de agosto de 2014).

Cuando recibo la comunión, siento que mi Dios y yo somos uno. Siento como si me hubiese convertido en su custodio, que Él vive en mí. Cuando luego me arrodillo y rezo, le pido que siga conmigo todo el tiempo que sea posible, para que pueda seguir sintiendo el amor y la plenitud que solo Él puede dar.

La Biblia

Nuestra Señora nos pide que la Palabra de Dios vuelva a nuestros hogares. No la dejéis en un rincón polvoriento como un objeto de decoración, ponedla en un lugar de honor donde pueda ser vista y tocada.

«Acepta con corazón sencillo Su palabra y vívela. Si vives Su palabra, orarás. Si vives Su palabra, amarás con amor misericordioso; os amaréis unos a otros» (2 de Agosto de 2015*)*.

«Hijos míos, vivir con mi Hijo significa vivir el Evangelio» (2 de diciembre de 2014).

Ella no especificó cuánto debemos leer de la Biblia cada día, pero unos cuantos versículos es mejor que nada. Lo más importante es abrirla regularmente.

Respuesta a la llamada

El 2 de julio de 2012, Nuestra Señora dijo: «Rezo para que la luz del amor de mi Hijo os ilumine, para que podáis triunfar sobre las debilidades y salir de la miseria».

Si la oración no es aún una alegría para ti, entonces empieza despacio. Si te fuerzas a ti mismo, lo más probable es que sucumbas a la debilidad, te desanimes y te rindas. La fe hay que alimentarla como una flor delicada y hay que darle tiempo para crecer.

Nuestra Señora nos enseñó con el ejemplo. Lo primero que nos pidió fue rezar el Credo de los Apóstoles y siete Padrenuestros, Avemaría y Gloria todos los días. Luego nos pidió que rezáramos un rosario y ayunáramos todos los viernes. Cuando finalmente nos acostumbramos a eso, nos pidió añadir otro rosario, y luego un tercer rosario, y también ayunar los miércoles.

Siempre bromeo con que espero que ella le ponga fin, pero la verdad es que la oración se ha convertido para mí en una alegría. Comenzando despacio y haciendo todo desde el corazón, todos podemos alcanzar el tesoro al que Nuestra Señora intenta conducirnos. La suya es una llamada delicada. Nunca exige nada.

Nuestra Madre viene cada mes para rezar «por los que no sienten todavía el amor de Dios» porque, para ella, incluso un hijo que se pierde es demasiado. Su inmenso amor por nosotros prácticamente la obliga a intervenir. Mira el mundo a tu alrededor y comprenderás su preocupación.

El 2 de julio de 2011 vi una señal especialmente impactante de que Nuestra Señora ya se iba. A su derecha había una cruz que resplandecía con una luz dorada. La luz parecía emitir un sentimiento de alegría y victoria. Pero a su izquierda se veía una oscuridad que no se parecía a nada que hubiera visto antes: un vacío oscuro del que emanaba un sentimiento de desolación. Al moverse y ondular, me aterrorizó.

Su mensaje ese día fue una fuerte llamada a la conversión. «Queridos hijos», dijo, «Hoy os pido un paso difícil y doloroso hacia la unidad con mi Hijo». Ella nos rogó que nos purifiquemos, explicando que un corazón impuro «no es un ejemplo de la belleza del amor de Dios ni para quienes lo rodean ni para quienes aún no conocen ese amor».

Después de la aparición, Veronika preguntó con preocupación si ella se había arrodillado en el lado bueno o en el malo, pero le aseguré que no tenía de qué preocuparse. Nuestra Señora no me explicó la imagen, pero en mi opinión revelaba la diferencia entre un corazón puro y un corazón impuro, como para ilustrar su mensaje mostrándonos que nuestros corazones estarían llenos de luz si elegíamos el camino de la virtud. Como dijo Jesús, «Bienaventurados los limpios de corazón, porque ellos verán a Dios» (Mt 5, 8).

Sin embargo, si le rechazamos, caminaremos en la oscuridad, confundidos sobre quiénes somos y adónde vamos.

Gracias a Dios, la diferencia entre la luz y la oscuridad es solamente una decisión. Nadie puede decir que su corazón es enteramente puro, pero es fundamental que lo intentemos. Temo a quien afirma que todo lo hacea la perfección.

La aparición del 2 de octubre de 2011 es otra que permanece en mi mente. En su mensaje nos pedía buscar una relación íntima con Dios, diciendo: «El Padre no está lejos de ti y no es desconocido para ti». Ella explicó que Dios se reveló a nosotros y nos dio la vida por medio de Jesús, y añadió: «No caigáis en las tentaciones que quieren separaros de Dios Padre». Nos pidió rezar para que nuestros corazones «Puedan verse inundados por la bondad que solo de mi Hijo procede», y nos imploró que no juzgáramos a nuestros pastores olvidando que Dios les ha llamado.

Nuestra Señora me mostró algo durante aquella aparición de lo que no puedo hablar, pero lo que más me afectó fue la intensa tristeza de su rostro. He visto mujeres en la tierra que estaban sufriendo, pero nada comparado al dolor del rostro de Nuestra Señora. En cierto modo, envidio a quienes no han sido testigos de su tristeza. Lo que más le duele es cuando ve que ni siquiera hemos intentado cambiar, cuando nuestros corazones se mantienen duros e indiferentes, cuando hemos escogido el camino de la perdición y no el de la salvación. Tiene mucho amor y paciencia, y hace mucho por nosotros, pero a menudo nosotros somos sordos a su llamada y reacios a dar incluso el más leve paso adelante.

Imagina una madre aquí en la tierra cuyo hijo ha caído con la gente equivocada y vive en la oscuridad. Ya ni habla con su madre porque sabe lo molesta que está con él. Piensa en el dolor de esa madre. Ahora, multiplica ese dolor por mil millones e imagina que la miras a los ojos. Eso es a lo que se parece Nuestra Señora cuando reza por tantísimos hijos suyos que van por el mal camino. O considera el indescriptible dolor de una madre que ha perdido a un hijo. Nuestra Madre en el cielo sufre por cada hijo que pierde.

Después de la aparición del 2 de octubre de 2011 me derrumbé en lágrimas. La imagen del sufrimiento de Nuestra Señora estaba grabada a fuego en mi mente. Mirando a toda la gente que me rodeaba, sentí como si las apariciones corriesen el riesgo de no ser valoradas. La gente estaba hablando y haciendo fotos. Algunos estaban allí sólo para ver signos visibles y sólo hablarían de lo que vieran. Otros escucharían el mensaje pero lo olvidarían enseguida. Normalmente nunca hago comentarios después de una aparición, pero esta vez tenía algo que decir.

«¿Sois conscientes, hermanos y hermanas, de que la Madre de Dios ha estado con nosotros?», dije. Miki lo repitió con el micrófono. «Todos deberíamos preguntarnos: '¿Yo merezco esto?' Lo digo porque es difícil para mí verla sufrir. Todos estamos esperando un milagro, pero no queremos trabajar por que haya un milagro en nosotros».

Estuve enferma tres días tras esa aparición. La faz dolorosa de Nuestra Señora permanecía ante mis ojos. Creí que iba a morir. Por medio de la oración, sin embargo, Dios poco a poco alivió mi mente. Resurgí con la convicción de que, con perseverancia, podemos enjugar las lágrimas de Nuestra Señora y paliar su dolor.

Pero Nuestra Señora no siempre aparece triste. Si me dice algo de gran importancia, por ejemplo, lo hace con una mirada de determinación. Mis momentos favoritos son cuando está alegre. Siempre que habla de su Hijo tiene en el rostro la sonrisa más hermosa. Su alegría me afecta profundamente y siendo menos dolor cuando la aparición concluye. Pero ver su tristeza es lo que me afecta durante más tiempo.

Cuando describí la tristeza de Nuestra Señora a un grupo de peregrinos, una mujer sacudió la cabeza y dijo: «¿Cuándo cambiará este mundo? ¿Cuándo comprenderá la gente?».

«No es eso lo que debemos preguntarnos», dije: «Al contrario, tenemos que preguntarnos '¿Cuándo cambiaré yo? ¿Cuándo comprenderé yo?' No podemos echar la culpa a los demás. Tenemos que comenzar por nosotros mismos y sólo luego podremos ayudar a los demás».

La única alma que necesito examinar es la mía. Cuando me llegue la hora de comparecer ante Dios, Él no me preguntará por ti. Él solo preguntará si *yo* respondí bien a su llamada.

Nuestra Señora cree en ti, incluso si tú no crees en ella. Su amor es incondicional. Ella ama al pecador tanto como al santo. Ama al ateo tanto como al creyente. Ella te ama *a ti* y a todos sus hijos tanto como me ama a mí.

Nuestra Señora vivió en la tierra y experimentó el sufrimiento humano. Puedes dirigirte a ella en todas tus dificultades y necesidades. Ella es tu verdadera Madre, incluso más que la que te dio a luz. Ella te conoce y comprende mejor de lo que te conoces y comprendes a ti mismo.

Si te sientes perdido, si estás luchando para comprender tu misión, para encontrar tu lugar en el mundo, te basta con mirar: Nuestra Señora te está tendiendo sus manos. Tómalas. Te conducirán a la paz.

Si estás sufriendo, si alguien te ha robado la luz de tu corazón, te basta con escuchar: Nuestra Señora te llama. Háblale. Ella te llenará con la luz de su Hijo.

Nuestra Señora ha empezado un gran movimiento por medio de estas apariciones del día 2 de cada mes. Muchas personas en todo el mundo han respondido a su llamada estableciendo grupos de oración, difundiendo los mensajes y viviendo como ejemplos de alguien que conoce el amor de Dios. Nuestra Señora no puede triunfar sin nosotros, y nosotros no podemos triunfar sin ella.

«Ayudadme», dice: «Partid junto a mí». Y el 2 de enero de 2014 dijo: «Queridos hijos, para que podáis ser mis apóstoles y ayudar a todos los que están en la oscuridad a conocer la luz de amor de mi Hijo, debéis tener corazones puros y humildes».

A través de su ejemplo de pureza y humildad, ella viene el día 2 de cada mes a mostrarnos cómo rezar «por quienes no comprenden el amor ni lo que el amor significa». Ella confía en nosotros y reiteradamente nos pide que nos unamos a ella. «Os llamo a ser mis apóstoles de luz, que difundan por todo el mundo el amor y la misericordia», dijo en un mensaje. Y «Os utilizaré, apóstoles de amor, para ayudar a todos mis hijos a venir en conocimiento de la verdad».

Mediante la oración y el ayuno, dice, podemos ser su «río de amor» que fluya por todo el mundo, e insiste en que comprendamos que no tenemos que ser perfectos para trabajar para el Cielo, diciendo: «No perdáis tiempo pensando si merecéis ser mis apóstoles».

¿Comprendes que te está hablando a ti? Cualquier cosa que hagas durante tu breve «abrir y cerrar de ojos» en la tierra te afectará por toda la eternidad. Si tuvieses que emplear una cantidad de tiempo relativamente pequeña en hacer algo difícil para garantizarte la felicidad eterna, ¿no lo harías?

Pero Nuestra Señora quiere que nos esforcemos un poco más. Nos llama a unirnos a la lucha aquí en la tierra ayudando a nuestros hermanos y hermanas a venir a conocer el amor de Dios. El demonio quiere privarnos del premio eterno atrayéndonos con tentaciones y luego destruyéndonos por dentro. Más oscuridad en el planeta significa más almas perdidas para siempre.

«Vosotros solos, hijos míos, no podéis detener al demonio, que quiere gobernar el mundo y destruirlo», dijo el 2 de agosto de 2011. «Pero siguiendo la voluntad de Dios, con mi Hijo, podéis cambiarlo todo y sanar el mundo».

Nuestra Señora me ha dicho muchas cosas que todavía no puedo revelar. Por ahora, sólo puedo sugerir lo que nos depara el futuro, pero veo indicativos de que los acontecimientos ya están en marcha. Las cosas están empezando lentamente a desenvolverse. Como dice Nuestra Señora, mirad los signos de los tiempos, y rezad.

Puedo compararlo a la limpieza de primavera. Si quiero que mi casa esté impecable, sé que primero tengo que poner todo patas arriba. Muevo el sofá, apilo las sillas sobre la mesa, abro todos los armarios… nada queda en su sitio. Mi hogar cae en el caos y en el desorden. Queda irreconocible para mis hijos y la paz se esfuma. Pero entonces limpio debajo de todas las cosas. Me deshago de toda la porquería. Devuelvo cada mueble a su lugar correcto. Y al final, mi casa está más impecable que nunca.

Así es como yo veo la confusión que hay hoy en el mundo. Así es como veo las apariciones de Nuestra Señora y el plan de Dios. Una auténtica limpieza del hogar empieza con un gran desorden.

¿Queréis ser como la mayoría de los niños, que se quedan mirando mientras su madre limpia, o *no temeréis* ensuciaros las manos y ayudarla? Como dijo Nuestra Señora en uno de sus mensajes: «Deseo que, mediante el amor, nuestros corazones triunfen juntos».

Que el triunfo de su corazón comience *contigo.*

SOBRE EL AUTOR

Mirjana Soldo nació en Sarajevo (Bosnia-Herzegovina) en 1965. Está casada con Marko Soldo y tiene dos hijas. Es la única de los seis videntes de Medjugorje que no vivía allí, sino que estaba de vacaciones con sus abuelos en Bijakovici cuando empezaron las apariciones. Su misión principal es rezar por quienes no conocen el amor de Dios.

APRENDE MÁS

Para obtener más información, visite el sitio web oficial del libro:

www.MiCorazonTriunfara.com (en español)

www.MyHeartWillTriumph.com (en inglés)

UNA SENCILLA SOLUCIÓN AL HAMBRE MUNDIAL

Una porción de los ingresos del libro *Mi Corazón Triunfará* apoya el proyecto de *Marys Meals*, una caridad que alimenta a más de un millón de niños en escuelas alrededor del mundo. Para obtener más información, visite *MarysMeals.org*

CPSIA information can be obtained
at www.ICGtesting.com
Printed in the USA
LVOW12s0023200118
563257LV00001B/21/P